회독플래너

실패율 Zero! 따라만 해도 5회독 가능!

권 구분	PART	CHAPTER	[illegible]	[illegible]	[illegible]	4회독	5회독
문법과 어문규정	현대 문법	언어와 국어	[illegible]	[illegible]	[illegible]	1	1
		음운론	[illegible]	[illegible]	[illegible]		
		형태론	5-8	5-8	4-5	2	
		통사론	9-12	9-12	6-8	3	2
		의미론과 화용론	13	13	9		
	어문 규정	한글 맞춤법	14-17	14-17	10-11	4	3
		문장 부호	18	18	12		
		표준어 사정 원칙	19-22	19-22	13-14	5	4
		표준 발음법	23-24	23-24	15	6	5
		로마자 표기법과 외래어 표기법	25	25	16	7	
	고전 문법	국어사	26	26	17	8	6
		훈민정음과 고전 문법	27-28	27-28	18	9	
		주요 고전문 분석	29	29	19	10	
	언어 예절과 바른 표현	언어 예절	30	30	20	11	7
		바른 표현	31	31	21	12	
비문학	이론 비문학	작문	32	32	22	13	8
		화법	33				
		논증과 오류	34				
	독해 비문학	주제 찾기 유형	35	33	23		
		내용 일치/불일치 유형	36				
		밑줄/괄호 유형	37				
문학	문학 기본 이론	문학의 이해	38	34	24	14	9
		한국 문학의 이해					
	현대 문학의 이해	한국 현대 문학의 흐름	39-40	35			
		현대 시	41	36	25	15	10
		현대 소설	42				
		희곡, 시나리오, 수필	43				
	고전 문학의 이해	한국 문학과 고대의 문학	44	37	26	16	11
		상고 시대의 문학					
		고려 시대의 문학	45				
		조선 시대의 문학	46				
	주요 문학 작품	현대 시	47-50	38-41	27-29	17	12
		현대 소설	51-54	42-45	30-31	18	13
		현대 희곡과 수필	55	46	32		
		고전 운문	56-59	47-49	33-34	19	14
		고전 산문	60	50	35	20	
어휘와 관용표현	순우리말		틈틈이!	틈틈이!	틈틈이!	틈틈이!	틈틈이!
	관용 표현		틈틈이!	틈틈이!	틈틈이!	틈틈이!	틈틈이!
	한자와 한자어		틈틈이!	틈틈이!	틈틈이!	틈틈이!	틈틈이!
			60일 완성	**50일 완성**	**35일 완성**	**20일 완성**	**14일 완성**

* 전 영역에 대한 회독플래너입니다.
* 일부 영역만 학습 시, 해당 일자를 참고하여 플래너를 활용하세요.

직접 체크하는

회독플래너

본문의 회독체크표를 한눈에!

권 구분	PART	CHAPTER	1회독	2회독	3회독	4회독	5회독
문법과 어문규정	현대 문법	언어와 국어					
		음운론					
		형태론					
		통사론					
		의미론과 화용론					
	어문 규정	한글 맞춤법					
		문장 부호					
		표준어 사정 원칙					
		표준 발음법					
		로마자 표기법과 외래어 표기법					
	고전 문법	국어사					
		훈민정음과 고전 문법					
		주요 고전문 분석					
	언어 예절과 바른 표현	언어 예절					
		바른 표현					
비문학	이론 비문학	작문					
		화법					
		논증과 오류					
	독해 비문학	주제 찾기 유형					
		내용 일치/불일치 유형					
		밑줄/괄호 유형					
문학	문학 기본 이론	문학의 이해					
		한국 문학의 이해					
	현대 문학의 이해	한국 현대 문학의 흐름					
		현대 시					
		현대 소설					
		희곡, 시나리오, 수필					
	고전 문학의 이해	한국 문학과 고대의 문학					
		상고 시대의 문학					
		고려 시대의 문학					
		조선 시대의 문학					
	주요 문학 작품	현대 시					
		현대 소설					
		현대 희곡과 수필					
		고전 운문					
		고전 산문					
어휘와 관용표현	순우리말						
	관용 표현						
	한자와 한자어						
			__일 완성	__일 완성	__일 완성	__일 완성	__일 완성

* 전 영역에 대한 회독플래너입니다.
* 일부 영역만 학습 시, 해당 일자를 참고하여 플래너를 활용하세요.

처음에는 당신이 원하는 곳으로
갈 수는 없겠지만,
당신이 지금 있는 곳에서
출발할 수는 있을 것이다.

– 작자 미상

기출OX 문제풀이 APP

1 에듀윌 합격앱 접속하기

QR코드
스캔하기

또는

에듀윌
합격

에듀윌 합격앱
다운받기

2 기출OX 퀴즈 무료로 이용하기

하단 딱풀 메뉴에서 기출OX 선택 ▶ 과목과 PART 선택 ▶ 퀴즈 풀기

- 틀린 문제는 기출오답노트(기출OX)에서 다시 확인할 수 있습니다.

3 교재 구매 인증하기

- 무료체험 후 7일이 지나면 교재 구매 인증을 해야 합니다(최초 1회 인증 필요).
- 교재 구매 인증화면에서 정답을 입력하면 기간 제한 없이 기출OX 퀴즈를 무료로 이용할 수 있습니다(정답은 교재에서 찾을 수 있음).

※ 에듀윌 합격앱 어플에서 회원 가입 후 이용하실 수 있는 서비스입니다.
※ 스마트폰에서만 이용 가능하며, 일부 단말기에서는 서비스가 지원되지 않을 수 있습니다.
※ 해당 서비스는 추후 다른 서비스로 변경될 수 있습니다.

2023

에듀윌 7·9급공무원

기본서

국어 | 비문학

기출분석의 모든 것

최근 5개년 출제 문항 수

2022~2018 9급
국가직, 지방직, 서울시
기준

권 구분	PART	CHAPTER	2022	2021		2020		2019			2018			합계
			국9	국9	지/서9	국9	지/서9	국9	지9	서9	국9	지9	서9	
문법과 어문 규정	현대 문법	언어와 국어		1						1				2
		음운론						1	1		1		2	5
		형태론		1				1		1			3	6
		통사론				2	1			1				4
		의미론과 화용론	1	1			1	1	2	1	1	1		9
	어문 규정	한글 맞춤법	3	1	1	1	3		2	4	1	3	2	21
		문장 부호												0
		표준어 사정 원칙			1								1	2
		표준 발음법								1				1
		국어의 로마자/외래어 표기법								2	1			3
	고전 문법	국어사												0
		훈민정음과 고전 문법								1	1	1		3
		주요 고전문 분석												0
	언어 예절과 바른 표현	언어예절												0
		바른 표현	1	1		2			1			1	1	7
비문학	이론 비문학	작문		2	1	1	2	2	1		3		1	13
		화법	1	2	1	2	1	3	2			2		14
		논증과 오류									1			1
	독해 비문학	주제 찾기 유형				2	2		2		1			7
		내용 일치/불일치 유형	4	3	3	3	1	3	3		3	4	2	29
		밑줄/괄호 유형	1	1	3	1	1	2		1				10
		기타	3	1	3		1					2		10
문학	기본 이론	문학의 이해						1	1				1	3
	현대 문학의 이해	한국 현대 문학의 흐름											2	2
	고전 문학의 이해	한국 문학과 고대의 문학												0
	주요 문학 작품	현대 시	1	1	1		1	1		3	1	1		10
		현대 소설	1		1	2	1	1	1	1	1	1	1	11
		현대 희곡과 수필		1	2			1						4
		고전 운문	1	2		1		2	1	2	1	2	1	13
		고전 산문	1		1		3	1	1		2	1		10
어휘와 관용 표현	순우리말	문학 작품 속 순 우리말												0
		사람 관련 순우리말												0
		자연 관련 순우리말												0
		기타 순우리말			1									1
		단어의 의미 관계												0
	관용 표현	주요 관용구			1									1
		신체 관련 관용구												0
		주요 속담								1			1	2
	한자와 한자어	한자와 한문법												0
		주요 한자												0
		두 글자 주요 한자어	1	1		2			1		1	1	1	8
		주의해야 할 한자와 한자어					1				1			2
		주요 사자성어	1	1		1	1		1				1	6
문항 수 합계			20	20	20	20	20	20	20	20	20	20	20	220

최근 5개년 출제 개념

2022~2018 9급
국가직, 지방직, 서울시
기준

권 구분	PART	CHAPTER	출제 개념
문법과 어문규정	현대 문법	언어와 국어	언어와 사고, 고유어, 한자어, 외래어, 귀화어, 비어, 국어의 형태적 득싱, 언어의 자의싱과 사회성, 순화어
		음운론	음운 변동, 자음과 모음
		형태론	용언의 불규칙 활용, 품사, 접두사, 대명사, 용언의 기본형, 보조사(는, 만, 대로, 조차), 조사(에서), 본용언과 보조 용언, 합성어와 파생어, 통사적 합성어와 비통사적 합성어, 접미사
		통사론	안긴문장의 성분, 주체 높임, 객체 높임, 상대 높임, 주동문과 사동문
		의미론과 화용론	지시 표현, 의미의 확대와 축소, 어휘의 의미 관계, 반의 관계[부상(扶桑)-함지(咸池)], 반의어(분분하다-합치하다, 겸손-오만, 결미-모두, 살다-죽다, 높다-낮다, 늙다-젊다, 뜨겁다-차갑다), 다의어와 동음이의어(싸다, 짚다, 타다), 유의어(잡다), 동일한 주어 찾기, '살다'의 의미
	어문 규정	한글 맞춤법	사이시옷 규정, 란-난, 량-양, 썩이다-썩히다, 가름-갈음, 부문-부분, 구별-구분, 로서-로써, 웬일, 며칠, 박이다, 으레, 한밤중, 잘할뿐더러, 두 시간 만에, 안된다, 도외시하다, 대리전으로밖에는, 내키는 대로, 회복될지, 으로부터, 십여 년 전, 정한 대로, 재조정하여야, 추진력마저, 나하고, 활용될 수밖에, 공부깨나, 가는 김에, 창밖, 우단 천, 30년 동안, 낫다, 이어서, '데'와 '대', 쳐주다, 먹어 버렸다, 부쳐 주었다, 젊어 보인다, 입원시켰다, 부부간, 아무것, 집채만 한, 믿을 만한, 미닫이, 졸음, 익히, 육손이, 집집이, 곰배팔이, 끄트머리, 바가지, 이파리
		문장 부호	
		표준어 사정 원칙	콧방울, 눈초리, 귓밥, 장딴지, 퍼레서, 똬리, 머리말, 잠가야, 버젓이, 깨단하다, 뒤져내다, 허구하다, 개발새발, 이쁘다, 덩쿨, 마실, 치켜세우다, 사글세, 설거지, 수캉아지, 주책, 두루뭉술하다, 허드레
		표준 발음법	디귿이[디그시], 홑이불[혼니불]
		국어의 로마자/외래어 표기법	국어의 로마자 표기법: 음절 사이 붙임표(-), 학여울[항녀울]-Hangnyeoul / 외래어 표기법: 플래시, 슈림프, 프레젠테이션, 뉴턴, 배지, 앙코르, 콘테스트, 난센스, 소파, 소시지, 슈퍼마켓, 보디로션, 팸플릿, 도트
	고전 문법	국어사	
		훈민정음과 고전 문법	조사, 어미, 접사, 훈민정음의 28 자모, 초성 17자
		주요 고전문 분석	
	언어 예절과 바른 표현	언어 예절	
		바른 표현	바른 단어 사용, 문장 성분의 호응, 바른 조사 사용
비문학	이론 비문학	작문	전개 방식(유추, 대조, 분석, 예시, 대조, 정의, 묘사), 통일성, 자료의 활용, 개요, 고쳐쓰기, 두괄식 문단, 미괄식 문단
		화법	공감적 듣기, 대담, 대화, 대화의 원리, 토의, 토론, 인터뷰
		논증과 오류	우연의 오류, 애매어의 오류, 결합의 오류, 분해의 오류, 대중에 호소하는 오류, 무지에 호소하는 오류, 권위에 호소하는 오류, 연민에 호소하는 오류, 논증 구조
	독해 비문학	주제 찾기 유형	필자가 궁극적으로 강조하는 내용으로 옳은 것은, 제목으로 가장 적절한 것은, 칸트의 입장과 부합하는 것은, 중심 내용으로 가장 적절한 것은, 글쓴이의 생각을 적절히 추론한 것은
		내용 일치/불일치 유형	글에 대한 이해로 적절하지 않은 것은, 글쓴이의 견해에 부합하는 것은, 하버마스의 주장에 부합하는 사례로 가장 적절한 것은, 추론한 내용으로 적절하지 않은 것은, 설명으로 적절하지 않은 것은, 부합하지 않는 것은, 추론할 수 있는 내용으로 적절하지 않은 것은, 부합하는 것은, 필자의 견해로 볼 수 없는 것은, 알 수 있는 내용이 아닌 것은,
		밑줄/괄호 유형	다음 문장이 들어가기에 가장 적절한 곳을 ㉠~㉣에서 고르면, (가)~(라)에 들어갈 말로 가장 적절한 것은, 다음 문장이 들어가기에 가장 적절한 곳은, 다음 글에서 〈보기〉가 들어가기에 가장 적절한 것은, 다음 글의 괄호 안에 들어갈 문장으로 적절한 것은
		기타	문단 순서 배열, 문장 순서 배열, 조건에 맞는 글, 예시 찾기
문학	문학 기본 이론	문학의 이해/한국 문학의 이해	골계미, 풍자, 해학, 작품 감상의 관점
	현대 문학의 이해	한국 현대 문학의 흐름	6 · 25 전쟁과 관련된 소설 작품, 1960년대 한국 문학의 특징, 시사(詩史)의 전개와 순서, 동일한 시대적 배경의 시, 서울 배경의 소설 작품
	고전 문학의 이해	한국 문학과 고대의 문학	
	주요 문학 작품	현대 시	신동엽의 「봄은」·「이야기하는 쟁기꾼의 대지」·「누가 하늘을 보았다 하는가」, 조병화의 「나무의 철학」, 조지훈의 「봉황수」, 함민복의 「그 샘」, 박목월의 「나그네」·「청노루」, 이육사의 「절정」, 곽재구의 「사평역에서」
		현대 소설	이태준의 「패강랭」, 김정한의 「산거족」, 강신재의 「젊은 느티나무」, 조세희의 「난쟁이가 쏘아 올린 작은 공」, 양귀자의 「비 오는 날이면 가리봉동에 가야 한다」, 오정희의 「중국인 거리」, 황순원의 「목넘이 마을의 개」, 이호철의 「닳아지는 살들」, 김승옥의 「서울, 1964년 겨울」·「무진기행」, 김유정의 「봄 · 봄」, 염상섭의 「삼대」
		현대 희곡과 수필	이상의 「권태」, 김훈의 「수박」, 이강백의 「느낌, 극락 같은」·「파수꾼」
		고전 운문	고려 가요: 작자 미상의 「동동」 / 악장: 정인지, 권제, 안지 등의 「용비어천가」 / 한시: 이달의 「제총요」, 허난설헌의 「사시사」 / 가사: 박인로의 「누항사」 / 시조: 유응부의 「간밤에 부던 ᄇᆞ람에~」, 이항복의 「철령 노픈 봉에~」, 계랑의 「이화우 흣뿌릴 제~」, 조식의 「삼동의 뵈옷 닙고~」, 박인로의 「반중 조홍감이~」, 황진이의 「동짓둘 기나긴 밤을~」, 성혼의 「말 업슨 청산이오~」, 이현보의 「농암에 올라보니~」, 길재의 「오백년 도읍지를~」, 이황의 「도산십이곡」, 윤선도의 「초연곡」, 권섭의 「하하 허허 ᄒᆞᆫ들~」, 정철의 「내 마음 베어 내어~」, 정철의 「훈민가」, 김상헌의 「가노라 삼각산아~」
		고전 산문	신화: 「주몽 신화」 / 가전체 문학: 이첨의 「저생전」, 임춘의 「공방전」 / 고전 소설: 김만중의 「구운몽」·「사씨남정기」, 작자 미상의 「춘향전」 / 민속극: 작자 미상의 「봉산 탈춤」
어휘와 관용표현	순우리말		반나절, 달포, 그끄저께, 해거리, 해미, 안갚음, 볼썽, 상고대, 쌈, 제, 거리, 굼적대다, 비나리 치다, 가리사니
	관용 표현		속담, 관용구
	한자와 한자어		사자성어, 두 글자 한자어, 한자의 훈과 음

CONTENTS

이 책의 차례

PART Ⅱ
독해 비문학

PART

I 이론 비문학

5개년 챕터별 출제비중 & 출제개념

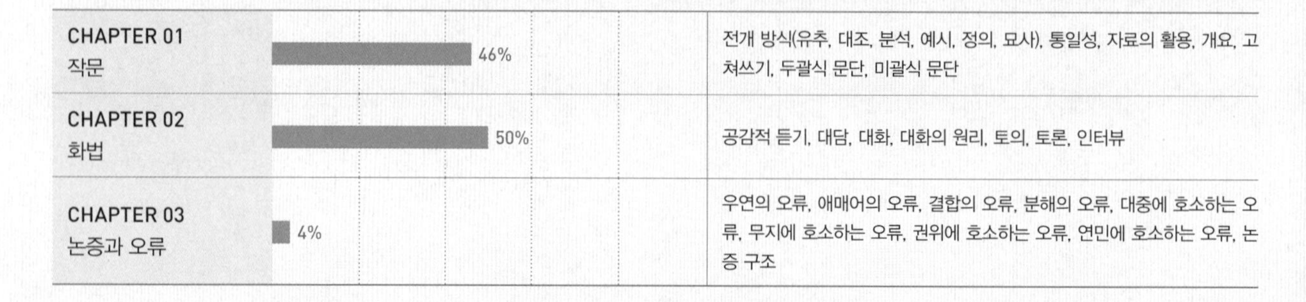

챕터	출제비중	출제개념
CHAPTER 01 작문	46%	전개 방식(유추, 대조, 분석, 예시, 정의, 묘사), 통일성, 자료의 활용, 개요, 고쳐쓰기, 두괄식 문단, 미괄식 문단
CHAPTER 02 화법	50%	공감적 듣기, 대담, 대화, 대화의 원리, 토의, 토론, 인터뷰
CHAPTER 03 논증과 오류	4%	우연의 오류, 애매어의 오류, 결합의 오류, 분해의 오류, 대중에 호소하는 오류, 무지에 호소하는 오류, 권위에 호소하는 오류, 연민에 호소하는 오류, 논증 구조

13%

※최근 5개년(국, 지, 서)
출제비중

학습목표

CHAPTER 01 작문	❶ 작문 이론 공부하기 ❷ 작문의 실제 공부하기
CHAPTER 02 화법	❶ 화법 이론 공부하기 ❷ 화법의 실제 공부하기
CHAPTER 03 논증과 오류	❶ 연역법, 귀납법, 변증법 공부하기 ❷ 각 오류별 특성 공부하기

CHAPTER

01 작문

□ 1회독	월	일
□ 2회독	월	일
□ 3회독	월	일
□ 4회독	월	일
□ 5회독	월	일

단권화 MEMO

01 작문의 개념

1 개념

'작문'은 문자 언어를 사용하여 자신의 생각과 감정을 표현하는 의사소통 과정이자, 새로운 의미를 창조하는 과정이며 문제 해결 과정이다.

2 작문을 어려워하는 이유

① 말을 통한 상호 작용에 비해 글을 쓰는 상황에서 필자와 독자 간의 상호 작용이 직접적으로 이루어지기 어렵다.

② 말을 통한 상호 작용에 비해 글을 쓰는 상황에서 강조, 구별, 섬세한 감정 또는 미묘한 분위기 등을 표현하기 어렵다.

③ 말을 통한 상호 작용에 비해 글을 쓰는 상황에서 표현하고자 하는 대상 또는 사건에 대하여 구체적·단계적으로 세부 사항을 설명해야 한다.

더 알아보기 작문을 바라보는 관점

구분	관점	절차
형식주의 작문 이론	• 모범 텍스트가 존재하며, 이런 모범 텍스트를 생산하는 데 필요한 지식이 있다고 생각하는 관점 • 따라서 모범 텍스트와 관련한 객관적 지식을 추출하여 필자에게 제시해야 한다고 생각함	예비 작문하기 → 작문하기 → 다시 쓰기
인지주의 작문 이론	• 작문 과정을 단순히 단계적 과정으로 바라보지 않고 동시적·상호 작용적으로 이루어지는 과정으로 판단하는 관점 • 따라서 작문 과정을 단계적 과정이 아니라 회귀적 과정으로 생각함	계획하기 → 작성하기 → 재고하기 → 조정하기 ※ 단계에 관계없이 어느 과정으로든 회귀할 수 있음
사회구성주의 작문 이론	• 작문을 필자 혼자만의 의미 구성이 아닌 공동체나 독자와의 의미 협상 과정이라고 생각하는 관점 • 인지주의 작문 이론이 확장된 관점	

02 글의 구성 요소

단권화 MEMO

1 글의 구성

여러 개의 단어가 모여 '문장'이 되고, 여러 개의 문장이 모여 '문단'이 된다. 하나의 문단은 주요 내용을 담고 있는 주제문과 이를 뒷받침하는 문장들로 구성된다.

2 문단의 요건

구분	개념	용례
통일성	글의 모든 내용은 하나의 주제로 통일되어야 함	학생은 공부를 열심히 해야 한다. 그래야 좋은 대학에 갈 수 있다. 물론 수면 시간도 충분해야 한다. ⇨ '학생은 공부를 열심히 해야 한다'라는 주제에 수면 시간은 크게 관련이 없음. 따라서 밑줄 친 부분은 통일성을 위해 삭제하는 것이 자연스러움
일관성	글 속에 있는 단어, 문장, 문단의 연결이 논리적이고 자연스러워야 함	나는 배가 고팠다. 그러나 밥을 먹었다. ⇨ 문맥상 '그러나'가 자연스럽지 않아서 일관성이 부족한 문장이 됨. 글의 일관성을 고려한다면 '그래서'로 바꾸는 것이 자연스러움
완결성	한 단락은 주제문과 주제문을 뒷받침하는 내용이 밀접하게 연결되어야 함	교실은 학생과 선생님이 함께하는 공간이다. 선생님은 교실에서 주로 수업을 하며 공간을 이용한다. ⇨ 교실은 학생과 선생님이 함께하는 공간인데 선생님과 관련한 내용만 언급하고 있음. 글의 완결성을 고려한다면 학생과 관련한 내용도 함께 언급하는 것이 자연스러움

3 문장과 문단의 연결 관계

도입	글의 시작 부분으로 집필 동기와 방향 제시, 독자의 흥미 유발 기능
전제	주지 앞에 위치하여 주지를 이끌어 낼 논리적 근거
부연	앞의 내용을 보충 설명하는 것
전환	글의 방향이 변화하는 것
상술	앞의 내용을 쉽고 구체적으로 제시하는 것
첨가	앞의 내용에 새로운 내용을 덧붙이는 것
발전	제기된 문제를 구체적으로 논의하는 것
해결 관계	문제 제시 + 해결 방안 제시
비판 관계	일반적 견해 + 견해에 대한 긍정 또는 부정 의견 제시
대조 관계	서로 상반되는 사례 연결
인과 관계	원인 제시 + 결과 제시
열거 관계	논지에 적합한 내용을 대등하게 제시하는 관계

단권화 MEMO

4 문단/글의 구성 방식

구성	종속 주제 (소주제문) + 뒷받침하는 세부 내용 (전개문)
유형	• 두괄식: 중심 문장 + 뒷받침 문장 • 미괄식: 뒷받침 문장 + 중심 문장 • 양괄식: 중심 문장 + 뒷받침 문장 + 중심 문장 • 중괄식: 뒷받침 문장 + 중심 문장 + 뒷받침 문장

03 글의 전개 방식

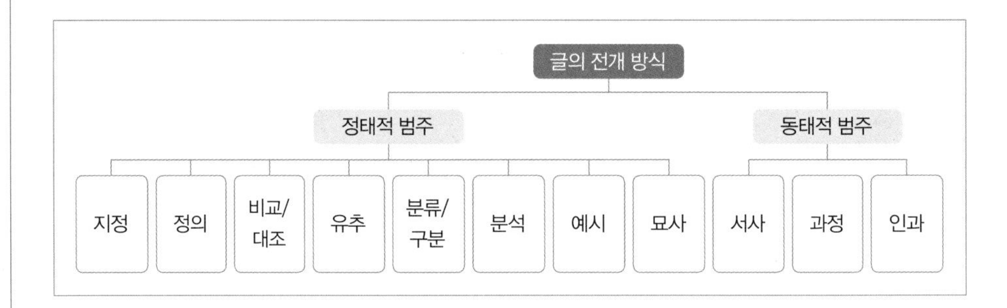

1 정태적 범주

(1) 지정

몇 가지 사실 가운데 '무엇'에 해당하는 사실을 지적하여 알려 주는 방식으로, '그것은 무엇인가?', '그는 누구인가?' 등의 물음에 답하는 형식으로 설명하는 방법이다. 단순한 사실 확인이나 현상적 특징의 해명에 사용된다.

• 지금 공을 몰고 가는 사람이 호동이입니다.
• 내가 지금 손에 들고 있는 것은 국어 교과서이다.

(2) 정의

단어의 의미를 명확하게 하기 위해 개념의 범위를 한정하고 본질적 속성을 진술하는 방법이다. 정의는 정의되는 항(피정의항)과 정의하는 항(정의항)으로 이루어지며, 정의문은 유개념과 종개념, 종차 사이의 관계로 이루어진다. 두 개념이 포함 관계에 있을 때 넓은 개념이 유개념이고, 좁은 개념이 종개념이다. 그리고 종차는 같은 유개념 내에서 종개념이 다른 종개념과 구별되는 특징이다.

문학은	언어로 표현되는	예술이다.
피정의항/종개념	정의항/종차	정의항/유개념

더 알아보기 '정의'할 때의 유의점

유의점	용례
① 정의의 형식에 맞아야 함	문학은 예술이다. (×) ⇨ 기본 형식인 종차가 없음
② 종차를 막연한 표현이나 비유와 상징 등을 사용한 모호한 표현으로 나타내면 안 되고, 개념을 명확하게 드러낼 수 있어야 함	인생은 오랜 시간 달려야 하는 마라톤이다. (×) ⇨ 인생을 마라톤에 비유하고 있기 때문에 잘못된 정의임
③ 정의하고자 하는 대상이나 개념이 정의항에 되풀이되어서는 안 됨	신문 기사는 신문에 쓰인 기사이다. (×)
④ 피정의항이 부정이 아닌 한, 정의항이 부정적 진술로 나타나서는 안 됨	학생은 공부를 끝낸 사람이 아니다. (×)
⑤ 정의항이 대상에 대한 묘사나 해석이어서는 안 됨	인간은 사회를 구성하며 살아간다. (×)
⑥ 정의항의 유개념은 피정의항의 종개념 바로 위의 것이어야 함	인간은 생각하는 생물이다. (×)
⑦ 정의항의 종차는 피정의항만이 가지고 있는 본질적 속성을 반영해야 함	인간은 육식하는 동물이다. (×) ⇨ 인간 외에도 육식을 하는 동물이 많으므로 옳은 정의가 아님

단권화 MEMO

(3) 비교와 대조

두 대상 간의 비슷한 점에 주된 관심을 갖고 진술하는 방식을 '비교'라고 하고, 차이점에 주된 관심을 갖고 진술하는 방식을 '대조'라고 한다. 비교와 대조 모두 견주어 보는 대상의 위상이 같거나 비슷해야 한다.

> 여자와 소녀
>
> ⇨ '여자와 소녀'는 위상이 같지 않아 비교·대조의 대상으로는 부자연스럽다. 여성과 남성, 소녀와 소년, 소녀와 성인 여성 등이 비교·대조의 대상으로 적합하다.

(4) 유추

두 개의 특수한 대상에서 어떤 징표가 일치하고 있기 때문에 다른 징표도 일치할 것이라고 추정하며 진술하는 방법이다. 매우 생소한 개념이나 어렵고 복잡한 대상을 좀 더 친숙하고 단순한 개념이나 대상과 비교할 때 사용하는 방법으로, 비교보다는 비유에 가까운 진술 방법이다. 유추를 활용하기 위해서는 진술 대상과 유추 대상이 서로 다른 범주에 속하면서도 유사성이 있어야 하며, 두 대상의 성질이 일대일로 대응되어야 한다.

> 인생은 마라톤과 같다.

(5) 분류와 구분

하위 항목을 상위 항목으로 묶어서 진술하는 방식을 '분류'라고 하고, 상위 항목을 하위 항목으로 나누어 진술하는 방식을 '구분'이라고 한다.

> • 분류: 신라의 향가, 고려의 속요, 조선의 시조는 내용으로 보아 모두 서정시에 속한다. 서정시는 서사시, 극시와 나란히 시의 한 장르를 이루고 있다.
> • 구분: 문학의 장르에는 시, 소설, 수필, 희곡, 평론이 있다. 시에는 다시 서정시, 서사시, 극시가 있으며, 자유시, 정형시로 나누기도 한다. 소설은 장편 소설, 중편 소설, 단편 소설이 있고, 고대 소설·현대 소설이 있으며, 가정 소설, 탐정 소설, 해양 소설, 순정 소설 등 다양하게 나눌 수 있다.

단권화 MEMO

'분류와 구분'은 다음의 조건을 충족해야 한다.

조건	용례
상위 항목은 빠짐없이 하위 항목을 포함해야 함	생물을 나누면 동물, 식물이 있다. ⇨ 미생물도 생물의 범주에 속하므로 적절하지 않음
분류와 구분의 기준은 오로지 하나여야 함	자동차의 종류에는 대형차, 중형차, 소형차, 외제차 등이 있다. ⇨ '차의 크기'라는 기준과 '제조된 곳'이라는 기준이 함께 적용되었으므로 적절하지 않음
분류와 구분의 각 항목들은 서로 대등해야 하고, 겹치지 않아야 함	학교에는 교사, 학생, 교직원이 있다. ⇨ 교직원은 교원과 사무직원을 포함하는 말이므로 적절하지 않음

(6) 분석

대상, 개념 등을 부분이나 요소로 분해하는 것을 '분석'이라고 한다. 분석은 종합에 반대되는 개념이다.

- 분석: 나무 – 가지, 줄기, 껍질, 뿌리, 잎
- 분류: 나무 – 소나무, 감나무, 사과나무

(7) 예시

세부적이고 구체적인 예를 들어 일반적 원리나 진술을 구체화하는 진술 방법이다. 일반적으로 예시는 '주지'를 뒷받침하는 역할을 한다.

(8) 묘사

대상을 감각적으로 표현하고 기술적, 의도적으로 그려 나타내는 양식을 '묘사'라고 한다. 묘사는 주관성 개입 여부에 따라 객관적 묘사와 주관적 묘사로 구분할 수 있다.

객관적 묘사 (과학적 묘사, 설명적 묘사)	• 필자의 주관성을 최대한 배제하고, 눈에 보이는 대상이나 상황을 사실에 충실하게 묘사하는 방법 • 주로 과학 실험, 관찰 보고서, 논문 등에서 사용
주관적 묘사 (인상적 묘사, 문학적 묘사)	• 필자의 주관적 인상이나 느낌을 표현하는 방법 • 주로 문학 작품에서 사용

2 동태적 범주

(1) 서사

사건이 진행되어 가는 과정이나 인물의 행동이 변화되어 가는 과정을 시간의 흐름에 따라 차례로 서술하는 방법이다. 즉, '시간의 흐름' 속에서 인물이 '무엇'을 했는가를 말하는 방식이다.

나는 그날 그에게 돈 삼 원을 주었다. 그의 말대로 삼산 학교 앞에 가서 뻐젓이 참외 장사라도 해 보라고. 그리고 돈은 남지 못하면 돌려 오지 않아도 좋다 하였다. 그는 삼 원 돈에 덩실덩실 춤을 추다시피 뛰어나갔다. 그리고 그 이튿날, '선생님 잡수시라굽쇼.' 하고 나 없는 때 참외 세 개를 갖다 두고 갔다. 그러고는 온 여름 동안 그는 우리 집에 얼른하지 않았다. 들으니 참외 장사를 해 보긴 했는데 이내 장마가 들어 밑천만 까먹었고, 또 그까짓 것보다 한 가지 놀라운 소식은 그의 아내가 달아났단 것이다.

– 이태준, 「달밤」 –

■ 서사의 3요소
- '행동, 시간, 의미'
- 즉, 서사는 시간의 흐름 속에서 인물이 하는 의미 있는 행동의 기록을 말한다.

단권화 MEMO

(2) 과정

어떤 결과에 도달하기 위한 점진적 변화나 단계적인 절차에 주안점을 두는 서술 방법이다. 서사가 '무엇'에 주안점을 둔다면, 과정은 '어떻게'에 주안점을 둔다. 과정은 주로 '정보 전달'을 목적으로 하는 글에서 사용된다.

> 오염된 물은 누가 청소하는가? 증발이나 증산 작용과 같은 물 자체의 순환과 분해자, 생산자가 그 역할을 한다. 태양열에 의해 액체인 물이 기체가 되고, 식물의 체내에 있던 수분이 기체가 되어 잎을 통해 발산된다. 이때 물은, 자기가 용해하여 가지고 있던 물질을 몽땅 그 자리에 둔 채 — 깨끗이 청소된 채 — 자기만 기화한다. 즉, 불순물을 포함하지 않은 순수한 수증기 상태가 되어 구름을 이룬다. 물론, 이때 공기 중의 먼지가 약간 섞이기는 한다. 구름은 다시 액화되어, 비의 형태로 땅 위에 내린다. 이 물은 지구상의 모든 생물의 세포에까지 흘러 들어가서 세포가 필요로 하는 것은 공급해 주고, 필요 없는 것은 세포 밖으로, 그리고 몸 밖으로 깨끗이 치워 준다.

(3) 인과

어떤 결과를 가져오게 한 원인을 분석하거나 어떤 원인에 의해 결과적으로 초래된 현상을 분석하는 것을 말한다. 주로 어떤 결과를 가져오게 한 '원인(왜)'에 주안점을 둔다.

> 수도권에 대한 집중을 억제하고 국토의 불균형을 해소하는 것은 국가 차원의 당위적인 과제이다. 따라서 정부는 국토의 균형 발전을 목표로 지난 40년간 수도권의 인구와 산업의 집중을 억제하고 분산 정책을 지속적으로 추진하고 있다.

04 작문의 과정(순서)

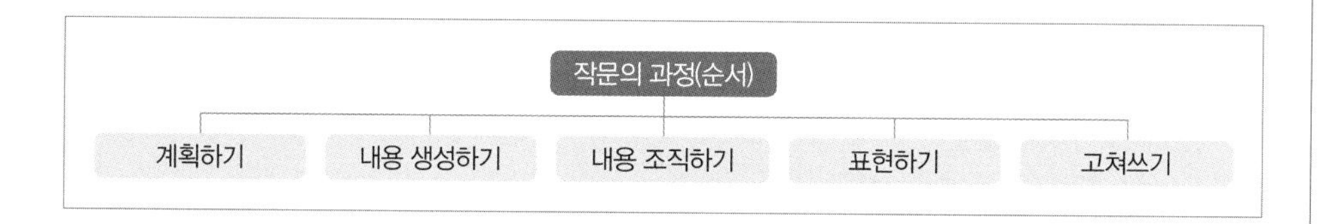

1 계획하기

글의 목적과 독자를 고려하여 주제를 세우는 과정을 '계획하기'라고 한다.

글쓰기의 목적 구체화	필자가 쓰고자 하는 글이 정보를 전달하기 위함인지, 누군가를 설득하기 위함인지, 단순한 자기 표현인지 등을 생각하고 목적을 구체화해야 함
예상 독자의 요구 확인	독자의 연령, 성별, 가치관, 교육 수준 등 예상 독자가 처해 있는 구체적인 환경을 생각해야 함
명확한 주제 설정	• 필자가 전달하고자 하는 생각을 명료화할 수 있는 주제를 설정해야 함 • 올바른 주제는 막연하지 않고 명확하게 글의 중심 생각과 사상을 드러낼 수 있어야 함 • 사회·문화적 배경, 장르의 특성 등을 고려해야 함
작문의 관습	띄어쓰기, 알맞은 문장 부호 등 보편적인 작문 관습을 지켜야 함

2 내용 생성하기

글의 재료가 되는 자료를 수집하고, 주제에 적합한 자료를 선별하는 과정을 '내용 생성하기'라고 한다.

단권화 MEMO

■ 글의 구성 모형

문제와 해결	문제점을 먼저 제시하고 해결 방안을 뒤에 제시
원인과 결과	원인을 먼저 제시하고 결과를 뒤에 제시
단계적 순서	상황, 과정, 움직임, 문제점 등을 순서대로 제시

자료는 다음의 조건을 충족해야 한다.

① 풍부하고 다양하되, 주제를 분명히 뒷받침할 수 있어야 한다.

② 독자의 관심을 끌 수 있고 객관적이고 구체적이어야 한다.

창의성	필자가 세운 글쓰기 목적에 맞는 창의적인 내용을 생성하기 위해 노력해야 함 예 브레인스토밍, 연상하기, 가상의 독자와 대화하기 등
자료 수집	• 체계적인 방법을 통해 자료를 수집해야 함 • 주로 일반적인 것에서 구체적이고 전문적인 것으로, 쉬운 것에서 어려운 것 순으로 자료를 수집함 예 문헌, 전문가와 면담하기, 관찰 등

3 내용 조직하기

앞서 생성한 내용을 구조화하고 배열하는 과정을 '내용 조직하기'라고 한다.

① 일반적으로 3단 구조로 구성한다. 설명문의 경우는 '처음 · 가운데 · 끝'으로, 논설문의 경우는 '서론 · 본론 · 결론'으로 구성한다.

② 글 전체의 통일성, 일관성, 완결성을 고려한다.

③ 내용의 전개 원리에 따라 글의 중심 내용과 세부 내용을 전개하고 배열한다.

④ 일반적이고 모범적인 글의 구성 모형을 통해 글을 조직한다. 일반적이고 모범적인 글의 구성 모형을 활용하면 필자는 글쓰기에 도움을 받을 수 있고, 독자는 글의 내용을 예측하기 쉽다는 장점이 있다.

더 알아보기 개요

1. 개념

본격적인 글쓰기에 앞서 생성한 내용들을 주제에 맞게 배치한 것을 '개요'라고 한다.

2. 개요의 예시 (2008 지방직 9급 / 2018 선관위 9급 기출문제 활용)

Ⅰ. 서론: 문제의 제기
 1. 교통사고에 대한 언론 보도 현황
 2. 교통사고 사망자 수가 한국 전쟁 사망자 수를 앞지름

Ⅱ. 본론 1: 교통사고의 원인
 1. 물리적 원인: 비효율적인 교통행정 의사 결정 구조
 2. 심리적 원인: 공중도덕 의식 부족, 질서 의식 부족, 인명 경시 풍조

Ⅲ. 본론 2: 문제의 해결 방법
 1. 도로의 정비, 벌칙 강화
 2. 국민의 의식 개혁

Ⅳ. 결론: 요약 및 제언

3. 개요 작성 시 주의점

① 개요의 모든 내용은 전체 주제에서 벗어나면 안 된다. 즉, 통일성을 가져야 한다.

② 개요는 상위 항목이 하위 항목을 포괄할 수 있어야 한다.

③ 본론의 구성이 유기적이어야 한다. 위의 '2. 개요의 예시'에서 밑줄 그은 부분을 보면 본론의 원인과 해결 방법이 유기적으로 구성되어 있다는 것을 알 수 있다. 즉, 원인을 '물리적 원인'과 '심리적 원인'으로 나누고 그에 따른 해결 방법도 '물리적 원인'과 '심리적 원인'에 맞게 구성하고 있다는 것을 알 수 있다.

④ 결론은 전체 글 내용에 맞게 구체적으로 제시하는 것이 좋다.

4 표현하기

조직된 내용을 목적과 절차에 따라 글로 표현하는 것을 '표현하기'라고 한다.

① 글 내용에 가장 적합한 어휘를 선택하며, 어법에 맞게 문장을 표현한다.
② 예상 독자를 고려하며 글을 쓴다.
③ 비유, 변화, 강조 등 여러 표현 기법을 상황에 맞게 사용한다.
④ 필자의 특성에 맞는 개성 있는 문체로 표현한다.
⑤ 그림, 도표 등을 상황에 맞게 사용한다.

5 고쳐쓰기

글의 목적에 적합한지 고려하며 문맥을 다듬고 표현을 수정하는 것을 '고쳐쓰기'라고 한다. 고쳐쓰기를 할 때에는 글 수준, 문단 수준, 문장 수준, 단어 수준에서 적절하지 않거나 잘못된 표현을 수정한다.

(1) 글 · 문단 · 문장 · 단어 수준의 고쳐쓰기

글 수준	• 전체 주제와 비교해 보며 중심 문단과 뒷받침 문단의 관계를 다시 살펴봄 • 제목, 소제목 등을 수정하며 불필요한 부분을 삭제하고 중요한 내용의 위치를 조정하는 등 글의 전체적인 부분에 집중함
문단 수준	• 각 문단의 중심 내용에 맞게 중심 문장과 뒷받침 문장의 관계가 적절한지 살펴봄 • 문단의 길이 등을 수정함
문장 수준	• 각 문장 성분들이 호응하는지, 접속어와 지시어 등은 적절한지 등을 살펴봄 • 모호한 문장을 수정함
단어 수준	띄어쓰기, 맞춤법 등이 적합한지 살펴보고 부적절한 단어를 적절한 단어로 교체함

(2) 고쳐쓰기의 원칙

원칙	내용
첨가의 원칙	표현의 상세화를 위해 부족한 부분이나 빠뜨린 부분을 보충
삭제의 원칙	표현의 긴장성 확보를 위해 불필요한 부분을 삭제
재구성의 원칙	논리적 완결성을 위해 문장이나 문단의 배열 순서를 바꿈

더 알아보기 문체*의 종류

문체	특징
간결체	• 문장을 짧게 끊어 표현한 문체 • 간결체에는 마침표, 느낌표, 물음표 등이 자주 사용됨 • 긴장감과 선명한 인상을 줌
만연체	• 문장을 길게 쓴 문체로, 쉼표가 자주 사용됨 • 정보를 충분히 전달할 수 있는 반면, 지루함을 줄 수도 있음
건조체	• 꾸미는 말을 지양하고, 전달하려는 내용만을 쓴 문체 • 간결하게 핵심 내용을 파악할 수 있는 반면, 건조하고 딱딱한 느낌을 줄 수도 있음
화려체	• 여러 가지 표현 방법과 꾸미는 말을 사용하여 글을 화려하게 쓴 문체 • 미묘하고 아름다운 정감을 표현하는 데 효과적
우유체	• 부드럽고 온화하여 다정하게 느껴지는 문체 • 친밀감 형성이 가능
강건체	• 굳세고 강하여 호소력이 느껴지는 문체 • 연설조의 논설문에서 자주 사용됨 • 호소력이 짙다는 특징을 지님
문어체	글에서만 쓰이는 점잖고 예스러운 문체
구어체	일상생활에서 쓰는 말을 사용한 문체

단권화 MEMO

■ 집필 순서

단계	내용
제목 정하기	글의 내용과 성격이 잘 드러나야 하며, 수제를 함축하고 전체 내용을 포괄해야 함
서두 쓰기	독자의 흥미를 끌 수 있어야 함
본문 쓰기	서두의 내용을 풀어서 제시
결말 쓰기	본문의 내용을 요약하고, 전망을 제시

■ 교정 전략

전략	내용
전체적 교정 전략	• 교정이 단어나 문장 수준에 머무르지 않고 문단, 글 전체 수준에서 재조직하는 교정 전략 • 주로 능숙한 필자가 사용할 수 있는 전략
지엽적 교정 전략	• 오타 수정 등 단어나 구절의 수정 수준에 머무는 교정 전략 • 주로 미숙한 필자가 사용할 수 있는 전략

*문체
글이나 문장의 개성적 특색을 말한다.

단권화 MEMO

05 작문의 실제

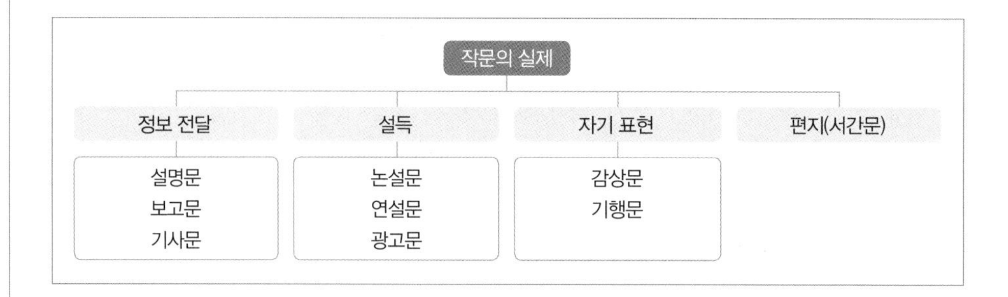

1 정보 전달

(1) 설명문

① **개념**: 어떤 대상에 대하여 독자가 잘 모르거나 잘못 알고 있는 것을 쉽고 정확하게 이해할 수 있게 쓰는 글을 '설명문'이라고 한다.

② **특징**

㉠ 객관적으로 서술하는 글이다.

㉡ 정확한 정보를 바탕으로 한 글이다.

㉢ 간결한 글이다.

③ **유의점**

㉠ 설명의 대상이 명확하고 용어 사용이 정확해야 한다.

㉡ 부정확한 정보를 사용하지 않아야 한다.

㉢ 설명의 대상이나 내용에 따라 문단을 구분해야 한다.

㉣ 도표, 그림, 사진, 통계 자료 등의 보조 자료를 적절히 활용해야 한다.

④ **구성**

머리말	대상을 밝히고, 글을 쓰는 이유와 목적을 밝힘
본문	대상을 구체적으로 설명
맺음말	본문에서 설명한 내용을 요약·마무리

(2) 보고문

① **개념**: 연구, 조사, 실험, 답사, 행사 등의 과정이나 결과를 다른 사람에게 일정한 양식에 맞추어 전달하는 글을 '보고문'이라고 한다. 보고문은 수록한 내용에 따라 '연구 보고문, 여행 보고문, 조사 보고문, 관찰 보고문, 실험 보고문' 등으로 나뉜다.

② **특징**

㉠ 객관적으로 서술하는 글이다.

㉡ 신속성이 매우 중요한 글이다.

㉢ 문제 해결의 성격을 보이는 글이다.

③ **유의점**

㉠ 보고에 필요한 사진, 도표, 그림, 통계 등의 보충 자료, 참고 자료 등을 풍부하게 제시해야 한다.

㉡ 보고문의 주제, 작성 의의, 작성 동기, 필요성, 목적 등을 분명하게 제시해야 한다.

ⓒ 실험, 답사, 관찰 등의 조사 대상, 조사 방법, 조사 기간, 장소, 참가자를 정확하게 밝혀야 한다.
ⓓ 조사 내용과 그 핵심을 육하원칙에 따라 밝혀야 한다.

단권화 MEMO

(3) 기사문

① 개념: 실제로 일어난 사건에 대한 정보를 보고 들은 대로 신문이나 잡지에 정확히 알리는 글을 '기사문'이라고 한다.

② 특징
ⓐ 육하원칙의 요소가 나타나는 글이다.
ⓑ 객관적인 글이다.
ⓒ 간결한 글이다.

③ 유의점
ⓐ 기사 내용이 가치가 있어야 하고, 객관성, 정확성을 갖추어야 한다.
ⓑ '표제 – 전문 – 본문'의 3단계 구성을 갖추어야 한다.
ⓒ 육하원칙에 따라 써야 한다.
ⓓ 어문 규범과 보도 윤리를 지켜야 한다.

④ 구성

표제	• 헤드라인, 타이틀로도 부름 • 기사 내용을 압축하여 제시함 • 정확성, 명료성, 긴장성을 지녀야 함
부제	표제를 보완하는 문구
전문	기사 내용을 육하원칙에 따라 요약한 문장
본문	• 기사 내용을 자세히 서술한 부분 • 통일성과 일관성이 있어야 함
해설	• 이해를 돕기 위해 덧붙인 보충 설명으로, 주관성이 드러나기도 함 • 생략되는 경우가 많음

2 설득

(1) 논설문

① 개념: 독자가 공감할 수 있도록 자신의 주장을 논리적으로 쓰는 글을 '논설문'이라고 한다.

② 특징
ⓐ 논리적이고 독창적인 글이다.
ⓑ 정확한 근거를 바탕으로 쓰인 글이다.
ⓒ 설득을 목적으로 하는 글이다.

③ 유의점
ⓐ 논지가 선명하게 드러나야 한다.
ⓑ 추론이 합리적이며, 설득력 있어야 한다.
ⓒ 부적절한 인용, 모순, 비약 등이 없어야 한다.

단권화 MEMO

④ 구성

서론	• 글을 쓰는 동기, 문제 제기, 논제 제시 • 용어의 개념을 정리 • 독자의 흥미 유발
본론	• 주장·의견을 내세우는 단계 • 주장을 입증하기 위해 과제에 대한 의견, 주장, 논거 제시, 논리적 반박, 해결 방법 제시
결론	• 본론의 내용 요약·마무리 • 행동 촉구, 전망 제시, 새로운 과제 제시

(2) 연설문

① **개념**: 청중의 신념이나 태도에 변화를 주기 위해 청중 앞에서 연설할 내용을 적은 글을 '연설문'이라고 한다. 연설문은 목적에 따라 '정보 전달 연설문, 설득 연설문, 환담 연설문' 등으로 나뉜다.

② **특징**
㉠ 낭독할 것을 전제로 하므로 생생한 구어체로 쓴 글이다.
㉡ 청중, 시간과 장소 등의 상황을 염두에 두고 쓴 글이다.

③ **유의점**
㉠ 청중의 수준을 고려해야 한다.
㉡ 처음 부분에 청중의 주의를 환기하는 내용이 들어가야 한다.
㉢ 자신의 체험, 여러 사람의 예화를 풍부하게 활용해야 한다.
㉣ 끝부분에서는 핵심 내용을 강조하고 인상적으로 마무리해야 한다.

(3) 광고문

① **개념**: 상품, 각종 정보, 사업 내용 등을 여러 가지 매체를 통하여 널리 알리기 위해 쓰는 글을 '광고문'이라고 한다.

② **특징**
㉠ 독자의 흥미를 끌 수 있는 글이다.
㉡ 욕구를 불러일으키고 실행하게 하는 글이다.
㉢ 오래 기억하게 만들 수 있는 글이다.

③ **유의점**
㉠ 특정 계층에게 거부감을 주거나 반사회적, 반윤리적, 생명 경시적, 성차별적 표현 등이 없는지 살펴보아야 한다.
㉡ 광고 문안과 배경 사진, 그림이 잘 어울려야 한다.

3 자기 표현

(1) 감상문

① **개념**: 작품에 대해 자신의 생각이나 느낌을 쓴 글을 '감상문'이라고 한다.

② **특징**
㉠ 감동을 오래 간직할 수 있는 글이다.
㉡ 삶의 보람을 얻을 수 있는 글이다.

단권화 MEMO

③ 유의점

㉠ 작품 감상의 동기가 잘 나타나야 한다.

㉡ 작품에 대한 느낌이나 생각이 자세히 나타나야 한다.

(2) 기행문

① 개념: 여행을 하면서 보고 듣고 느끼고 생각한 바를 쓴 글을 '기행문'이라고 한다.

② 특징

㉠ 실제 경험을 바탕으로 쓴 글이다.

㉡ 여정 · 견문 · 감상의 세 요소로 구성된 글이다.

③ 유의점

㉠ 여행의 동기, 감흥 등이 잘 나타나야 한다.

㉡ 여정과 견문, 감상이 적절히 조화를 이루어야 한다.

㉢ 자신만의 독특한 감상이 드러나야 한다.

4 편지(서간문)

① 개념: 자신의 용건을 상대방에게 알리고자 쓰는 글을 '편지'라고 한다.

② 특징

㉠ 쓰는 이와 받는 이의 마음과 마음을 이어 주는 글이다.

㉡ 말로 하기 어렵거나 쑥스러운 생각을 전달하기에 적합한 글이다.

③ 유의점

㉠ 받는 이가 오해하기 쉬운 표현이 없어야 한다.

㉡ 예의에 어긋나는 표현이 없어야 한다.

CHAPTER

02 화법

☐ 1 회 독 월 일
☐ 2 회 독 월 일
☐ 3 회 독 월 일
☐ 4 회 독 월 일
☐ 5 회 독 월 일

단권화 MEMO

■ 발화와 담화
- 발화: 의사소통 과정에서 머릿속의 생각이 음성 언어로 나타난 것
- 담화: 화자와 청자가 주고받는 발화의 연속체

01 화법의 개념과 구성 요소

1 개념

인간이 자신의 생각을 말하고 상대방의 말을 듣는 과정을 통하여 서로의 지식, 의견, 감정 등을 공유하는 음성 언어 의사소통의 방법을 '화법'이라고 한다. 화법은 화자(말하는 이)와 청자(듣는 이)가 소통하여 협력적으로 의미를 구성하는 '상호 교섭 행위'이다.

2 구성 요소

(1) 화자(말하는 이)

담화에서 말을 하는 사람을 '화자'라고 한다. 화자의 사회적 위치, 주제에 대한 전문성, 인격은 말하는 '내용(메시지)의 신뢰성'에 영향을 미친다.

> "봄이 오면 환경광 또는 채광량이 늘기 때문에 2월보다는 양질의 수면을 취할 수 있다."면서 "남성보다는 여성이, 젊은 사람보다는 나이든 사람일수록 '2월 불면증'에 더 많이 시달리는 것으로 조사됐다."라고 설명했다.
>
> – 수면 전문가

⇨ 화자가 수면 전문가이기 때문에 위 내용에 대해 더 신뢰를 할 수 있다. 만약, 위 말을 전문가가 아닌 일반인이 했다고 하면 과연 믿을 수 있을까?

(2) 청자(듣는 이)

담화에서 듣는 사람을 '청자'라고 한다. 담화는 화자의 일방적인 전달 행위가 아니라 청자 지향적인 행위이다. 그러므로 화자는 담화 수행 이전에 청자를 분석해야 하고, 담화 수행 중에는 청자의 반응을 지속적으로 관찰하여 담화를 역동적으로 수정해 나가야 한다.

> A 학생: 효과적인 학습법에 대한 자료나 통계가 아주 많아 몇 개만 골라내기가 어렵네. 이 자료들을 발표 시간에 다 발표할 수 있도록 잘 정리해야겠어. 이 엄청난 자료를 모두 인용하게 되면 반 친구들은 효과적인 학습법이 중요한 주제라는 것을 알 수 있을 거야.
>
> B 학생: 효과적인 학습법에 대한 자료가 매우 많지만 청중들은 나와 같은 또래의 학생들이니까 너무 전문적이고 방대한 자료는 이해하기 힘들 것 같아. 이 자료들은 간단히 언급한 후에 내가 실제로 사용해 보고 효과를 보았던 학습법을 중심으로 설명하면 반 친구들이 자신들도 해 볼 수 있는 학습법이라는 것을 알 수 있을 거야.

⇨ 보다 내용에 충실하고 체계적인 것은 A 학생의 발표이나, 청중을 고려한 B 학생의 발표가 더 설득력이 있을 것이다.

더 알아보기 청자

청자 분석 방법	• 청자가 처한 상황과 맥락은 어떠한가 예 청자가 속한 문화, 연령, 성별, 지적 수준 등 • 청자는 주제에 대하여 어느 정도 알고 있는가 • 청자는 주제에 대하여 어떤 입장이나 태도를 취하고 있는가 • 청자는 주제에 대하여 어떤 부분에 관심을 보이고 있는가 • 청자의 정서적 상태는 어떠한가
청자의 관심과 흥미 유발 방법	• 새롭고, 쉽고, 흥미로운 것을 화제로 선택하기 • 추상적인 내용보다 사례나 일화 등 구체적인 내용 활용하기 • 청자의 이익이나 필요성 강조하기 • 시청각 자료와 비언어적 메시지(몸짓, 표정 등)를 이용하기

(3) 메시지(전언)

'메시지'는 담화에서 전달되는 내용을 의미한다. 메시지는 다음과 같이 구분할 수 있다.

언어적 메시지	일반적인 말이나 글로 자신의 생각이나 감정을 전달하는 메시지
준(반)언어적 메시지	주로 소리로 나타내는 억양, 어조, 강약, 높낮이 등을 통해 언어적 내용을 전달하는 메시지
비언어적 메시지	언어나 문자가 아니라 행동, 표정 등을 사용하여 언어적 내용을 전달하는 메시지

(4) 장면

'장면'은 담화가 이루어지는 모든 시간적, 공간적 상황과 분위기를 의미한다. 장면은 시공간 및 사회 문화적 맥락으로 구성되는데, 같은 말일지라도 어떤 장면에서 행해지느냐에 따라 의미가 달라지기도 하고 영향력이 달라지기도 한다.

시공간 맥락	미시적 상황, 쉽게 변함 예 담화하는 장소, 시간 등
사회 문화적 맥락	거시적 맥락, 오랜 시간을 거쳐서 형성됨 예 한국 문화, 미국 문화 등

02 화법의 이론

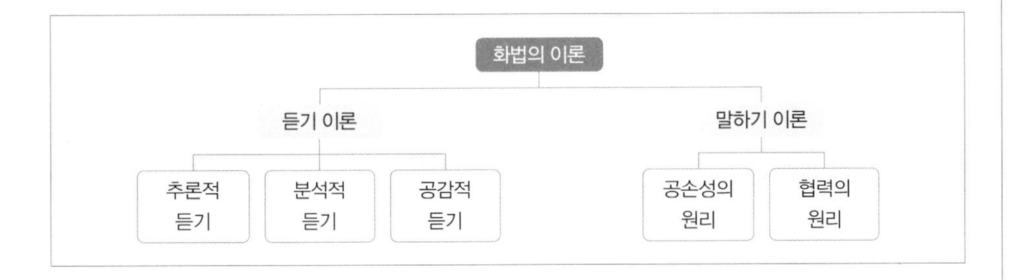

1 듣기 이론

(1) 추론적 듣기(예상하며 듣기)

언어적 표현, 준(반)언어적 표현, 비언어적 표현에 함축된 화자의 의도와 목적, 언급되지 않은 전제나 가정 등 생략된 내용을 파악하며 듣는 것을 말한다. 추론적 듣기는 상대의 행위를 예측하고 자신의 반응을 계획하는 데 반드시 필요한 사고 과정이다.

단권화 MEMO

■ 메시지 제시에 따른 설득 효과
• 논리적으로 호소할 것인가, 감정적으로 호소할 것인가? (논리 < 감정)
• 통계적 자료를 근거로 할 것인가, 개인적 경험을 근거로 할 것인가? (통계 < 경험)

단권화 MEMO

(2) 분석적 듣기(비판적 듣기, 따져 가며 듣기)

상대방이 하는 발화의 신뢰성, 타당성, 공정성 등을 따져 가며 듣는 것을 말한다.

① 신뢰성: '정보나 출처가 믿을 만한 것인가?', '인정할 수 없는 권위에 호소하고 있지 않은가?' 등을 따져 보는 것을 말한다.

② 타당성: '자료나 근거로부터 도출된 올바른 결론인가?', '현실이나 삶의 이치에 부합되는 내용인가?' 등을 따져 보는 것을 말한다.

③ 공정성: '어느 한쪽으로 치우친 내용은 아닌가?', '진실이나 도리에 부합하는가?', '사회적 약자를 배려하고 있는가?' 등을 따져 보는 것을 말한다.

(3) 공감적 듣기(들어주기)

상대의 말을 비판하지 않고 감정 이입의 차원에서 상대방의 생각이나 감정을 깊이 있게 이해하는 데 목적이 있는 듣기 방식을 말한다. 공감적 듣기의 핵심은 자신의 견해를 개입시키지 않고 상대방의 말을 듣는 '들어주기'에 있다. 공감적 듣기는 '소극적 들어주기'와 '적극적 들어주기'로 나눌 수 있다.

소극적 들어주기	• 화자에게 관심을 표현하며, 화자가 이야기를 이어 나갈 수 있도록 맥락을 조절하며 듣는 방식 • 방법: 관심 표명, 화맥* 조절, 격려하기, 집중하기
적극적 들어주기	• 화자의 말을 요약·정리하고 반영, 화자가 스스로 문제를 해결할 수 있도록 듣는 방식 • 방법: 요약하기, 반영하기

* 화맥
발화된 내용과 연관이 되는 맥락

2 말하기 이론

(1) 공손성의 원리(정중 어법)

상대방에게 정중하지 않은 표현을 최소화하고 정중한 표현은 최대화해야 한다는 말하기 방식이다.

요령의 격률	청자의 관점	부담↓ 이익↑	• 상대방에게 부담이 되는 표현 최소화 • 상대방에게 혜택을 주는 표현 최대화
관용의 격률	화자의 관점	부담↑ 이익↓	• 화자 자신에게 부담을 주는 표현 최대화 • 화자 자신에게 혜택을 주는 표현 최소화
찬동의 격률	청자의 관점	비방↓ 칭찬↑	• 다른 사람에 대한 비방 최소화 • 다른 사람에 대한 칭찬 극대화
겸양의 격률	화자의 관점	비방↑ 칭찬↓	• 화자 자신에 대한 비방 극대화 • 화자 자신에 대한 칭찬 최소화
동의의 격률	청자+화자	일치점↑ 다른 점↓	• 화자 자신의 의견과 다른 사람의 의견 사이의 일치점을 극대화 • 화자 자신의 의견과 다른 사람의 의견 사이의 다른 점을 최소화

(2) 협력의 원리

화자는 대화의 목적을 분명히 설정하고 그 목적 달성에 알맞은 말을 하며 결속성을 유지하여야 하고, 청자는 상대방의 말을 결속성이 있는 것으로 수용하고 받아들여야 한다는 말하기 방식이다.

양의 격률	대화의 목적에 필요한 만큼의 정보를 제공
질의 격률	타당한 근거를 들어 진실을 말함
관련성의 격률	대화의 목적이나 주제와 관련된 것을 말함
태도의 격률	모호성이나 중의성이 있는 표현을 사용하지 말고, 간결하고 조리 있게 말하되 언어 예절에 맞게 말함
대화 함축	고의적으로 협력의 원리를 위반하여 자신의 발화 의도를 간접적으로 표현하는 것

단권화 MEMO

더 알아보기 적절한 거리 유지의 원리

1. 개념: 의사소통의 과정에서 상반되는 두 욕구(연관성의 욕구와 독립성의 욕구) 사이에서 균형을 유지하면서 최적의 거리를 유지할 수 있도록 노력하는 것을 말한다.
   ① **연관성의 욕구**: 다른 사람과 관계를 맺고자 하는 욕구
   ② **독립성의 욕구**: 누구에게도 자신의 개인적 영역을 침해받고 싶지 않은 욕구
2. 지침(미국의 언어학자 레이코프)
   ① 상대방과 거리를 유지하라.
   ② 상대방에게 선택권을 주어라. 상대로 하여금 의견을 말하도록 유도하라.
   ③ 항상 우호적인 태도를 견지하라.

03 화법의 실제

1 토의

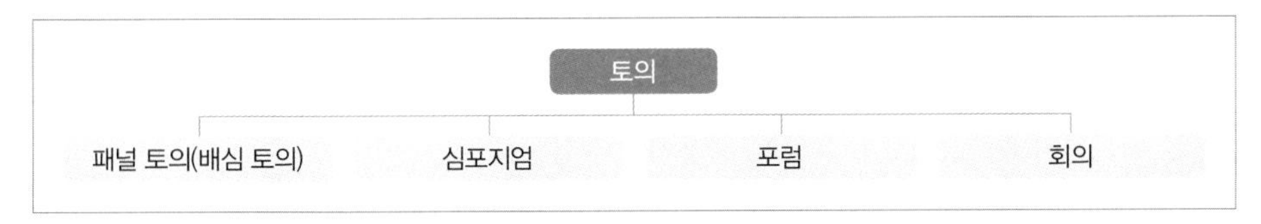

(1) 개념

'토의'란 어떤 공동의 문제에 대해 협력적 사고를 통해 최선의 해결책을 협의하는 담화 유형이다. 토의는 대화의 일종이지만 협력적 사고와 공통된 문제 해결에 중점 의미가 있다.

(2) 특징

① 최선의 해결안을 모색하는 과정에서 소수의 의견을 존중한다.
② 민주적 과정을 거치며, 다수결이나 특정인의 주장에 치우치지 않는다.
③ 모두에게 공정한 발언 기회가 주어지며, 가능한 모든 안을 검토한다.

(3) 종류

① 패널 토의(배심 토의)
   ㉠ 특정 문제에 특별한 관심이 있거나 전문가인 사람을 패널(배심원)로 뽑아 청중 앞에서 의견을 주고받으며 공동으로 진행하는 토의 방식이다.
   ㉡ '패널 토의'는 의견을 조정하는 수단으로 자주 쓰이며 정치적, 사회적, 시사적 문제를 주로 다룬다.
   ㉢ 배심원들의 토의가 끝난 뒤에 청중과 질의응답을 가진다.
   ㉣ 사회자는 주제에 대해 전문성이 있어야 한다.

단권화 MEMO

> ■ 주제: 교통 체증의 해결 방안
> ■ 배심원: 김 국장(정부 대표), 윤 사장(사업가 대표), 박 변호사(시민 대표)
>
> 사회자: 우리나라의 교통 체증 문제는 매우 심각합니다. 이 문제에 대한 해결 방안을 마련하고자 여러 분야의 권위자를 모셨습니다. 각자의 의견을 말씀해 주십시오.
> 김 국장: 교통 체증은 도로는 그대로인데 자동차가 너무 빠른 속도로 늘어나기 때문에 일어나는 현상입니다. 승용차 십부제와 같은 방법을 모색해야 합니다.
> 윤 사장: 그것은 사업하는 사람 입장에서는 큰 불편입니다. 더욱이 영세한 사업자에게는 더욱 치명적입니다.
> 박 변호사: 버스 전용차로제가 효과적입니다. 이 제도가 실행되면 승용차를 가진 사람도 대중교통을 이용할 것입니다.
>
> …(중략)…
>
> 사회자: 버스 전용차로제에 대해서는 이의가 없으신 것 같습니다. 그렇다면 이 문제에 대해 청중분들의 질문을 받도록 하겠습니다.
> 청중1: 박 변호사님께 여쭙겠습니다. 승용차 함께 타기 같은 것을 추가하는 것은 어떻습니까?
> 박 변호사: 좋은 의견이라고 생각합니다. 다만…….
>
> …(중략)…
>
> 청중2: 김 국장님께 질문 드리겠습니다. 승용차 십부제에 참여하는 시민들에게 주차장 할증료 면제나 세금 감면 혜택을 주는 방안은 어떻습니까?
> 김 국장: 그 방안도 검토해 보았습니다. 다만 실효성에 의문이 있습니다.
>
> …(중략)…
>
> 사회자: 지금까지 교통 체증 해소에 대하여 논의해 보았습니다. 구체적 결론이 나오지는 않았지만, 함께 좋은 방안을 논의했다는 점에서 소기의 성과를 얻었다고 생각합니다.

② 심포지엄

㉠ 3~5명의 전문가가 특정 주제에 대하여 강연식으로 발표하고 난 후, 청중의 질의에 응답하는 형식의 토의이다. 이때에 연설자끼리의 상호 토론은 거의 이루어지지 않는다.

㉡ 심포지엄은 찬반을 가리는 것이 목적이 아니라 특정 주제에 대하여 여러 각도의 의견을 발표하는 것이 주된 목적이다.

㉢ 전문적이고 학술적인 내용일 때 활용하기 적합하다.

㉣ 사회자는 토의할 문제를 소개하고, 토의의 요점을 간략하게 정리해 청중의 이해를 돕는다.

> ■ 주제: 지구 온난화를 방지하기 위한 방안
> ■ 참가자: 사회자, 전문가 3인, 청중
>
> 사회자: 지구 온난화 방지를 위한 방안에 대하여 세 분의 전문가를 모시고 토의를 진행하도록 하겠습니다. 먼저 전문가1님이 나오셔서 말씀해 주시기 바랍니다.
> 전문가1: 근본적인 해결책은 각국이 화석 연료 사용을 대폭적으로 줄이는 것뿐입니다. 화석 연료량을 감소시키려면 제조 방법과 에너지의 효율적 사용이 절실히 필요합니다.
>
> …(중략)…
>
> 사회자: 전문가1님의 말씀 잘 들었습니다. 전문가1님의 의견은 지구 가족이라는 관점에서 많은 시사점을 주는 것 같습니다. 그럼 전문가2님의 말씀을 들어 보겠습니다.
> 전문가2: 저는 산림의 무분별한 벌목을 중지하는 것이 그 무엇보다 중요하다고 생각합니다. 세계적으로 볼 때 이산화탄소 배출의 4분의 1이 무분별한 벌목에 의한 것이기 때문입니다.
>
> …(중략)…
>
> 사회자: 네, 전문가2님의 의견 잘 들었습니다. 이산화탄소 문제의 해결에 대한 적절한 방안이었다고 생각합니다. 그럼 전문가3님의 의견을 들어 보겠습니다.
> 전문가3: 대체 에너지 개발이 결국 이산화탄소 문제를 해결하고 궁극적으로 지구 온난화를 해결하는 유일한 방안이라고 생각합니다. 실제로 각국은 대체 에너지 개발을 환경 문제 해결 방안과 국가 발전 전략으로 보고 사활을 걸고 대체에너지를 개발 중입니다.
>
> …(중략)…

사회자: 전문가3님의 의견 잘 들었습니다. 궁극적인 환경 문제를 해결하기 위하여 친환경 대체 에너지 개발이 시급하다는 의견이셨습니다. 그럼 이제 세 분에게 질문을 받도록 하겠습니다. 질문 있으신 분은 손을 들어 발언권을 얻으신 후 간략히 질문해 주시기 바랍니다.
청중1: 전문가1님에게 묻겠습니다.
…(중략)…
전문가1: (답변 생략)
청중2: 전문가2님에게 묻겠습니다.
…(이하 생략)…

단권화 MEMO

③ 포럼

㉠ 공적인 문제에 대하여 공공의 장소에서 모여 직접 관련 있는 사람들이 공개적으로 토의하는 방식이다.

㉡ 다른 토의 방식보다 비교적 청중의 참여가 자유로우며(처음부터 청중이 주도), 첨예한 갈등의 소지가 있는 문제에 대해서는 서면 질의를 받기도 한다.

㉢ 사회자는 질의응답 규칙을 청중에게 미리 설명하고 질문 시간을 조정해야 한다. 또한 청중에게서 질문을 이끌어 낼 수 있는 능력이 있어야 하는 등 사회자의 역할이 매우 크다.

■ 주제: ○○ 도시 구조 개편 합리적인가?
■ 참가자: 사회자, 발표자(국장, 교수), 청중

사회자: 지금부터 '○○ 도시 구조 개편 합리적인가?'라는 주제를 놓고 토의를 시작하겠습니다. 이 문제에 대해 두 분의 발표자를 모시고 진행하겠습니다. 그럼 먼저 ○○시 도시개발 국장님이 말씀하시겠습니다.
국장: 이번에 발표한 도시 구조 개편은 국제화·개방화 시대를 맞이하여 꼭 필요한 조치입니다. 이것은 단순한 개발이 아닌 새로운 공간 구조의 개편이라고 할 수 있으며 기본 원칙은 다음과 같습니다.
…(중략)…
사회자: 다음은 ○○대학교 도시개발학과 교수님을 모시고 말씀 듣겠습니다.
교수: 최근 발표된 서울시의 도시 구조 개편은 많은 시민들로부터 의구심을 불러일으키고 있는 것이 사실입니다. 특히나 이 계획의 수립 과정에서 충분한 주민들의 의견 수렴이 되었는가에 대해 따져 보아야 합니다.
…(중략)…
사회자: 지금까지 두 분의 말씀을 잘 들어 보았습니다. 그러면 지금부터 청중 분들과 질의응답 시간을 가지도록 하겠습니다.
(사회자가 질의 희망자 중 한 명을 선정한다.)
청중: 국장님께 질문 드리겠습니다. 이 도시 구조 개편은 국제화 시대에 꼭 필요하다고 말씀하셨는데요…….
…(중략)…
국장: (답변 생략)
(이와 같은 방식으로 많은 청중이 발표자와 질의응답 시간을 갖는다.)
사회자: 네, 이제 어느 정도 이야기가 정리된 것 같습니다. 서울 도시 구조 개편은 시민들의 복지 향상과 국제화 대비에서는 필요하다는 의견이 대부분이었지만 그 과정에서 절차상의 문제점들을 많은 분들이 지적해 주셨습니다. 이 문제에 대해 시측의 합리적이고 효과적인 대응이 필요하다고 봅니다. 이상 포럼을 마치겠습니다.

④ 회의

㉠ 공동으로 당면한 문제를 해결하기 위하여 두 사람 이상이 모여서 협의하여 의제를 채택하고, 참석자들의 동의를 얻어 의제에 관련된 사항을 결정하는 과정을 '회의'라고 한다.

㉡ 회의는 중요한 의사 결정을 내리기 위한 수단이기 때문에 다른 토의에 비해 엄격한 절차가 있고, 이를 지키는 것이 매우 중요하다.

■ 회의 순서

도입	개회 선언과 경과 보고 → 의안 심의 시작
정보 교환	원 동의와 재청 → 의안 설명과 질의
의사 표시	토의 개시와 종결
결론	표결과 의안의 가결
정리	폐회 선언

단권화 MEMO

*재청
이미 한 번 한 것을 다시 청한다는 의미이다. 재청은 의장의 발언권을 얻지 않아도 된다.

*질의
질의는 제안자가 아니라 의장에게 한다. 제안자는 질의가 계속되는 동안 서서 답변한다. 의장은 질의가 종료되면 토의에 들어가도 좋은지 여부를 묻고, 회원들이 찬성하면 토의에 들어간다.

*표결
서기가 찬성자의 수를 헤아린 후 의장에게 보고한다. 표결 방법은 사전에 결정된다.

*가결
회의에서 제출된 의안을 합당하다고 결정하는 것을 의미한다. 가결의 반의어는 '부결'이다.

■ '동의'의 처리 순서
우선 동의 → 부수 동의 → 보조 동의 → 원 동의

■ 개회: 회원들이 착석하고 의장이 개회를 선언
■ 인원 점검: 서기가 출석 인원을 정확히 세어 의장에게 보고
■ 회의록 낭독: 서기가 전(前) 회의록 낭독
■ 의안 심의

의장: 의안 심의에 들어가겠습니다. 의안을 제출해 주십시오.
회원1: 의장님!
의장: 회원1 발언권 드리겠습니다.
회원1: 특별소비세 인하 방안에 대하여 동의합니다.
회원2: 재청*합니다.
의장: 회원2의 재청으로 성립되었습니다. 회원1은 나오셔서 보충 설명을 해 주십시오.
회원1: (단상으로 나가서 설명한다.)
의장: 이 안건에 대해 질문 받겠습니다.
회원3: (질의*한다.)
의장: 토의 순서입니다. 이 의안에 대하여 다른 의견이 있으신 회원은 손을 들어 주십시오.
(이하 토의 진행)
의장: 이제 토의를 종결해도 되겠습니까?
(의석에서 '좋습니다'라든가, 토의 종결 동의가 가결되면 토의는 종결된다.)
의장: 그럼 표결*에 들어가겠습니다. 회원1의 의견에 찬성하시는 회원은 거수해 주시기 바랍니다.
의장: 회원1의 의견은 찬성 ○○표로 가결*되었습니다.

더 알아보기 회의의 원칙 및 주요 용어

일 의제의 원칙	한 의제가 표결로 결정되기 전에는 다른 의제를 동시에 상정할 수 없음
일사부재의 원칙	일단 부결이나 의결된 의안은 그 회기 중에 다시 다루지 않음
회기불계속의 원칙	이번 회의에서 의결되지 못한 사항은 다음 회기에서 자동적으로 폐기
원 동의	제일 처음 나온 동의, 원안
보조 동의	원 동의를 보조하는 동의, 수정 동의
부수 동의	동의와 직접 관련되지 않는 호소와 요구 또는 원 동의에 덩달아 일어나는 제안
우선 동의	원 동의 심의 중 긴급한 사태가 발생하였을 경우의 동의

⑤ **원탁 토의**: 5~6명 정도의 소규모 집단이 상호 대등한 관계 속에서, 형식에 얽매이지 않고 정해진 주제에 대해 모든 참가자가 자유롭게 의견을 교환하는 형식이다. 토의의 가장 기본적인 형태로 본다.

⑥ **버즈(buzz) 토의**: 3~6명 정도의 소규모 집단이 길지 않은 시간 동안 토의를 하는 형태이다. 주로 6분 정도를 토의 시간으로 설정하며, 토의가 진행되는 모습이 마치 벌집을 쑤셔 놓은 것처럼 윙윙거린다는 의미에서 버즈 토의라 한다.

2 토론

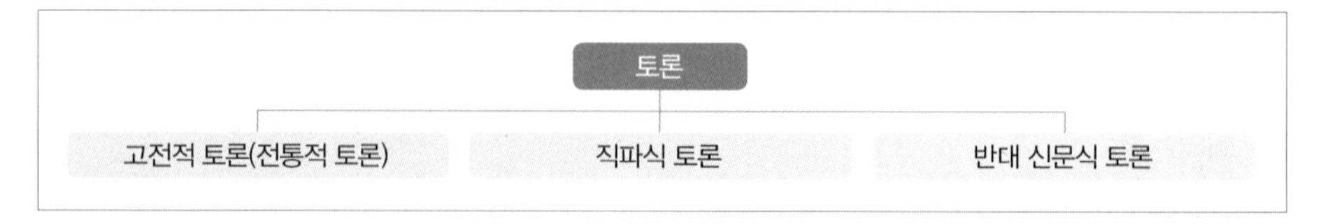

(1) 개념

'토론'은 논제에 대하여 긍정 측과 부정 측이 논거를 들어 자신의 주장이 옳음을 내세우고 상대방의 주장이나 논거가 부당하다는 것을 명백하게 하는 화법의 한 형태이다.

(2) 특징

① '토의'가 문제 해결을 위해 의견의 일치를 얻으려고 서로 협동하여 이야기하는 형식이라면, '토론'은 의견의 일치를 구하려는 점에서는 토의와 같지만 쟁점에 대하여 긍정과 부정으로 갈려서 대립을 전면에 드러낸다는 점에서는 토의와 다르다.
② 토론은 그 과정에서 대립하는 쟁점에 대하여 상대의 주장과 근거를 이해하게 되어 상호 이해의 폭을 넓히고 공감대의 기반을 확보하는 데 그 목적이 있다.
③ 정해진 순서와 절차를 따라야 하며, 상대방의 의견을 존중하는 태도를 가져야 한다.

(3) 규칙

① 토론은 사회자, 토론자, 심사자, 청중의 구성원이 필요하다.
② 토론은 규칙이 주어진다. 순서와 시간을 분명히 지켜야 한다.
③ 토론자는 입론, 교차조사, 반론 등 단계별 특성에 맞게 발언해야 한다.
④ 발언은 긍정 측에서 먼저 시작하며, 마지막 발언도 긍정 측이 한다.
⑤ 토론의 유형에 따라 토론 과정에 '숙의 시간'을 사용할 수도 있다.

(4) 논제

토론을 통해 해결하고자 하는 문제를 '논제'라고 한다.

① 논제의 성격
㉠ 토론의 논제는 긍정 측과 부정 측의 입장이 명확히 구분되어야 한다.
㉡ 토론의 논제는 '~한가?'와 같은 의문문이 아닌, '~해야 한다', '~이다'와 같은 평서문으로 진술되어야 한다.
㉢ 토론의 진술문은 단 하나의 쟁점만을 포함하고 있어야 하며, 긍정문이어야 한다.

② 논제의 진술
㉠ 토론의 논제는 현상을 바꾸는 쪽으로 정의되어야 하며, '입증의 부담'은 긍정 측에 있어야 한다. 즉, 현재 상태에 대한 변화를 주장해야 한다.
㉡ 반대하는 측은 '반박의 부담'을 지게 되는데, 부정하는 측은 상대방 주장의 일부만 논파해도 효과적인 논박을 한 것으로 간주할 수 있다.

③ 논제의 표현
토론의 논제에는 가치 판단이 배제된 중립적인 표현을 사용해야 한다. 논제에 사용된 용어 중에 개념이 명확하지 않아 오해의 소지가 있는 것은 토론 전에 수정하거나 대체해야 한다.

- 전근대적인 사형 제도를 폐지해야 한다.
- 불평등한 가산점 제도를 폐지해야 한다.

⇨ '전근대적인, 불평등한'이라는 비중립적인 표현을 삭제하거나 수정해야 한다.

④ 논제의 유형
㉠ 정책 논제: 어떤 사안에 대한 구체적인 실행 방안이나 해결책에 대한 논제
㉡ 가치 논제: 관점이나 시각을 달리하는 철학적인 논제
㉢ 사실 논제: 객관적 증거를 통해 논리적인 사실 입증이 가능한 논제

(5) 종류

① 고전적 토론(전통적 토론)
㉠ 어떤 논제에 대하여 찬성자 2명, 반대자 2명이 각각 한 조가 되어 각 2번씩 총 8번 발언하는 토론을 말한다. 반론은 '반대 측'이 먼저 한다.

단권화 MEMO

■ 논제의 유형별 예
- 정책 논제: 길거리 흡연을 금지해야 한다
- 가치 논제: 환경 보존이 개발보다 중요하다
- 사실 논제: 식량문제 해결을 위해 유전자 조작 식품은 필요하다

단권화 MEMO

*입론
의론하는 취지나 순서 따위의 체계를 세우는 것을 말한다.

*평결
평론하거나 평가하여 결정하는 것을 말한다. 배심원 또는 청중이 거수나 투표로 정한다.

*공박
남의 잘못을 몹시 따지고 공격하는 것을 말한다.

*논박
어떤 주장이나 의견에 대하여 그 잘못된 점을 조리 있게 공격하여 말하는 것을 말한다.

㉡ 고전적 토론은 '입론*(1찬－1반－2찬－2반)－반론(1반－1찬－2반－2찬)－평결*'의 순으로 진행된다.

■ 논제: 유명인의 사생활 보장이 국민의 알 권리에 우선하여야 한다. (2013 국가직 9급 본문 활용)

• 찬성 측 입론
입장: 국민의 알 권리보다 유명인의 사생활 보호가 우선
개념 정의: 유명인의 정의－사회적으로 널리 알려진 사람
근거: 사생활은 개인의 사적인 생활 영역과 그와 관련된 개인적 정보 등을 포함하는 개념이다. 사생활을 보장받을 최소한의 인권은 보장되어야 한다.

• 반대 측 입론
공박*: 사생활이라 하더라도 공공의 이익과 관련된 부분이 있을 수 있다.
입장: 유명인의 사생활보다 국민의 알 권리가 우선한다.
근거: 유명인이 유명하다는 것 자체보다도 사회에 큰 영향력을 행사한다.

• 찬성 측 보강 입론
반박: 공익이라는 잣대는 사람마다 다르게 해석될 수 있다. 사생활은 무조건적 알 권리의 대상이 아니다.

• 반대 측 보강 입론
논박*: 유명인이라는 처지 자체가 사생활 보호를 상당 부분 불가능하게 한다. 그 나머지 경우에는 국민의 알 권리를 제약해서는 안 된다.

• 반대 측 1차 반론
변호: 사회적 토론 과정을 통해서 얼마든지 합의에 도달할 수 있는 것이다. 공공의 이익에 비추어 유명인이 사적 영역에서 심각하게 잘못된 행동을 하였다면 국민들은 그것에 대해 알아야 하는 것이다.

• 찬성 측 1차 반론
공박: 유명인들도 그러한 스트레스를 받지 않을 권리가 있다.
변호: 단순한 대중의 호기심과 국민의 알 권리를 엄격하게 구분해 달라.

• 반대 측 2차 반론
반박: 그들의 사생활은 사실상 공적인 기능을 하는 경우가 적지 않다.
변호: 유명인은 유명인이라서 누리는 사회적·경제적 이익이 있는 만큼 그들의 사생활에서도 사회에 영향을 미칠 만한 행동에는 책임을 져야 한다. 그러므로 국민의 알 권리가 유명인의 사생활 보장보다 중요하다고 생각한다.

• 찬성 측 2차 반론
변호: 인간은 누구나 인간다운 삶의 자유를 누릴 수 있어야 한다. 그 밖의 경우에는 사생활 보호가 우선되어야 한다.

(이하 평결 진행)

② 직파식 토론

㉠ 어떤 논제에 대하여 찬성 측과 반대 측이 상대편을 논파하는 방식으로 이루어지는 토론으로, 고전적 토론과 유사하다. 단, 반론을 찬성 측이 먼저 한다는 점이 다르다.

㉡ 직파식 토론은 '입론(1찬－1반－2찬－2반)－반론(1찬－1반－2찬－2반)－평결'의 순으로 진행된다.

■ 논제: 고교 평준화 정책은 유지되어야 한다.

• 입론
찬성: 고등학교 평준화 제도는 소위 명문 고등학교를 사라지게 하여 중학생의 과외 열풍을 잠재우는 데 효과를 가져왔습니다.
반대: 고교 평준화는 과외 열풍을 잠재우는 데는 효과를 보였지만 중등 교육의 하향 평준화를 가져왔다는 비판을 받고 있습니다. 현대 사회는 치열한 경쟁 사회라는 점과 국가 경쟁력 제고라는 차원에서 많은 문제점을 가지고 있다고 생각합니다.
찬성: 하향 평준화라고 하지만 그것은 객관적 기준이 없습니다. 대학 입시 성적이 실력을 보여 주는 것은 아니라고 생각합니다.
반대: 우리의 교육 열의에 비하면 고등학생들의 학업 성적이 좋지 못한 것은 사실입니다. 특히 영재 교육을 비롯한 수월성 교육에 부정적 영향이 막대합니다.

- 반론

찬성: 고교 평준화는 중학생들의 체력 향상에 도움을 주었습니다. 이러한 부분은 전인 교육이라는 점에서 상당히 긍정적 효과를 가져온 것입니다.

반대: 중학생들의 체력 향상과 고교 평준화 간에는 직접적인 인과 관계가 없다고 생각합니다. 고교 평준화는 학생들의 학교 선택권 침해를 가져왔다고 생각합니다.

찬성: 고교 평준화가 중학생들의 심리적·육체적 건강에 긍정적 영향을 주었다는 것은 인정해야 합니다.

반대: 정신적 건강은 개인의 가능성과 능력이 극대화되었을 때 가능한 것입니다. 고교 평준화는 개인의 가능성을 위축시킬 소지가 있습니다.

(이하 평결 진행)

③ **반대 신문식 토론**: 어떤 논제에 대하여 입론 단계에서 찬성자와 반대자가 바로 앞 상대방에게 반대 신문(질문)을 하여 상대방의 논지를 반박함으로써 승부를 가리는 토론 방식이다.

■ 논제: 조기 외국어 교육을 강화하여야 한다.

- 긍정 측 입론

찬성: 지금 세계화의 물결이 시대의 대세입니다. 따라서 어릴 때부터 외국어 교육을 강화하여 세계화에 대처할 수 있도록 해야 합니다. 외국어는 감수성이 예민한 어린 시절에 하는 것이 효과적입니다.

- 반대 신문

반대: 말이란 그 사람의 생각을 만드는 것입니다. 모국어로 사고가 확립되지 않은 어린 시기에 외국어를 교육하게 되면 그 사람의 민족적 주체성이 상실되는 것 아닙니까?

- 부정 측 입론

반대: 외국어 교육은 꼭 필요하지만 모국어 교육을 충분히 한 후에 실시해야 합니다. 조기 외국어 교육은 바람직하지 않습니다.

- 반대 신문

찬성: 세계화 시대에 대응하기 위해서는 외국어 능숙자가 많이 필요하지 않은가요? (이하 생략)

더 알아보기 토의와 토론의 비교

구분		토의	토론
공통점		당면한 문제를 해결하기 위해 의견을 일치시키고자 함	
차이점	목적	당면한 문제에 대해 여러 사람의 의견을 모아 최선의 해결책을 찾고자 함	반드시 찬반 논의를 통해 문제를 해결하고자 함
	선 해답 확보 여부	서로 협력하여 대담이나 회의를 통해서 해답을 얻으려는 화법	자신이 이미 가지고 있는 해답을 상대 측에게 납득시키려는 화법
	의견 대립 전제 여부	집단 사고의 일종	이미 의견 대립을 전제로 하고, 그 안에서 다음의 발전을 찾아내려는 변증법적인 사고
	확고부동한 규칙의 존재 여부	비교적 자유롭게 의논	일정한 규칙이 정해져 있는 논쟁
	흉금 터놓기의 중요성	흉금을 터놓지 않으면 합의에 이르기 어려움	흉금을 트든 트지 않든 관계가 없음. 통하는 것은 사실과 논리뿐임

3 협상

(1) 개념

'협상'이란 이익과 관련된 갈등을 인식한 둘 이상의 주체들이 이를 해결할 의사를 가지고 모여서 합의에 이르기 위해 대안들을 조정하고 구성하는 공동 의사 결정 과정을 말한다. 협상은 상대방과 공통된 이해관계를 갖고 있으면서 동시에 상반된 이해관계에 처했을 때 합의를 보기 위해 밀고 당기는 대화이다.

단권화 MEMO

단권화 MEMO

(2) 특징

협상은 근본적으로 '상호 의존성'을 지니게 되는데, 이러한 상호 의존성은 다시 '참가자 상호 의존성, 정보 상호 의존성, 결과 상호 의존성'으로 세분할 수 있다.

① 참가자 상호 의존성과 욕구 딜레마

㉠ 참가자 상호 의존성은 협상의 주체가 적어도 둘 이상이 되어야 함을 의미한다. 이는 반드시 다른 사람의 참여와 동의가 있어야 협상이 성립됨을 보여 준다.

㉡ 이로 인해 참가자 상호 의존성은 합의에 도달하고자 하는 '협력적 욕구'와 가능한 한 자신에게 유리한 합의를 이끌어 내고자 하는 '경쟁적 욕구'가 발생하게 된다.

㉢ 이러한 협력적 욕구와 경쟁적 욕구는 협상의 태도, 전략, 결과 등에 영향을 미치기 때문에 '경쟁적 협력자'와 같은 적절한 위치를 설정하여 '두 욕구 간에 균형을 유지'할 필요가 있다.

② 정보 상호 의존성과 신뢰 딜레마

㉠ 정보 상호 의존성이란 우리 쪽과 상대 쪽이 제공하는 정보에 따라 협상이 시작되고 전개됨을 의미한다.

㉡ 이러한 정보 상호 의존성은 상대쪽의 말을 믿어야 할지, 믿지 말아야 할지를 고민하게 되는 '신뢰의 딜레마'를 발생시킨다. 상대쪽을 무조건 믿는 것은 언제나 이용당할 잠재적 위험을 가지게 되며, 전혀 신뢰하지 않으면 합의에 도달할 가능성은 낮아지게 된다.

㉢ 그러므로 협상의 당사자들은 서로가 주고받는 정보의 양과 질을 상대가 신뢰할 수 있도록 '점진적으로 개방하는 태도'가 필요하다.

③ 결과 상호 의존성과 목표 딜레마

㉠ 결과 상호 의존성은 우리 쪽과 상대 쪽 모두 합의에 동의해야 협상이 끝나게 됨을 의미한다.

㉡ 이러한 결과 상호 의존성은 우리 쪽에게 유리하지만 상대가 동의를 거절할 정도로 너무 일방적이지 않은 협상에 어떻게 도달하느냐의 문제인 '목표 딜레마'를 발생시킨다.

㉢ 이러한 목표 딜레마를 해결하기 위해 협상의 당사자들은 '명분을 수반한 실리' 또는 '실리를 수반한 명분'을 택함으로써 서로 간의 이해관계를 조정할 필요가 있다.

(3) 종류

① 협상 참여 주체자의 수에 따른 구분

양자 협상	양 당사자 간의 협상
다자 협상	3인 이상으로 구성된 협상

■ 협상에 관련된 당사자가 많을수록 일반적으로 협상은 순탄하지 않다.

② 협상 의제 수에 따른 구분

단일 의제 협상	협상의 의제 수가 한 개인 협상
다수 의제 협상	협상의 의제 수가 두 개 이상인 협상

■ 단일 의제 협상을 다수 의제 협상으로 전환시킴으로써 '통합적 합의', 즉 '윈-윈의 가능성'이 커질 수 있다.

③ 협상자의 힘에 의한 구분

대칭 협상	협상자들 간의 힘이 대등한 협상
비대칭 협상	어느 한쪽의 힘이 월등히 강하거나 약한 협상

■ 비대칭 협상의 경우 약자는 타협 가능한 하한선을 미리 결정해 놓을 필요가 있다. 왜냐하면 강자의 힘에 일방적으로 밀릴 수 있기 때문이다.

④ 협상 의사 결정권에 의한 구분

단층적 협상	협상 당사자가 협상 테이블에서 최종 결정을 내릴 수 있는 협상
복층적 협상	최종 결론을 내기 위해 조직이나 상급자의 승인이 필요한 협상

■ 복층적 협상의 경우 협상 과정과 합의가 일반적으로 더욱 어렵다.

단권화 MEMO

(4) 절차와 방법

1단계	상호 간의 협상 의제와 대안 확인	우리 쪽과 상대 쪽은 자신들에게 중요한 관심사가 무엇인지 확인하고 각 의제별 대안을 명확하게 설정할 필요가 있음
2단계	근원적 이해 차이 분석	상대 쪽의 협상 자원을 우리 쪽의 것과 꼼꼼히 비교·대조·분석하여 기본적인 관심사가 되는 근원적 이해에 대한 이해의 폭을 분명히 해 둘 필요가 있음
3단계	제안과 맞교환	• 이해가 상충하는 문제를 해결하기 위해서는 창의적인 옵션을 창안할 필요가 있음 • 상대보다 먼저 제안을 하는 것이 협상에 유리함 • 제안은 합의 가능 영역을 벗어나서는 안 됨 • 하나의 제안보다는 복수 제안을 통해 맞교환하는 것이 효과적임 • 제안을 할 때는 객관적인 기준을 제시해야 함 • 제안은 가능한 한 상대의 고민을 덜어 주는 방향이어야 함
4단계	현 상태에서 최선의 해결책을 수락 혹은 거부	• 협상의 수락, 거부 여부는 복안에 의해 결정됨. 그러므로 복안보다 나은 제안을 수락하고 그에 미치지 않은 제안은 거부당하게 됨 • 복안이 있다면 '양보점'도 정할 수 있음. 양보점이란 각 조건들을 비교하여 계량화한 것으로, 일반적으로 하한선으로 볼 수 있음
5단계	합의 이행	합의 이행은 주로 합의 계약서에 따르는데, 합의 계약서에는 우리 쪽이나 상대 쪽의 합리적인 요구가 충족되어야 하며, 이 계약을 수행하는 데 포함된 모든 사람의 권리와 책임을 명확하게 명시해야 함

(5) 협상 전략

① 협상과 갈등: 협상 과정에서 갈등은 필수 전제 조건이자, 협상을 성립시키는 상황적 조건이다. 이러한 갈등은 전통적 관점에서는 부정적으로 인식되었으나 최근에는 어느 정도의 갈등은 필수적이며 오히려 조직이나 집단을 역동적으로 만들어 준다고 보고 있다.

갈등 부정 집단	갈등 긍정 집단
• 갈등을 하나로 봄 • 갈등을 문제로 봄 • 갈등을 회피하고 억누르고 참음 • 갈등은 본질적으로 파괴적이라고 봄 • 갈등에서 아무런 가치도 찾지 못함 • 갈등은 불안과 방어를 생산함 • 개개인은 승리하기 위해 노력함	• 다양한 갈등의 유형을 인식함 • 갈등을 해결의 부분으로 봄 • 갈등을 찾고 격려함 • 갈등은 잠재적으로 건설적이라고 봄 • 갈등은 많은 가치를 가짐 • 갈등은 흥분과 흥미, 집중을 생성함 • 개개인은 문제를 해결하기 위해 노력함

② 갈등의 처리 전략

회피 전략	문제의 상황에서 도피하는 방법 예 '더 이상 그 문제는 꺼내지 마라.', '그 문제는 더 이상 중요하지 않다.'라고 말하는 것
힘의 전략	공격적인 자세로 상대를 굴복시키는 방법. 힘의 전략은 창의적인 옵션을 막아 버리고 상대로 하여금 불만을 지니게 하여 보복이나 복수의 가능성을 가지게 함 예 '이 회사는 나의 것이고 나는 사장이다.'라고 말하는 것
타협 전략	갈등 상황에서 자신의 목표와 상대의 목표를 적당히 고려하는 전략. 타협 전략은 흔히 '계산적인 자세'를 취하는데, 지나칠 경우 오히려 협상이 방해를 받을 수 있음
약화 전략	갈등 상황을 지연시킴 예 '이 문제는 자료를 좀 더 검토한 뒤 논의하자.', '성급히 문제를 처리하지 말고 전문가의 의견을 우선 들어 보자.'라고 말하는 것
호혜 전략	상대와의 관계와 목표를 동시에 추구하는 유형. 상호 간에 '솔직하고 분명한 자세'를 가지고 문제를 해결함

단권화 MEMO

4 면접

(1) 개념

'면접'이란 기업 관계자와 입사 지원자 사이에 특별한 목적을 가지고 이루어지는 대화 또는 상호 작용이다. 사회의 변화에 따라 면접의 비중이 커지고 있다.

(2) 유형

① **비공개 면접**: 채용 설명회나 정보 수집을 위한 면접의 방식으로 인터뷰가 대표적인 유형이다.

② **공개 면접**: 면접 대상자의 수에 따라 단독 면접과 집단 면접, 면접 참여자의 수에 따라 일대일 면접, 일대다 면접, 다대다 면접 등으로 나눌 수 있다.

(3) 기법

① **프레젠테이션 면접**: 면접을 실시하기 30분~1시간 전에 면접 주제와 텍스트 프레젠테이션 기자재를 지원자에게 제공하고 이 주제에 대해 지원자들이 자신의 의견, 경험, 지식, 가치관 등을 발표하는 기법이다.

② **스트레스 면접**: 면접관들이 지원자들을 난처하게 하거나 스트레스를 주어 불편하게 만든 후에 어떻게 대응하는지 평가하는 기법이다. 자존심을 건드리는 돌발 질문이나 수수께끼와 같은 퍼즐을 제시하거나 갑자기 침묵을 지키는 것 등이 있다.

③ **행동 중심 역량 면접**: 지원자가 특정 상황에서 어떻게 행동하는지 정보를 얻어 그것이 직무와 조직에 적합한지를 판단하는 기법이다. 이 기법은 과거의 어떤 행동이 미래의 어떤 행동을 예측할 수 있게 한다고 전제한다.

(4) 절차

① 면접의 일반적 과정

㉠ 면접하기

면접 전 준비 단계	목적에 비추어 핵심적인 질문 내용을 준비
본 면접 단계	질문들을 바탕으로 구체적 질문을 제시하고, 답변을 청취·기록
면접 후 단계	수집한 정보를 바탕으로 면접의 성과나 지원자에 대해 평가

㉡ 면접받기

면접 전 준비 단계	예상되는 질문들을 정리하고 예상 질문에 대해 정확하고 효과적인 답변 준비
본 면접 단계	질문의 의도를 파악하여 핵심적인 내용을 바탕으로 간결하고 효과적으로 답변
면접 후 단계	자신의 면접 결과에 대해서 스스로 점검하고 평가

② 면접받기의 구체적 과정

㉠ 면접 전 준비 단계

서류 전형 준비하기	이력서가 자신의 능력을 요약해서 보여 주는 서류라면, 자기소개서는 자신을 홍보하는 팸플릿이므로 인사 담당자의 관심을 끌 수 있게 각종 참고 서적을 활용하여 자기소개서 작성 연습하기
면접 준비하기	• 본인이 어떤 소질과 성격, 비전을 가지고 있는지 파악 • 지원 회사와 업무에 대해 파악하고 얼굴 표정이나 시선과 같은 인상을 미리 준비

단권화 MEMO

㉡ 본 면접 단계

심리 압박 질문에 대비하기	• 전환적 기술이 요구됨 • '실패에 대한 개요 → 실패를 통한 교훈 → 실패 이후의 성공과 성취' 순으로 대답하기 • 당황하거나 방어적인 태도를 보여서는 안 됨
능력 취재형 질문에 대비하기	지원자는 지원한 업무와 과거의 경험이 어떤 연관성을 보여 주며, 자신이 왜 그 업무에 적합한지를 명백하게 설명할 수 있어야 함
질문 유형에 맞추어 답하기	• 폐쇄형 질문: 특정 사항에 대해 구체적으로 묻는 질문. 짧고 명확하게 답하는 것이 좋음 • 개방형 질문: 광범위하게 생각하고 진술할 수 있도록 묻는 질문. 가장 자신 있게 답할 수 있는 것으로 답하는 것이 좋음 • 보충 질문: 구체적인 답을 듣기 위해 추가로 하는 질문. 구체적으로 답하는 것이 좋음
딜레마 해결형, 열린 자유형 질문에 답변하기	인성과 성격을 알아보고자 하는 질문이 대부분이므로 자신의 성격에 대하여 꼼꼼히 정리해 두어야 함

㉢ 면접 후 단계
- 서류 평가와 공백 기간 보완하기
- 면접 후의 추후 관리(자기 점검 및 보완)

더 알아보기 면접 후의 자기 평가 목록

평가 항목	체크 사항
1. 복장과 태도: 옷차림이나 동작이 어떠한가?	• 옷차림은 단정한가? • 시선과 손발은 자세가 바른가? • 호감을 주는 인상인가? • 동작이 바르고 침착한가? • 대답하는 태도가 착실한가?
2. 표현력: 자신의 생각을 정확하고 알기 쉽게 남에게 설명하는가?	• 용어 사용이 적절한가? • 간결하고 정확하게 표현하는가? • 말하는 내용에 통일성이 있는가? • 유창하게 말하는가? • 목소리가 적당한가?
3. 이해력: 상식과 지성을 갖추고 질문을 제대로 이해하고 판단하는가?	• 질문을 정확하게 이해했는가? • 꾸준히 정보를 습득했는가? • 직종에 대한 전문적 식견을 가지고 있는가?
4. 개성과 적극성: 자진해서 일을 맡고, 보다 효과적으로 수행할 의지가 있는가?	• 남이 싫어하는 일도 자진하여 수행하는가? • 어려움을 자기 노력으로 극복하는가? • 패기가 있는가? • 옳은 일을 행동으로 옮기는가?
5. 믿음직함: 책임감이 강하고 성실하며, 신뢰할 수 있는 사람인가?	• 합리적으로 일을 처리하는가? • 계획적으로 살아가는가? • 한번 맡은 일을 끝까지 완수하는가? • 교우 관계가 원만한가? • 정서가 안정되어 있는가?

단권화 MEMO

5 발표

(1) 개념

'발표'란 여러 사람 앞에서 자신의 생각이나 의견 또는 어떤 사실에 대해서 진술하는 말하기를 가리킨다. 발표는 수업 시간에 조사한 내용을 설명하거나 학회에서 연구 내용을 보고하거나 기업체에서 새로운 아이디어를 제안하는 등 정보 공유의 효과적인 수단으로 널리 사용되고 있다. 효과적인 발표를 위해서는 설명이나 설득 등 발표의 목적에 맞게 핵심적인 내용을 추출하는 '요약 능력'과 이를 논리적으로 구성하는 '내용 구성 능력', 시청각 자료를 활용하여 내용을 효과적으로 전달하는 '표현 능력'이 동시에 필요하다.

(2) 발표의 준비 과정

효과적인 발표를 위해서는 발표의 목적, 청중, 장소를 분석하여 이에 따라 발표의 단계별 내용을 구성하는 준비 절차가 필요하다.

① 발표의 목적 분석

구분	정보 전달	설득
도입부	배경지식을 활성화	흥미 유발, 청중과 공감대·신뢰감 조성 등
전개부	주제를 요점별로 명확히 제시	문제-해결 구조와 같은 효과적인 구성
정리부	앞서 언급한 내용의 정리, 청중의 이해와 기억을 위한 요약하기	청중의 심리를 변화시키기 위한 인상적인 결말 처리

② 청중 분석

㉠ 성별, 세대, 지역, 집단 등의 일반적 요인 분석

㉡ 청중의 요구, 지적 수준, 주제에 대한 사전 지식, 주제에 대한 입장, 개인적 관련성 등의 청중 분석

③ 장소 분석

물리적 시설	발표장의 크기, 좌석 배치 등
발표 장비	인터넷, 마이크, 컴퓨터, 빔 프로젝터 등
기타 사항	발표자가 서는 위치, 청중과의 거리, 스크린의 위치, 조명과 음향 시설 등

(3) 발표의 내용 구성(일반적 구성 방법)

발표의 구성은 장황하지 않고 체계적이어야 하며, 시간이 부족하거나 남을 경우에 대비하여 예시 자료의 추가나 삭제, 청중에 대한 질문과 답변의 시간 안배를 사전에 계획할 필요가 있다.

① 도입부: 청중과의 관련성을 높이는 데 핵심이 있으며, 청중의 흥미와 동기를 유발해야 한다.

| 흥미와 동기 유발 전략

- 에피소드의 제시: 주제와 관련한 발표자의 개인적 경험
- 주제를 함축하는 비유 사용
- 청중의 상황과 유사한 사례 제시
- 유명 인사의 말이나 유명한 책의 명구 등 인용구의 사용
- 질문을 통해 청중의 주의 환기를 유도
- 시사 문제의 제시, 강렬한 시각 자료의 사용, 가벼운 유머 등

② 전개부

정보 전달	• 주제의 성격에 따라 시/공간적 구성, 비교/대조, 원인/결과 구성 등을 적절히 사용 • 핵심 정보를 효과적으로 드러낼 수 있는 방법을 선택하여 적절한 매체로 전달
설득	• 주제를 문제/해결 구조로 제시하는 것이 바람직함 • 대안을 제시할 때는 복수의 대안을 제시하는 것이 효과적임 • 주장을 뒷받침할 수 있는 논거를 반드시 제시해야 함

③ 정리부

㉠ 발표의 전개부에서 다룬 내용을 간략히 정리하고 강조, 마무리한다.

㉡ 정리부에서는 이성적인 메시지보다 감성적인 메시지를 활용할 필요가 있다.

㉢ 발표의 핵심을 대변할 수 있는 인용구를 활용한다.

(4) 표현과 전달

① 언어 표현

㉠ 언어 표현은 구체적이어야 한다. 추상적인 개념을 다루더라도 개인의 경험, 실제적인 사례 등을 사용하여 설명하는 것이 효과적이다.

㉡ 언어 표현은 단문을 사용하여 표현을 간명하게 해야 한다. 단문을 사용하되 문장과 문장 사이에 적절한 휴지를 두어 청중이 내용을 명확히 이해하고 따라올 수 있게 해야 한다.

② 내용 연결 표현: 발표는 구두 의사소통이다. 따라서 청중에게 발표 내용이 어디쯤 가고 있는지, 다음에 나올 내용은 무엇인지 등을 수시로 알려 주어 길을 잃지 않게 도와야 한다.

예 지금까지, 마지막으로, 첫 번째는 등

③ 비언어적 표현

㉠ 시선: 시선은 원고나 슬라이드 화면보다 청중을 향해야 한다.

㉡ 손동작/자세: 손동작은 역동적인 것이 좋지만, 지나친 동작은 청중의 집중을 방해할 수 있다. 자세는 편안히 하되 스크린 사용을 고려해야 한다.

㉢ 지시봉: 지시봉은 가리키는 곳을 명확히 지시해야 한다. 보통 문장의 마지막 부분을 가볍게 가리키도록 한다.

(5) 시각 자료의 활용

시각 자료는 주제에 비추어 꼭 필요한 경우에 한하여 사용해야 하며, 시각 자료의 활용은 청중의 이해와 기억을 돕는 데 효과적이다. 대표적인 시각 자료는 다음과 같은 것들이 있다.

유형	주된 활용 방법과 사례
막대그래프	양이나 빈도 비교 예 은행별 이율, 컴퓨터 사용자 수, 지역별 판매고
선 그래프	시간에 따른 추세나 변화 예 연간 신규 가입자 수, 운동 수준에 따른 심박수, 연간 매월 판매 건수
원그래프	부분과 전체의 관계, 상대적 비율 예 부서별 프로젝트, 연령별 상품 호감도, 전 세계 대륙별 쌀 생산량

(6) 청중과의 상호 작용

① 청중의 흥미 유발

㉠ 청중의 흥미는 도입부뿐만 아니라 전개부와 결말부에서도 지속적으로 유지되어야 한다.

㉡ 이를 위해 발표 내용뿐 아니라 음성 표현, 비언어적 표현, 슬라이드 구성에서 청중의 흥미를 지속시키기 위해 노력해야 한다.

단권화 MEMO

단권화 MEMO

② 청중의 반응에 따른 대처

발표 내용이나 주제에 대해 발표자보다 많이 아는 청중에 대한 대처	갈등이나 신경전을 벌이지 말고, 그들을 발표에 자연스럽게 참여시키는 것이 좋음
발표를 듣고자 하는 의욕이 없는 청중에 대한 대처	청중에게 질문을 하여 참여를 유도하거나 최신의 뉴스를 인용하거나 인상적인 시각 자료 등을 활용하기
비우호적인 청중에 대한 대처	• 청중에게 진심으로 감사를 표하기 • 청중과의 공통점을 찾고 그것을 강조하기 • 적당한 비언어적 전달 기술을 사용하기 • 초연하거나 거만하거나 저자세로 행동하면 안 됨

③ 질의응답 시 주의 사항

㉠ 질문에 확실하고 직접적으로 대답한다.

㉡ 마땅한 답변을 하기 힘들어도 불필요한 속임수를 쓰지 않는다.

㉢ 좋지 않은 질문이라도 존중한다. 다만, 질의응답의 기능에서 벗어나는 질문은 아예 받지 않는다.

6 연설

(1) 개념

'연설'이란 다수의 청중을 대상으로 하여 정보를 전달하거나 설득하는 것을 목적으로 하는 공식적인 말하기의 한 형태이다. 연설은 사적인 상황이 아닌 공적인 상황에서 청중들에게 자신의 견해를 구두로 전달하는, 매우 의도적이며 목표 지향적인 의사소통 방식이다.

(2) 구성 요소

연사	• 말할 주제에 대하여 철저히 조사하고 자료들을 조직하며 청중의 요구와 특성을 고려해야 함 • 연사는 청중에게 주제에 대한 전문성을 보여 줄 필요가 있음 • 연사는 수용적이고 겸손한 태도를 가지되 적극성과 자신감을 보여 줄 필요가 있음
청중과 상황	청중의 태도와 지식 수준, 기대와 요구, 시간이나 장소, 청중의 규모와 자리 배치, 청중이 중시하는 관습과 규칙을 사전에 고려해야 함
메시지	메시지는 체계적으로 선정되고 조직되어야 하며, 비언어적 메시지의 전달에도 각별히 유의해야 함

(3) 유형

정보 전달 연설	• 정보 전달 연설은 강의나 강연 등과 같이 청중에게 유익한 지식과 정보를 제공하기 위한 목적으로 이루어짐 • 정보 전달 연설은 주제를 체계적으로 조직하고, 적절한 용어를 선택하며, 명확한 개념을 효과적으로 제시해야 함 • 추상적인 용어는 구체적인 사례를 제시하고 난해한 내용은 반복과 증거 자료를 통해 알기 쉽게 설명함
설득 연설	• 설득 연설은 청중의 신념이나 태도, 행동 등을 변화시키기 위한 목적으로 행해짐 • 설득 연설은 청중을 잘 분석하고 적절하게 대처하는 것이 무엇보다 중요함
환담 연설	• 환담 연설은 만찬이나 연회에서 화자가 청중을 즐겁게 하기 위해 행해짐 • 환담 연설에서는 시기적으로 적절한 유머나 재치를 활용하는 것이 효과적임 • 유머를 사용할 때에는 청중을 당황시키거나 불편하게 하지 않도록 너무 천박해서는 안 되며, 타인에게 상처를 주는 내용은 지양해야 함

(4) 과정과 절차

① 연설의 주제 설정 시 유의점

㉠ 주제 설정은 화자가 연설을 하고자 하는 목적과 관련이 깊다. 그러므로 자신이 '왜' 연설을 하는지, '목표'는 무엇인지를 명확히 해야 한다.

㉡ 청중의 기대에 부합하는 흥미롭고 가치 있는 주제여야 한다.

㉢ 말하는 상황과 분위기에 적절해야 한다.

㉣ 주어진 시간 내에 다룰 수 있는 것이어야 한다.

㉤ 평소 자신이 경험했거나 잘 알고 있는 내용이어야 한다.

② 말하기 상황과 청자 분석

말하기 상황의 분석	• 물리적 상황 분석: 날짜와 시간, 장소와 분위기, 예상 참가자 수 • 전달 매체 분석: 마이크, OHP, 컴퓨터, 빔 프로젝터 등 ※ 특히 주어진 시간 안에 연설을 마칠 수 있도록 시간 안배를 사전에 충분히 해 두어야 함
청자 분석하기	• 청중의 일반적 특성: 연령, 성별, 사회 경제적 지위, 직업, 종교, 지역, 정치적 성향 등 ※ 청중의 일반적 특성을 분석하여 피해야 할 내용과 강조해야 할 내용을 살필 수 있음 • 청중의 요구 분석: 청중의 기대, 배경지식 정도, 태도 ※ 청중의 요구 분석은 청중의 흥미와 동기를 유발하고 유지시키는 데 중요한 역할을 함
자료 수집하기	자료 수집을 할 때는 화자 자신의 지식과 경험, 문헌 조사와 현장 조사, 각종 방송 자료 및 인터넷 조사 등을 활용할 수 있음

더 알아보기 자료 수집의 유의점

① 이야기할 주제를 생생하게 뒷받침할 수 있어야 한다. (주제와의 통일성)
② 핵심적인 내용을 청중이 쉽게 이해하고 기억할 수 있어야 한다.
③ 청중의 지적 수준에 알맞은 것이어야 한다.
④ 청중의 흥미와 주목을 끌 수 있는 것이어야 한다.

③ 아이디어 조직하기(개요 작성하기)

㉠ 개요란 건축물의 설계도와 같은 것으로, 연설의 전체적인 흐름을 한눈에 파악할 수 있도록 얼개를 짜 놓은 것이다. 개요는 전체 연설의 구성과 주요 아이디어들 간의 관계를 표시한다.

㉡ 아이디어 조직 방법에는 시간적 순서에 의한 방법, 공간적 순서에 의한 방법, 논리적 순서에 의한 방법, 문제 해결식 조직 방법 등이 있다.

④ 연설문 작성하기

전문 원고	• 연설의 내용을 모두 써서 완성한 원고 • 화자는 보고 읽기만 하면 되기 때문에 심리적 안정을 가질 수 있으나 자칫 연설이 단조로울 수 있다는 단점이 있음
표제어 원고	• 연설의 중요한 내용만을 표시해서 완성한 원고 • 화자가 불안을 느낄 수 있으나 연설의 상황과 청중의 반응에 따라 유연성을 가질 수 있음

⑤ 예행연습하기

㉠ 가능하면 실제 연설 장소에서 캠코더를 활용하여 본인의 연설을 녹화한 다음, 점검·보완해야 할 부분을 집중적으로 연습한다.

㉡ 소리의 길이, 강약, 띄어 읽기, 속도, 성량, 표준 발음 등에 유의하며 연습하고, 거울을 보며 시선, 표정, 동작 등을 사전에 점검해 볼 필요가 있다.

단권화 MEMO

■ **연설의 원고**
연설의 원고는 문어체가 아닌 구어체로 작성되어야 하며, 간결하고 명료한 표현을 사용하는 것이 중요하다. 필요하다면 예상되는 청중의 반응을 기록해 둘 수도 있다.

CHAPTER

03 논증과 오류

□ 1회독 월 일
□ 2회독 월 일
□ 3회독 월 일
□ 4회독 월 일
□ 5회독 월 일

단권화 MEMO

01 논증의 개념

구체적인 논거를 들어 어떤 주장을 논리적으로 증명하고 그 정당성을 입증하는 것을 '논증'이라고 한다. 논증은 주제문에 해당하는 '명제', 명제를 뒷받침하는 '논거', 그 주장을 이끌어 내는 방식인 '추론'으로 이루어진다.

02 논증의 3요소

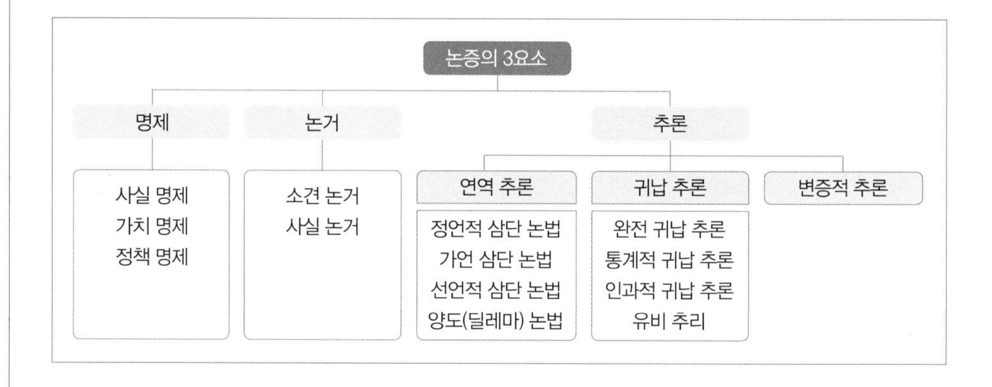

1 명제

논증에서 주제문에 해당하는 것으로, 필자의 판단이나 주장을 완결된 평서형의 문장으로 표현한 것을 '명제'라고 한다. 명제는 사실 명제, 가치 명제, 정책 명제로 구분할 수 있다.

구분	개념	용례
사실 명제	• 객관적인 기준에 근거하여 어떤 사실에 대한 진위(眞僞) 판단을 진술한 것 • 사실 명제는 참, 거짓의 진위가 뚜렷하게 판별됨	• 우리나라의 국화는 무궁화이다. (참) • 일본의 국기는 태극기이다. (거짓)
가치 명제	주장에 주관적 판단(시비, 선악, 미추)이 개입되는 명제로, 어떤 대상에 대한 가치 판단을 진술한 명제	• 한국인이 세계에서 가장 부지런하다. • 이육사는 우리나라 시인 중 단연 최고이다.
정책 명제	주장이나 의견, 해결 방안 등 어떤 문제에 대한 해결책이나 바람직한 행동에 대한 판단을 진술한 명제	비정규직 문제 해결을 위해 정부와 기업, 노동자가 의견을 교환할 수 있는 논의 기구를 만들어야 한다.

■ 명제의 요건
• 단일성: 명제가 둘 이상이 되면 논점이 흐려진다.
• 공정성: 명제는 주장하는 이의 편견이나 선입견에 치우치지 않아야 한다.
• 명료성: 명제는 명료해야 한다.
• 평서형: 명제는 반드시 평서형 문장으로 진술해야 한다. 의문문, 명령문, 청유문으로 진술해서는 안 된다.

2 논거

명제를 뒷받침하는 논리적 근거, 즉 주장의 타당성을 뒷받침하기 위해 사용하는 논리적 증거를 '논거'라고 한다. 논거는 소견 논거와 사실 논거로 구분할 수 있다.

구분	개념	용례
소견 논거	• 논지와 관련된 권위자의 의견, 일반적인 여론 등을 인용하는 논거 • 소견 논거는 신뢰성 있는 의견을 가진 사람의 권위에 의거함	마하트마 간디는 "죄를 미워하되 죄인은 사랑하라."라고 하였다.
사실 논거	누구나 인정할 수 있는 구체적 사실, 즉 자연 법칙, 역사적 사실, 상식, 실험 결과 등을 통해 명제를 객관적으로 뒷받침하는 논거	봄이 오면 환경광 또는 채광량이 늘기 때문에 2월보다는 양질의 수면을 취할 수 있다. 남성보다는 여성이, 젊은 사람보다는 나이든 사람일수록 '2월 불면증'에 더 많이 시달리는 것으로 조사됐다.

3 추론

기존의 명제들로부터 결과를 유도해 나가는 과정을 '추론'이라고 한다. 추론은 크게 연역 추론, 귀납 추론, 변증적 추론으로 구분할 수 있다.

(1) 연역 추론

이미 논리적으로 증명된 명제를 전제로 새로운 명제의 증명을 만들어 나가는 방법이다. 삼단 논법이 대표적이다.

① **정언적 삼단 논법**: 삼단 논법 중에서 가장 대표적인 것으로, 두 개의 정언* 명제(~은 …이다)를 전제로 하여 새로운 정언 명제(~은 …이다)를 결론으로 이끌어 내는 방식이다.

> [대전제] 모든 사람은(a) 죽는다(b).
> [소전제] 소크라테스는(c) 사람이다(a).
> [결　론] 그러므로 소크라테스는(c) 죽는다(b).

② **가언 삼단 논법**: 대전제로 가언 명제(만일 ~이면 …이다)를 제시하고 소전제에서 전건*(만일 ~이면)을 긍정하거나 후건*(…이다)을 부정하는 형식을 취하여 결론을 이끌어 내는 추론 방법이다.

> [전건 긍정으로 후건 긍정]
> 만약에 비가 온다면 땅이 젖었을 것이다.
> 그런데 비가 왔다. (전건 긍정)
> 그러므로 땅이 젖었을 것이다. (후건 긍정)
>
> [후건 부정으로 전건 부정]
> 만약에 비가 온다면 땅이 젖었을 것이다.
> 그런데 땅이 젖지 않았다. (후건 부정)
> 그러므로 비가 오지 않았을 것이다. (전건 부정)

단권화 MEMO

■ **특수화**
일반적 사항의 제시로부터 특수한 상황으로 서술해 가는 연역적 구성 방법

***정언**
어떤 명제, 주장, 판단을 '만일', '혹은' 따위의 조건을 붙이지 않고 확정하여 말하는 것이다.

***전건**
가언적 판단에서 그 조건, 이유 따위를 표시하는 부분을 말한다.

***후건**
가언적 판단에서 귀결을 표시하는 부분을 말한다.

단권화 MEMO

*선언
여러 개의 명제를 접속사 '또한'이나 이와 동의(同義)의 접속사로 연결한 합성 명제를 말한다.

③ **선언적 삼단 논법**: 대전제를 두 개 이상의 선언* 개념(~ 또는 …이다)으로 된 선언 명제로 하고, 소전제는 대전제의 일부 선언지(…이다, … 아니다)로 하여 결론을 이끌어 내는 추론 방법이다. 선언적 삼단 논법의 전제는 배타적이어야 타당하다.

[대전제] 철수는 학교에 갔거나 학원에 갔을 것이다.
[소전제] 그런데 학교에 가지는 않았다.
[결　론] 그러니 철수는 학원에 갔을 것이다.

④ **양도(딜레마) 논법**: 대전제가 두 개의 가언 명제(만일 ~이면 …이다)로, 소전제는 하나의 선언 명제(~ 또는 …이다)로 구성된 추론 방법이다.

[대전제] 비가 오면 큰아들의 미투리가 안 팔릴 것이므로 걱정이다.
비가 안 오면 작은아들의 나막신이 안 팔릴 것이므로 걱정이다.

[소전제] 비가 오거나 안 오거나 둘 중의 하나일 것이다.

[결　론] 그러므로 항상 걱정이다.

(2) 귀납 추론

특수한 사실, 현상, 원리로부터 좀 더 확장된 일반적 명제를 만들어 가는 방법이다.

① **완전 귀납 추론**: 전체 집합의 모든 원소를 관찰하고 관찰에 따른 공통점을 결론으로 만들어 나가는 방법이다.

제자가 땅콩의 껍질을 다 벗겨 보고 나서야 스승에게 가서 그 땅콩은 모두 속꺼풀이 있었다고 알렸다.

② **통계적 귀납 추론**: 전체 집합의 일부 원소를 관찰하고 다른 대상들에게 일부 원소의 공통점을 적용하는 방법이다.

여론 조사에 의하면 55%의 유권자가 김 씨에게, 45%가 이 씨에게 투표할 것으로 나타났다. 그러므로 이번 선거에서 김 씨가 이길 것이다.

③ **인과적 귀납 추론**: 인과 관계에 의해 원인이나 결과를 만들어 나가는 방법이다.

철수는 김밥, 라면, 순대, 떡볶이를 먹고 식중독에 걸렸다. 영희는 김밥, 라면, 순대, 튀김을 먹고 식중독에 걸렸다. 민수는 김밥, 라면, 떡볶이를 먹고 식중독에 걸렸다. 따라서 식중독의 원인은 김밥, 라면이다.

④ **유비 추리**: 두 개의 특수한 대상에서 어떤 징표가 일치하고 있기 때문에 다른 징표도 일치할 것임을 추정하며 진술하는 방법이다. 매우 생소한 개념이나 어렵고 복잡한 대상을 좀 더 친숙하고 단순한 개념이나 대상과 비교하여 설명하는데, 비교보다는 비유에 가까운 진술 방법이다.

나는 집이 가난하여 말이 없어서 간혹 남의 말을 빌려 탄다. 노둔하고 여윈 말을 얻게 되면 일이 비록 급하더라도 감히 채찍을 대지 못하고 조심조심 금방 넘어질 듯 여겨서 개울이나 구렁을 지날 때는 말에서 내려 걸어가므로 후회할 일이 적었다.

…(중략)…

아! 사람의 마음이 옮겨지고 바뀌는 것이 이와 같을까? 남의 물건을 빌려서 하루아침의 소용에 쓰는 것도 이와 같은데, 하물며 참으로 자기가 가지고 있는 것이야 어떻겠는가?

– 이곡, 「차마설(借馬說)」 –

(3) 변증적 추론

대립되는 두 명제 사이에서 절충된 새로운 결론을 만들어 나가는 방법이다. 즉, '정(正)-반(反)'을 통해 '합(合)'을 이끌어 내는 추론이다.

> [정(正)] 나는 너를 사랑한다.
>
> [반(反)] 나는 너를 사랑하지 않을 때가 있다.
>
> [합(合)] 나는 대체적으로 너를 사랑하지만 어떤 때는 너를 사랑하지 않는다.

단권화 MEMO

03 오류의 유형

1 형식적 오류

구분	개념	용례
순환 논증의 오류 (선결 문제 요구의 오류)	증명해야 할 논제를 오히려 전제나 근거로 삼을 때 생기는 오류	공자의 말은 진리이다. 왜냐하면 그가 지은 책에 진리라고 적혀 있기 때문이다.
자가당착의 오류 (비정합성의 오류)	모순을 바탕으로 결론을 이끌어 낼 때 생기는 오류	무엇이든 뚫을 수 있는 창과 무엇이든 막을 수 있는 방패가 저에게 있습니다.
전건 부정의 오류	전건(앞에서 언급된 조건)을 부정하며 후건(뒤에서 언급되는 귀결)의 부정을 결론으로 이끌어 낼 때 생기는 오류	만일 당신이 제주도에 있다면 당신은 국내에 있다. 하지만 당신은 제주도에 있지 않다. 따라서 당신은 국내에 없다.
후건 긍정의 오류	후건(뒤에서 언급되는 귀결)을 긍정하며 전건(앞에서 언급된 조건)의 긍정을 결론으로 이끌어 낼 때 생기는 오류	만일 당신이 제주도에 있다면 당신은 국내에 있다. 당신은 국내에 있다. 따라서 당신은 제주도에 있다.
선언지 긍정의 오류	배타성이 없는 두 개념만 존재하며 다른 가능성은 없을 것으로 판단하여 생기는 오류	그는 기독교 신자이든지 마르크스주의자일 것이다. 그런데 그는 기독교 신자이다. 따라서 그는 마르크스주의자가 아니다.

2 비형식적 오류

(1) 언어적 오류

구분	개념	용례
강조의 오류	문장에서 핵심이 아닌 부분을 잘못 강조하여 생기는 오류	어머니께서 친구를 때리지 말라고 하셨다. 따라서 친구가 아니면 때려도 괜찮을 것이다.
애매어의 오류	다의어의 의미를 혼동하여 생기는 오류	모든 인간은 죄인이다. 따라서 모든 인간은 감옥에 가야 한다.
애매문의 오류	문장의 중의성으로 인해 생기는 오류	아내는 나보다 컴퓨터를 더 좋아한다.
은밀한 재정의의 오류	단어에 사전적 의미가 아닌 자의적 의미를 덧붙여 사용해서 생기는 오류	너의 여자 친구는 완벽해. 그러니 꼭 결혼해.
범주의 오류	단어의 의미 범주를 잘못 판단하여 생기는 오류	선생님 제 꿈은 교사가 아니라 국어 선생님입니다.

단권화 MEMO

(2) 심리적 오류

구분	개념	용례
원천 봉쇄의 오류 (우물에 독 뿌리기)	반론이 될 수 있는 것에 부정적 의미를 부여하며 단정함으로써 상대의 반론을 원천적으로 봉쇄하는 오류	국격을 높이는 이 일에 동참하지 않는 사람은 매국노이다.
공포에 호소하는 오류	공포나 힘을 이용해 자신의 주장을 받아들이게 하는 오류	선생님 말씀을 듣지 않아 발생하는 모든 것은 당신의 책임이다.
대중에 호소하는 오류	대중의 선호나 인기를 이용하여 자신의 주장을 받아들이게 하는 오류	이 제품은 10만 명 이상이 사용한 제품으로 그 효과는 따로 검증할 필요가 없다.
동정(연민)에 호소하는 오류	동정에 호소하여 자신의 주장을 받아들이게 하는 오류	제가 감옥에 간다면 어린 자식들은 길거리를 헤맬 것입니다. 제발 선처해 주세요.
부적합한 권위에 호소하는 오류	논지와 관련이 없는 권위자의 견해를 통해 자신의 주장을 받아들이게 하는 오류	통계학계의 권위자인 김 박사님이 미역이 몸에 좋댔어. 오늘은 머리가 아프니 미역국을 먹어야겠어.
인신공격의 오류	상대방의 과거의 행적, 직업, 인품 등을 문제 삼으며 상대방의 인격을 손상시킴으로써 자신의 주장을 받아들이게 하는 오류	그의 말은 믿을 게 못 된다. 왜냐하면 그는 전과자이기 때문이다.
역공격의 오류 (피장파장의 오류)	상대방도 비판의 대상이 됨을 지적하며 본인에 대한 비판을 모면할 때 생기는 오류	아버지도 어릴 적 공부를 못하셨다는데 그럼 내가 공부 못하는 것에 대해 아버지께서 지적하실 자격은 없지.
정황에 호소하는 오류	개인적인 정황을 근거로 의견의 타당함을 주장할 때 생기는 오류	군대도 다녀오지 않은 사람이 국방부 장관이 되다니, 그의 정책은 신뢰할 수 없겠어.

(3) 자료적 오류

구분	개념	용례
무지에 호소하는 오류	반대되는 의견에 증거가 없음을 증거로 자신의 주장이 옳음을 말할 때 생기는 오류	외계인이 없다는 증거가 없기 때문에 외계인은 있다.
우연의 오류	일반적일 때 통용되는 논리를 특수한 상황에 무리하게 적용시킴으로써 생기는 오류	모든 사람은 거주 이전의 자유가 있다. 따라서 재소자도 자신이 머물 교도소를 선택할 수 있게 해야 한다.
성급한 일반화의 오류	제한된 상황이나 정보를 바탕으로 무리하게 일반화시키는 오류	그녀가 비싼 가방을 산 것을 보니 그녀는 사치가 심한 여자야.
원인 오판의 오류 (잘못된 인과 관계의 오류)	우연히 일치한 사건에 대해 무리하게 인과 관계를 대입함으로써 생기는 오류	돼지꿈을 꾸고 복권에 당첨되었다.
의도 확대의 오류	상대방의 의도를 과하게 확대 해석함으로써 발생하는 오류	담배가 폐암을 유발한다는 것은 상식이야. 그런데도 철수가 담배를 피우는 건 폐암에 걸리고 싶은 것이 분명해.
복합 질문의 오류	한 번에 여러 질문을 함으로써 상대방의 답변에서 부당하게 긍정이나 부정을 이끌어 내는 오류	너, 이제는 나쁜 짓을 하지 않을 거지? ⇨ 어떤 대답을 하든 과거에는 나쁜 짓을 했음을 인정할 수밖에 없다.

허수아비 공격의 오류	상대의 주장을 자신에게 유리하고 반박하기 쉬운 다른 논점(왜곡되고 과장된 논점)으로 이동해 그것을 반박함으로써 자신의 주장이 옳음을 말할 때 생기는 오류	A: 올해 우리 독서부의 보조금이 삭감됐습니다. 우리가 매월 했던 회식을 없애거나 축소하면 예산이 맞을 것 같습니다. B: 난 네가 왜 항상 우리 부원들끼리 친목 도모하는 걸 막으려 드는지 이해할 수가 없어.
흑백 논리의 오류	논의되는 대상이 둘밖에 없다고 판단하고, 문제 상황을 양극단으로만 구분하는 과정에서 발생하는 오류	너는 민주주의자가 아닌 것을 보니 공산주의자구나.
논점 일탈의 오류	문제가 되고 있는 논점을 벗어나 논점과 관련성이 없는 주장을 하는 오류	A: 어제 비가 오는데 우산 없이 학교에 갔어. B: 맞아. 비가 왔으니까 올해 벼농사 참 잘될 거야.
잘못된 유추의 오류 (기계적 유비 추리의 오류)	두 대상의 본질적인 유사성이 아닌, 부분적인 유사성으로 나머지의 유사성을 무리하게 관련지음으로써 발생하는 오류	컴퓨터는 사람에 비유되곤 한다. 따라서 컴퓨터도 감정이 있을 것이다.
분할의 오류	전체 또는 집합이 어떤 성질을 가지고 있기 때문에 그 부분 또는 원소도 그와 같은 성질을 가지고 있다고 추론하는 오류	김치는 맵다. 따라서 김치의 재료는 모두 맵다.
결합의 오류	부분 또는 개별적인 원소들이 어떤 성질을 가지고 있다는 사실로부터 전체 또는 원소들의 집합도 그러한 성질을 가지고 있다고 추론하는 오류	좋은 언어들로만 짜인 시는 역시 좋은 시가 된다.
발생학적 오류	대상의 기원이 가지고 있는 특성을 대상도 예외 없이 가지고 있을 것이라는 생각에서 발생되는 오류	이 말은 우리나라에서 가장 빨리 달리는 말이 될 거야. 왜냐하면 이 말의 어미가 우리나라에서 가장 빠른 말이거든.

단권화 MEMO

I 이론 비문학

작문

01 문단의 요건

구분	개념
( )	글의 모든 내용은 하나의 주제로 ( )되어야 함
( )	글 속에 있는 단어, 문장, 문단의 연결이 논리적이고 자연스러워야 함
( )	한 단락은 주제문과 주제문을 뒷받침하는 내용이 ( )하게 구성되어 있어야 함

02 하위 항목을 상위 항목으로 묶어서 진술하는 방식을 ( )(이)라고 하고, 상위 항목을 하위 항목으로 나누어 진술하는 방식을 ( )(이)라고 한다.

03 일반적으로 설명문의 경우 ( )(으)로, 논설문의 경우 ( )(으)로, 즉 3단 구조로 구성한다.

화법

04 화법의 구성 요소는 '( ), ( ), ( ), ( )'이다.

05 '메시지'는 담화에서 전달되는 내용을 의미한다. 메시지는 다음과 같이 구분할 수 있다.

( ) 메시지	일반적인 말이나 글로 자신의 생각이나 감정을 전달하는 메시지
( ) 메시지	주로 소리로 나타내는 억양, 어조, 강약, 높낮이 등을 통해 언어적 내용을 전달하는 메시지
( ) 메시지	언어나 문자가 아니라 행동, 표정 등을 사용하여 언어적 내용을 전달하는 메시지

06 '공감적 듣기'는 상대의 말을 비판하지 않고 감정 이입의 차원에서 상대방의 생각이나 감정을 깊이 있게 이해하는 데 목적이 있는 듣기 방식을 말한다.

( ) 들어주기	• 화자에게 관심을 표현하며, 화자가 이야기를 이어 나갈 수 있도록 맥락을 조절하며 듣는 방식 • 방법: 관심 표명, 화맥 조절, 격려하기, 집중하기
( ) 들어주기	• 화자의 말을 요약·정리하고 반영, 화자가 스스로 문제를 해결할 수 있도록 듣는 방식 • 방법: 요약하기, 반영하기

| 정답 | 01 통일성, 통일, 일관성, 완결성, 밀접 02 분류, 구분 03 처음·가운데·끝, 서론·본론·결론 04 화자, 청자, 메시지, 장면 05 언어적, 준(반)언어적, 비언어적 06 소극적, 적극적

07 협력의 원리

( )의 격률	대화의 목적에 필요한 만큼의 정보를 제공
( )의 격률	타당한 근거를 들어 진실을 말함
( )의 격률	대화의 목적이나 주제와 관련된 것을 말함
( )의 격률	모호성이나 중의성이 있는 표현을 사용하지 말고, 간결하고 조리 있게 말하되 언어 예절에 맞게 말함
( ) 함축	고의적으로 협력의 원리를 위반하여 자신의 발화 의도를 간접적으로 표현하는 것

08 ( ): 특정 문제에 특별한 관심이 있거나 전문가인 사람을 ( )(배심원)로 뽑아 청중 앞에서 의견을 주고받으며 공동으로 진행하는 토의 방식이다.

09 ( ): 어떤 논제에 대하여 입론 단계에서 찬성자와 반대자가 바로 앞 상대방에게 ( )(질문)을 하여 상대방의 논지를 반박함으로써 승부를 가리는 토론 방식이다.

I 논증과 오류

10 ( ): 삼단 논법 중에서 가장 대표적인 것으로, 두 개의 정언 명제(~은 …이다)를 전제로 하여 새로운 정언 명제(~은 …이다)를 결론으로 이끌어 내는 방식이다.

11 ( ): 특수한 사실, 현상, 원리로부터 좀 더 확장된 일반적 명제를 만들어 가는 방법이다.

12 ( ) 오류: 반대되는 의견에 증거가 없음을 증거로 자신의 주장이 옳음을 말할 때 생기는 오류이다.

| 정답 | 07 양, 질, 관련성, 태도, 대화 08 패널 토의(배심 토의), 패널 09 반대 신문식 토론, 반대 신문 10 정언적 삼단 논법 11 귀납 추론 12 무지에 호소하는

I 이론 비문학

교수님 코멘트▶ 이 영역에서는 글의 전개 방식, 화법의 실제, 연역법과 귀납법 그리고 변증법 등을 구분하는 문제 등이 자주 출제된다. 특히 최근에는 화법 이론 부분의 출제 비중이 올라가고 있는 추세이다. 기본서 회독을 통해 다시 한번 꼭 확인해 두자.

작문

01

2017 지방직 7급

글의 통일성을 고려할 때, 삭제하는 것이 바람직한 문장은?

'천재'라는 말은 18세기에 갑자기 영예로운 칭호가 되었다. 천재는 예술의 창조자이며, 예술의 창조는 과학처럼 원리나 법칙에 의거하지 않는다. ㉠과학은 인간의 이성과 감성 사이에 분열을 가져왔다. ㉡예술에는 전래의 비방이 있을 수 없으며 있다 하더라도 전수될 수 없다. ㉢예술가 스스로도 자신이 완성한 작품의 진정한 비밀이 무엇인지 명확히 알지 못한다. ㉣마침내, 사람들은 천재라는 개념으로 예술 창조의 비밀을 표현하였다.

① ㉠
② ㉡
③ ㉢
④ ㉣

02

2013 서울시 9급

문단 (가)와 (나)의 내용상의 관계를 가장 잘 표현한 것은?

(가) 20세기 후반, 복잡한 시스템에 관한 연구에 몰두하던 일련의 물리학자들은 기존의 경제학 이론으로는 설명할 수 없었던 경제 현상을 이해하기 위해 물리적인 접근을 시도하기 시작했다. 보이지 않는 손과 시장의 균형, 완전한 합리성 등 신고전 경제학은 숨 막힐 정도로 정교하고 아름답지만, 불행히도 현실 경제는 왈라스나 애덤 스미스가 꿈꿨던 '한 치의 오차도 없이 맞물려 돌아가는 톱니바퀴'가 아니다. 물리학자들은 인간 세상의 불합리함과 혼잡함에 관심을 가지고 그것이 만들어 내는 패턴들과 열린 가능성에 주목했다.

(나) 우리가 주류 경제학이라고 부르는 것은 왈라스 이후 체계가 잡힌 신고전 경제학을 말한다. 이 이론에 의하면, 모든 경제주체는 완전한 합리성으로 무장하고 있으며, 항상 최선의 선택을 하며, 자신의 효용이나 이윤을 최적화한다. 개별 경제주체의 공급곡선과 수요곡선을 합하면 시장에서의 공급곡선과 수요곡선이 얻어진다. 이 두 곡선이 만나는 점에서 가격과 판매량이 동시에 결정된다. 더 나아가 모든 주체가 합리적 판단을 하기 때문에 모든 시장은 동시에 균형에 이르게 된다.

① (가)보다 (나)가 경제공황을 더 잘 설명한다.
② (가)로부터 (나)가 필연적으로 도출된다.
③ (나)는 (가)의 한 부분에 대한 부연 설명이다.
④ (나)는 (가)를 수학적으로 다시 설명한 것이다.
⑤ (나)는 실제 상황을, (가)는 가정된 상황을 서술한 것이다.

03

2014 국가직 9급

다음은 '청소년의 디지털 중독의 폐해와 해결 방안'이라는 주제로 글을 쓰기 위한 개요이다. 수정·보완하기 위한 방안으로 적절하지 않은 것은?

Ⅰ. 서론: 청소년 디지털 중독의 심각성
Ⅱ. 본론
  1. 청소년 디지털 중독의 폐해 ··· ㉠
    가. 타인과의 관계를 원활하게 하지 못하는 사회 부적응 야기
    나. 다양한 기능과 탁월한 이동성을 가진 디지털 기기의 등장 ··· ㉡
  2. 청소년 디지털 중독에 영향을 미치는 요인
    가. 디지털 중독의 심각성에 대한 개인적, 사회적 인식 부족
    나. 뇌의 기억 능력을 심각하게 퇴화시키는 디지털 치매의 심화 ··· ㉢
    다. 신체 활동을 동반한 건전한 놀이를 위한 시간 및 프로그램의 부족
    라. 자극적이고 중독적인 디지털 콘텐츠의 무분별한 유통
  3. 청소년 디지털 중독을 해결하기 위한 방안
    가. 디지털 중독의 심각성에 대한 교육과 홍보를 위한 전문 기관 확대
    나. 학교, 지역 사회 차원에서 신체 활동을 위한 시간 및 프로그램의 확대
    다. (   ) ··· ㉣
Ⅲ. 결론: 청소년 디지털 중독을 줄이기 위한 개인적, 사회적 노력의 촉구

① ㉠의 하위 항목으로 '우울증이나 정서 불안 등의 심리적 질환 초래'를 추가한다.
② ㉡은 'Ⅱ-1'과 관련된 내용이 아니므로 삭제한다.
③ ㉢은 'Ⅱ-2'의 내용과 어울리지 않으므로, 'Ⅱ-1'의 하위 항목으로 옮긴다.
④ ㉣에는 'Ⅱ-2'와의 관련성을 고려하여 '청소년을 대상으로 디지털 기기의 사용 시간 제한'이라는 내용을 넣는다.

정답&해설

01 ① 문단의 요건 > 통일성

제시된 글은 천재는 예술을 창조하고 그러한 예술의 창조는 과학처럼 원리나 법칙에 의거하지 않는다는 내용의 글이다. ① 과학이 인간의 이성과 감성 사이에 분열을 가져왔다는 것은 천재가 행하는 예술의 창조와 관련 없는 내용이다.

02 ③ 문단의 요건 > 완결성

문단 (가)는 '기존의 신고전 경제학으로 설명할 수 없었던 경제 현상을 이해하기 위한 물리학자들의 물리적 접근'에 대해 서술하고 있다. 반면, 문단 (나)는 (가)에서 말하는 '신고전 경제학'에 대해 설명하고 있다. 따라서 ③ (나)는 (가)의 한 부분에 대한 부연 설명이다.

03 ④ 내용 조직하기 > 개요

④ 'Ⅱ-2'와의 관련성을 고려하면 '2-가, 2-다'에 대한 해결 방안은 '3-가, 3-나'에 제시되어 있으므로 ㉣의 해결 방안은 '2-라, 자극적이고 중독적인 디지털 콘텐츠의 무분별한 유통'과 관련된 해결 방안이 제시되어야 한다. 그러므로 '디지털 기기의 사용 시간 제한'은 해결 방안으로 적절하지 않다. 디지털 콘텐츠 유통과 관련된 해결 방안이 제시되어야 한다.

|오답해설| ① 우울증, 정서 불안은 디지털 중독의 폐해에 해당한다.
② '다양한 기능과 탁월한 이동성을 가진 디지털 기기의 등장'은 디지털 중독의 폐해와 관련이 없다.
③ '디지털 치매의 심화'는 디지털 중독에 영향을 미치는 요인이 아니라 디지털 중독의 폐해에 해당한다.

|정답| 01 ① 02 ③ 03 ④

04

2017 국가직 7급 추가채용

다음 글과 논증 방식이 가장 가까운 것은?

> 기존의 틀을 벗어나려면 새로운 가치가 필요하다. 운동선수가 뜀틀을 넘으려면 도약대가 있어야 하듯, 낡은 사고, 인습, 그리고 변화에 저항하는 틀을 뛰어넘기 위해서는 믿고 따를 분명한 디딤판이 필요하다. 또한, 기존의 틀을 벗어나려면 운동선수가 뜀틀을 향해 달려가는 것처럼 변화하고자 하는 의지도 필요하다. 도전하려는 의지가 수반될 때에 뜀틀 너머의 새로운 사회를 만날 수 있다.

① 미국 헌법은 미국 시민의 투표권을 보장한다. 미국 여성은 미국 시민이다. 그러므로 미국 헌법은 미국 여성의 투표권을 보장한다.
② 나는 유해한 모든 일을 피하려고 한다. 전자파가 유해하다는 것은 널리 알려진 사실이다. 전자레인지는 전자파를 방출하는 대표적인 기기이다. 따라서 나는 전자레인지 사용을 자제하려고 한다.
③ 전선을 통한 전기의 흐름은 도관을 통한 물의 흐름과 유사하다. 지름이 큰 도관은 지름이 작은 도관에 비해 많은 양의 물을 전달할 수 있다. 따라서 큰 지름의 전선은 작은 지름의 전선보다 많은 양의 전기를 전달할 수 있을 것이다.
④ 주말이면 동네에서 크고 작은 문화 행사를 한다. 박물관에는 다양한 문화재들이 항상 전시되어 있으며, 대학로의 소극장이나 예술의 전당 같은 문화 공간에서는 다양한 공연이 열리고 있다. 문화는 우리 생활 구석구석에 스며들어 있다.

05

2021 국가직 9급

다음 글의 주된 서술 방식은?

> 변지의가 천 리 길을 마다하지 않고 나를 찾아왔다. 내가 그 뜻을 물었더니, 문장 공부를 하기 위해 나를 찾아왔다고 했다. 때마침 이날 우리 아이들이 나무를 심었기에 그 나무를 가리켜 이렇게 말해 주었다.
> “사람이 글을 쓰는 것은 나무에 꽃이 피는 것과 같다. 나무를 심는 사람은 가장 먼저 뿌리를 북돋우고 줄기를 바로잡는 일에 힘써야 한다. …(중략)… 나무의 뿌리를 북돋아 주듯 진실한 마음으로 온갖 정성을 쏟고, 줄기를 바로잡듯 부지런히 실천하며 수양하고, 진액이 오르듯 독서에 힘쓰고, 가지와 잎이 돋아나듯 널리 보고 들으며 두루 돌아다녀야 한다. 그렇게 해서 깨달은 것을 헤아려 표현한다면 그것이 바로 좋은 글이요, 사람들이 칭찬을 아끼지 않는 훌륭한 문장이 된다. 이것이야말로 참다운 문장이라고 할 수 있다.”

① 서사　　② 분류
③ 비유　　④ 대조

06

2013 지방직 7급

다음 글에서 보여 주는 설명 방식을 사용하고 있는 것은?

> 지금 지구 상공에는 수많은 인공위성이 돌고 있다. 인공위성은 크게 군사용 위성과 평화용 위성으로 나뉜다. 첩보 위성, 위성 파괴 위성 등은 전자에 속하고, 통신 위성, 기상 관측 위성, 지구 자원 탐사 위성 등은 후자에 속한다.

① 동사는 주어의 동작이나 작용을 나타내는 반면, 형용사는 주어의 성질이나 상태를 나타낸다.
② 표준 발음법은 총칙, 자음과 모음, 음의 길이, 받침의 발음, 음의 동화, 경음화, 음의 첨가 등으로 이루어져 있다.
③ 여닫다, 우짖다, 검푸르다, 검붉다, 뛰놀다, 설익다, 부슬비 등은 일반적인 우리말의 통사적 구성 방법과 어긋나게 형성된 낱말의 예라 할 수 있다.
④ 자음은 조음 위치 및 조음 방법에 따라 다시 나뉜다. 양순음, 치조음, 경구개음, 연구개음, 후음 등은 조음 위치에 따라 자음을 하위 갈래로 나눈 것이고, 파열음, 파찰음, 마찰음, 비음, 유음 등은 조음 방법에 따라 자음을 하위 갈래로 나눈 것이다.

07

2013 지방직 9급

㉠~㉣에 들어갈 말로 맞는 것은?

말하기의 중요한 목적 중에 하나가 설명이다. 설명은 청자가 모르는 사실을 알아듣기 쉽게 풀어서 말하는 것으로, 우리가 알아낸 정보를 전달하거나 지식 체계를 쉽게 이해시키고자 하는 경우에 사용된다. 설명의 방법에는 지정, 정의, (㉠)와/과 (㉡), (㉢)와/과 (㉣), 예시가 있다.

지정은 가장 단순한 설명의 방법으로 사물을 지적하듯이 말하기를 통하여 지적하는 방법이다. 정의는 어떤 용어나 단어의 뜻과 개념을 밝히는 것으로 충분한 지식을 가지고 있어야 정확한 정의를 내릴 수 있다. 어떠한 대상을 파악하고자 할 때 대상을 적절히 나누거나 묶어서 정리해야 하는데, 하위 개념을 상위 개념으로 묶어 가면서 설명하는 (㉠)의 방법과 상위 개념을 하위 개념으로 나누어 가면서 설명하는 (㉡)의 방법이 있다. 설명을 할 때에 서로 비슷비슷하여 구별이 어려운 개념에 대하여 그들 사이의 공통점이나 차이점을 지적하면 이해하기가 쉬운데, 둘 이상의 대상 사이의 유사점에 대하여 설명하는 일을 (㉢)(이)라 하고, 그 차이점에 대하여 설명하는 일을 (㉣)(이)라 한다. 이러한 방법을 통해서 말하게 되면 평이한 화제를 가지고도 개성 있는 말하기를 할 수 있게 된다. 예시는 어떤 개념이나 사물에 대한 이해를 돕기 위하여 이에 해당하는 예를 직접 보여 주거나 예를 들어 설명하는 것이다.

	㉠	㉡	㉢	㉣
①	대조	비교	구분	분류
②	비교	대조	분류	구분
③	분류	구분	비교	대조
④	구분	분류	대조	비교

정답&해설

04 ③ 글의 전개 방식 > 유추

제시문은 사회 변혁을 운동선수가 뜀틀을 넘는 원리에 빗대어 설명하는 유추의 전개 방법이 사용되었다. 즉, 낯설고 생소한 내용을 친숙하고 쉬운 개념에 대응하여 진술하고 있다. ③은 전선을 통한 전기의 흐름과 도관을 통한 물의 흐름의 유사성을 바탕으로, 전선의 굵기에 따라 달라지는 전류량에 대해 진술하는 유추의 방법이 사용되었다.

| 오답해설 | ① 연역법이 사용되었다.

② 개인적 표현이기는 하나 연역법으로 볼 수 있다.

④ 귀납법이 사용되었다.

05 ③ 글의 전개 방식 > 비유

제시문은 글을 쓰는 것을 '나무에 꽃이 피는 것'에 비유하여 설명하고 있다.

06 ④ 글의 전개 방식 > 구분

제시문은 상위 항목(군사용 위성, 평화용 위성)을 하위 항목(첩보 위성, 통신 위성 등)으로 나누어 진술하는 '구분'의 설명 방식이 두드러진다. 이와 동일한 서술 방식이 사용된 것은 ④이다. ④는 상위 항목(조음 위치, 조음 방법)을 하위 항목(양순음, 파열음 등)으로 나누어 진술하고 있다.

| 오답해설 | ① '동사와 형용사'의 차이점을 중심으로 설명하는 '대조'의 방법을 사용하고 있다.

② '표준 발음법'을 '총칙, 자음과 모음 등'의 구성 요소로 나누고 있는 '분석'의 방법을 사용하고 있다.

③ 우리말의 통사적 구성 방법과 어긋나게 형성된 낱말의 예를 들고 있으므로 '예시'의 방법을 사용하고 있다.

07 ③ 글의 전개 방식 > 분류/구분, 비교/대조

㉠ 분류: 하위 항목을 상위 항목으로 묶어 가면서 진술하는 것을 말한다.

예 신라의 향가, 고려의 속요, 조선의 시조는 내용으로 보아 모두 서정시에 속한다. 서정시는 서사시, 극시와 나란히 시의 한 장르를 이루고 있다.

㉡ 구분: 상위 항목을 하위 항목으로 나누어 진술하는 것을 말한다.

예 문학의 장르에는 시, 소설, 수필, 희곡, 평론이 있다. 시에는 다시 서정시, 서사시, 극시가 있으며, 자유시, 정형시로 나누기도 한다. 소설은 장편 소설, 중편 소설, 단편 소설이 있고, 고대 소설·현대 소설이 있으며, 가정 소설, 탐정 소설, 해양 소설, 순정 소설 등 다양하다.

㉢ 비교: 넓은 의미와 좁은 의미로 나누어 볼 수 있다. 넓은 의미의 경우 '둘 또는 그 이상의 사물이나 현상을 견주어 서로 간의 유사점과 공통점, 차이점 따위를 밝히는 일'의 의미로 쓰인다. 즉, 공통점과 차이점을 모두 견주어 보는 것을 말한다. 반면, 좁은 의미의 경우 공통점을 중심으로 살펴보는 것을 말한다.

㉣ 대조: 둘 또는 그 이상의 사물이나 현상을 견주어 서로 간의 차이점 따위를 밝히는 것을 말한다.

| 정답 | 04 ③ 05 ③ 06 ④ 07 ③

08

2014 서울시 7급

다음 중 아래 원칙에 부합하지 않는 설명은 어느 것인가?

〈정보 보고서 작성 기본 10원칙〉

(1) 결론을 먼저 서술
(2) 정보의 조직화와 체계화
(3) 보고서의 형태 이해
(4) 적합한 언어 사용
(5) 단어의 경제적 사용
(6) 생각한 것을 분명하게 표현
(7) 능동적 표현
(8) 자기가 작성한 보고서를 스스로 편집
(9) 정보 사용자의 수요를 분명히 알 것
(10) 동료의 전문 지식과 경험 활용

① 정보 사용자는 보고서가 무엇을 말하려고 하는지를 빨리 알고 싶어하므로 결론을 먼저 제시하는 것이 좋다.
② 보고 내용에 적합한 언어를 사용해야 하고, 최대한 이해가 가도록 전문적이고 자세한 설명을 제공한다.
③ 직접적이고 확실하게 의미를 전달하는 방식을 선택하며, 자신이 생각한 것이 분명하게 드러나도록 정리한다.
④ 정보 사용자가 알고 싶어하는 것이 정확히 무엇인지를 끊임없이 생각하면서 기술해 나가야 한다.
⑤ 동료들의 조언을 받되 작성자가 수정을 반복해서 최상의 상태라고 판단했을 때 제출한다.

09

2017 서울시 9급

다음 문장들을 두괄식 문단으로 구성하고자 할 때, 문맥상 가장 먼저 와야 할 문장은?

㉠ 신라의 진평왕 때 눌최는 백제국의 공격을 받았을 때 병졸들에게, "봄날 온화한 기운에는 초목이 모두 번성하지만 겨울의 추위가 닥쳐오면 소나무와 잣나무는 늦도록 잎이 지지 않는다. ㉡ 이제 외로운 성은 원군도 없고 날로 더욱 위태로우니, 이것은 진실로 지사·의부가 절개를 다하고 이름을 드러낼 때이다."라고 훈시하였으며 분전하다가 죽었다. ㉢ 선비 정신은 의리 정신으로 표현되는 데서 그 강인성이 드러난다. ㉣ 죽죽(竹竹)도 대야성에서 백제 군사에 의하여 성이 함락될 때까지 항전하다가 항복을 권유받자, "나의 아버지가 나에게 죽죽이라 이름 지어 준 것은 내가 추운 겨울에도 잎이 지지 않으며 부러질지언정 굽힐 수 없도록 하려는 것이었다. 어찌 죽음을 두려워하여 살아서 항복할 수 있겠는가."라고 결의를 밝혔다.

① ㉠ ② ㉡
③ ㉢ ④ ㉣

10

2014 지방직 9급

다음은 연설문의 일부이다. 화자의 논지 전개 방식으로 가장 적절한 것은?

조금만 생각하면 우리의 환경을 위해 할 수 있는 일이 아주 많습니다. 먼저 조금 귀찮더라도 일회용 물품들을 사용하지 않도록 합시다. 우리가 잠깐 쓰고 버리는 일회용 물품들 중에는 앞으로 오백 년 동안 지구를 괴롭히게 되는 것도 있다고 합니다. 조금 귀찮겠지만 평소에 일회용 도시락과 종이컵을 사용하지 않는 것도 우리들이 어렵지 않게 지구를 보호할 수 있는 방법 가운데 하나라고 생각합니다.

① 문제 해결을 위한 사례를 제시하고 있다.
② 문제 해결을 위한 방법을 제시하고 있다.
③ 문제 해결을 위한 기존의 방법과는 다른 대안을 제시하고 있다.
④ 문제 해결을 위한 사례의 장단점을 분석하고 있다.

11

2017 지방직 9급 추가채용

㉠~㉣의 고쳐쓰기로 적절하지 않은 것은?

> 봄이면 어김없이 나타나 우리를 괴롭히는 황사가 본래 나쁘기만 한 것은 아니었다. ㉠황사의 이동 경로는 매우 다양하다. 황사는 탄산칼슘, 마그네슘, 칼륨 등을 포함하고 있어 봄철의 산성비를 중화시켜 토양의 산성화를 막는 역할을 했다. 또 황사는 무기물을 포함하고 있어 해양 생물에게도 도움을 줬다. ㉡그리고 지금의 황사는 생태계에 심각한 해를 끼치는 애물단지가 되어 버렸다. 이처럼 황사가 재앙의 주범이 된 것은 인간의 환경 파괴 ㉢덕분이다.
>
> 현대의 황사는 각종 중금속을 포함하고 있는 독성 황사이다. 황사에 포함된 독성 물질 중 대표적인 것으로 다이옥신을 들 수 있다. 다이옥신은 발암 물질이며 기형아 출산을 일으킬 수도 있는 것이다. 이러한 독성 물질을 다수 포함하고 있는 ㉣황사를 과거보다 자주 발생하고 정도도 훨씬 심해지고 있어 문제이다.

① ㉠은 글의 논리적인 흐름을 방해하고 있으므로 삭제한다.
② ㉡은 앞뒤 내용을 자연스럽게 연결해 주지 못하므로 '그러므로'로 바꾼다.
③ ㉢은 어휘가 잘못 사용된 것이므로 '때문이다'로 고친다.
④ ㉣은 서술어와 호응하지 않으므로 '황사가'로 고친다.

정답&해설

08 ② 내용 조직하기 > 보고문

② 보고 내용에 적합한 언어를 사용하는 것은 (4)에 해당하나 전문적이고 자세한 설명은 (5) '단어의 경제적 사용'에 어긋나며 (9) '정보 사용자의 수요를 분명히 알 것'에도 위배된다. 정보 사용자의 지식 수준 등을 고려하여 표현해야 하기 때문이다.

| 오답해설 | ① (1) '결론을 먼저 서술'에 부합한다.
③ (6) '생각한 것을 분명하게 표현'에 부합한다.
④ (9) '정보 사용자의 수요를 분명히 알 것'에 부합한다.
⑤ (8), (10)에 부합한다.

09 ③ 문단/글의 구성 방식 > 두괄식 구성

주제, 주장 등 중심 문장을 앞에 배치하는 글이 두괄식 구성이다. 따라서 제시문의 내용 중 주제, 주장에 해당하는 부분을 찾으면 된다. 제시문을 살펴보면 '선비 정신은 의리 정신으로 표현되는 데서 그 강인성이 드러난다.'가 글 전체의 주제이고, 나머지는 그 예시를 들고 있는 부분들이다. 따라서 ③ ㉢이 가장 앞에 와야 한다.

10 ② 연설문

제시문에서는 환경 보호를 위해 일회용 도시락과 종이컵 같은 일회용 물품들을 사용하지 않을 것을 주장하고 있다. 즉, ② 환경 보호를 위한 구체적 방법을 제시하고 있는 것이다.

| 오답해설 | ① 환경 보호를 위해 일회용 물품들을 사용하지 않고 생활할 수 있는 구체적인 사례는 제시하고 있지 않다.
③ 일회용품 사용을 하지 않는 것은 환경 보호를 위한 일반적 방법에 해당한다. 기존 방법과 다른 대안으로 볼 수 없다.
④ 문제 해결을 위한 방법은 제시되어 있으나 장단점에 대한 분석은 없다.

11 ② 고쳐쓰기

② ㉡의 앞부분은 황사의 긍정적 효과를, ㉡의 뒷부분은 황사의 부정적 효과를 설명하고 있으므로 '그러나'로 바꿔야 한다.

| 정답 | 08 ② 09 ③ 10 ② 11 ②

화법

12

2022 국가직 9급

다음 대화에서 나타난 '지민'의 의사소통 방식으로 가장 적절한 것은?

> 정수: 지난번에 너랑 같이 들었던 면접 전략 강의가 정말 유익했어.
> 지민: 그랬어? 나도 그랬는데.
> 정수: 특히 아이스크림 회사의 면접 내용이 도움이 많이 됐어.
> 지민: 맞아. 그중에서도 두괄식으로 답변하라는 첫 번째 내용이 정말 인상적이더라. 핵심 내용을 먼저 말하는 전략이 면접에서 그렇게 효과적일 줄 몰랐어.
> 정수: 어! 그래? 나는 두 번째 내용이 훨씬 더 인상적이었는데.
> 지민: 그랬구나. 하긴 아이스크림 매출 증가에 관한 통계 자료를 인용해서 답변한 전략도 설득력이 있었어. 하지만 초두 효과의 효용성도 크지 않을까 해.
> 정수: 그렇긴 해.

① 자신의 면접 경험을 예로 들어 상대방을 설득하고 있다.
② 상대방의 약점을 공략하며 상대방의 이견을 반박하고 있다.
③ 상대방의 견해를 존중하면서 자신의 의견을 제시하고 있다.
④ 상대방과의 갈등 해소를 위해 자신의 감정을 표현하고 있다.

13

2019 국가직 9급

두 사람의 대화에 적용된 공감적 듣기의 방법이 아닌 것은?

> "수빈 씨, 나 처음 한 프레젠테이션인데 엉망이었어."
> "정말? 무슨 일이 있었는지 자세히 말해 봐."
> "너무 긴장해서 팀장님 질문에 대답을 못했어."
> "팀장님 질문에 대답을 못했구나. 처음 하는 프레젠테이션이라 정아 씨가 긴장을 많이 했나 보다."

① 수빈은 정아의 말에 자신이 주의 집중하고 있음을 보여주고 있다.
② 수빈은 정아가 계속 말을 할 수 있도록 격려하고 있다.
③ 수빈은 정아의 혼란스러운 감정을 정아 스스로 정리하게끔 도와주고 있다.
④ 수빈은 정아의 말을 자신의 처지로 바꾸어 의미를 재구성하고 있다.

14

2017 교육행정직 9급

'손님'의 말에 나타난 공손성 원리로 가장 적절한 것은?

> 손님: 바쁘실 텐데 초대해 주셔서 감사합니다. 음식이 참 맛있네요. 요리 솜씨가 이렇게 좋으시니 정말 부럽습니다.
> 주인: 뭘요, 과찬이세요. 맛있게 드셨다니 감사합니다.

① 상대방에 대한 비난을 최소화하고 칭찬의 표현을 최대화한다.
② 상대방에 대한 부담은 최소화하고 혜택의 표현을 최대화한다.
③ 자신에 대한 혜택은 최소화하고 부담의 표현을 최대화한다.
④ 자신에 대한 칭찬은 최소화하고 비난의 표현을 최대화한다.

15

2016 국가직 9급

다음 글을 근거로 할 때, 〈보기〉의 대화에서 ㉡의 대답이 갖는 특징으로 적절하지 않은 것은?

> 그라이스(Grice)는 원활한 대화 진행을 위한 요건으로 네 가지의 '협력의 원리'를 제시한 바 있다. 첫째, 주고받는 대화의 목적에 필요한 만큼만 정보를 제공하고 필요 이상의 정보를 제공하지 말라는 양의 격률이다. 둘째, 진실한 정보만을 제공하도록 노력하고 증거가 불충한 것은 말하지 말라는 질의 격률이다. 셋째, 해당 대화 맥락과 관련되는 말을 하라는 관련성의 격률이다. 넷째, 모호하거나 중의적인 표현을 피하고 간결하고 조리 있게 말하라는 태도의 격률이다. 그러나 모종의 효과를 위해 이 네 가지의 격률을 위배하는 일은 일상 대화에서 빈번하게 이루어지는데, 일반적으로 언중들은 그것을 자연스럽게 받아들일 뿐 아니라 때에 따라서는 협력의 원리를 지키는 것이 예의에 어긋난 경우도 많다.

보기

대화(1) ㉠: 체중이 얼마나 되니?
㉡: 55kg인데 키에 비해 가벼운 편입니다.
대화(2) ㉠: 얼마 전 시민 운동회가 있었다며?
㉡: 응. 백 미터 달리기에서 비행기보다 빠른 사람을 봤어.
대화(3) ㉠: 너 몇 살이니?
㉡: 형이 열일곱 살이고, 저는 열다섯 살이지요.
대화(4) ㉠: 점심은 뭐 먹을래?
㉡: 생각해 보고 마음 내키는 대로요.

① 대화(1): 관련성의 격률을 위배하였다.
② 대화(2): 질의 격률을 위배하였다.
③ 대화(3): 양의 격률을 위배하였다.
④ 대화(4): 태도의 격률을 위배하였다.

정답&해설

12 ③ 공손성의 원리

③ 지민은 '첫 번째 내용'을 가장 인상적이라고 생각한 자신과 다른 의견을 보인 정수의 의견을 존중하며 동의를 한 이후에 자신의 의견을 제시하고 있다. 이는 공손성의 원리 중 '동의의 격률'에 해당한다.

| 오답해설 | ① 자신의 면접 경험을 예로 들어 정수를 설득하고 있지 않다.
② 지민이 정수의 약점을 공략하는 부분은 찾기 어렵다.
④ 지민과 정수의 갈등이 드러나지 않는다. 그리고 지민이 갈등 해소를 위해 자신의 감정을 표현하는 부분도 찾기 어렵다.

13 ④ 공감적 듣기

④ 수빈은 정아의 말을 요약, 정리, 재진술하고 있을 뿐, 자신의 처지로 바꾸어 의미를 재구성하고 있지 않다.

| 오답해설 | ① 수빈은 정아가 한 말을 요약, 정리하여 재진술하고 있다. 이는 상대방의 말에 집중해야지만 할 수 있는 행동이다. 따라서 수빈은 정아의 말에 자신이 집중하고 있음을 보여 주고 있다.
② "정말? 무슨 일이 있었는지 자세히 말해 봐."를 통해 알 수 있다.
③ 정아가 프레젠테이션이 엉망이었다고 말하자 수빈은 자세히 말해 보라고 함으로써 정아의 혼란스러운 감정을 정아 스스로 정리하게끔 도와주고 있다.

14 ① 공손성의 원리

① 상대방에 대한 비난을 최소화하고 칭찬의 표현을 최대화하는 표현은 찬동의 격률(칭찬의 격률)이다. 제시글에서 손님은 주인의 음식 솜씨가 좋다고 칭찬을 하고 있으므로 찬동의 격률을 실천하고 있다.

| 오답해설 | ② '요령의 격률'을 설명하고 있다.
③ '관용의 격률'을 설명하고 있다.
④ '겸양의 격률'을 설명하고 있다.

15 ① 협력의 원리

① 필요 이상의 정보(키에 비해 가벼운 편)를 상대방에게 제공한 경우이므로 '양의 격률'을 위배하였다.

| 오답해설 | ② 진실이 아닌 정보를 상대방에게 제공하고 있는 경우이므로 '질의 격률'을 위배하였다.
③ 필요 이상의 정보(형이 열일곱 살)를 상대방에게 제공한 경우이므로 '양의 격률'을 위배하였다.
④ 모호하게 대답을 하고 있는 경우이므로 '태도의 격률'을 위배하였다.

| 정답 | 12 ③ 13 ④ 14 ① 15 ①

16

2021 국가직 9급

㉠~㉣은 '공손하게 말하기'에 대한 설명이다. ㉠~㉣을 적용한 B의 대답으로 적절하지 않은 것은?

> ㉠ 자신을 상대방에게 낮추어 겸손하게 말해야 한다.
> ㉡ 상대방의 처지를 고려하여 상대방이 부담을 갖지 않도록 말해야 한다.
> ㉢ 상대방이 관용을 베풀 수 있도록 문제를 자신의 탓으로 돌려 말해야 한다.
> ㉣ 상대방의 의견에서 동의하는 부분을 찾아 인정해 준 다음에 자신의 의견을 말해야 한다.

① ㉠ A: "이번에 제출한 디자인 시안 정말 멋있었어."
B: "아닙니다. 아직도 여러모로 부족한 부분이 많습니다."

② ㉡ A: "미안해요. 생각보다 길이 많이 막혀서 늦었어요."
B: "괜찮아요. 쇼핑하면서 기다리니 시간 가는 줄 몰랐어요."

③ ㉢ A: "혹시 내가 설명한 내용이 이해 가니?"
B: "네 목소리가 작아서 내용이 잘 안 들렸는데 다시 한 번 크게 말해 줄래?"

④ ㉣ A: "가원아, 경희 생일 선물로 귀걸이를 사주는 것은 어때?"
B: "그거 좋은 생각이네. 하지만 경희의 취향을 우리가 잘 모르니까 귀걸이 대신 책을 선물하는 게 어떨까?"

17

2016 지방직 9급

'샛강을 어떻게 살릴 수 있을까?'라는 주제에 대해 토의하고자 한다. 이에 대한 설명으로 적절하지 않은 것은?

> 토의는 어떤 공통된 문제에 대해 최선의 해결안을 얻기 위하여 여러 사람이 의논하는 말하기 양식이다. 패널 토의, 심포지엄 등이 그 대표적 예이다. ㉠패널 토의는 3~6인의 전문가들이 사회자의 진행에 따라, 일반 청중 앞에서 토의 문제에 대한 정보나 지식, 의견이나 견해 등을 자유롭게 주고받는 유형이다. 토의가 끝난 뒤에는 청중의 질문을 받고 그에 대해 토의자들이 답변하는 시간을 갖는다. 이 질의·응답 시간을 통해 청중들은 관련 문제를 보다 잘 이해하게 되고 점진적으로 해결 방안을 모색하게 된다. ㉡심포지엄은 전문가가 참여한다는 점, 청중과 질의·응답 시간을 갖는다는 점에서는 패널 토의와 그 형식이 비슷하다. 다만 전문가가 토의 문제의 하위 주제에 대해 서로 다른 관점에서 연설이나 강연의 형식으로 10분 정도 발표한다는 점에서는 차이가 있다.

① ㉠과 ㉡은 모두 '샛강 살리기'와 관련하여 전문가의 의견을 들은 이후, 질의·응답 시간을 갖는다.
② ㉠과 ㉡은 모두 '샛강을 어떻게 살릴 수 있을까?'라는 문제에 대해 최선의 해결책을 얻기 위함이 목적이다.
③ ㉡은 토의자가 샛강의 생태적 특성, 샛강 살리기의 경제적 효과 등의 하위 주제를 발표한다.
④ ㉠은 '샛강 살리기'에 대해 찬반 입장을 나누어 이야기한 후 절차에 따라 청중이 참여한다.

18

2019 국가직 9급

토론자들의 말하기 방식에 대한 설명으로 적절한 것은?

> 사회자: 학교 폭력 문제가 나날이 심각해지고 있습니다. 이와 관련해 오늘은 '학교 폭력을 방관한 학생에게도 책임을 물어야 한다'를 주제로 토론을 해 보도록 하겠습니다. 먼저 찬성 측 말씀해 주시죠.
>
> 찬성 측: 친구가 학교 폭력에 의해 희생되고 있는데도 자신에게 피해가 올까 두려워 아무런 조치를 취하지 않는 학생들이 많다고 합니다. 이러한 행동으로 인해 학교 폭력은 점점 확산되고 있습니다. 학교 폭력을 행하는 것을 목격했음에도 어떤 조치도 취하지 않은 것은 폭력에 대해 묵시적으로 동의한 것과 같습니다. 폭력을 직접 행사하는 행위뿐 아니라, 불의에 저항하지 않는 정의롭지 못한 행위에 대해서도 합당한 책임을 물어야 할 것입니다.
>
> 사회자: 다음으로 반대 측 의견 말씀해 주시죠.
>
> 반대 측: 특정 학생에게 폭력을 직접 행사해서 피해를 준 사실이 명백할 때에만 책임을 물을 수 있을 것입니다. 또한 사건에 대한 개입과 방관은 개인의 자율적 의지에 달린 문제이므로 외부에서 규제할 성질의 문제가 아닙니다.
>
> 사회자: 그럼 이번에는 반대 측부터 찬성 측에 대해 반론해 주시지요.
>
> 반대 측: 과연 누구까지를 학교 폭력의 방관자라고 규정지을 수 있을까요? 집에 가는 길에 우연히 폭력을 목격했을 경우, 자신의 친구로부터 폭력에 관련된 소문을 접했을 경우 등 방관자라고 규정하기에는 애매한 경우가 많습니다. 어떠한 행위를 처벌하려면 확고한 기준이 필요한데, 방관자의 범위부터 규정하기가 불명확하다고 볼 수 있습니다.
>
> 찬성 측: 불의를 방관한 행위에 대해 사회가 책임을 묻지 않는다면 이후로도 사람들은 아무런 죄책감 없이 불의를 모른 체하고 방관할 것입니다. 결국 이는 사회 전체의 건전성과 도덕성을 떨어뜨릴 것이고, 정의에 근거한 시민의 고발정신까지 약화시킬 것입니다.

① 찬성 측은 친숙한 상황을 빗대어 자신의 견해를 펼치고 있다.
② 찬성 측은 자신의 경험을 제시하여 논지를 보충하고 있다.
③ 반대 측은 윤리적 방법으로 해결책을 제시하고 있다.
④ 반대 측은 논제에 의문을 제기하여 주장을 강화하고 있다.

정답&해설

16 ③ 공손성의 원리

③ ㉢은 문제를 '자신의 탓'으로 돌릴 것을 요구하고 있다. 하지만 'B'는 '네 목소리가 작아서 내용이 잘 안 들렸는데'라고 말하며 잘못을 'A'의 탓으로 돌리고 있다.

|오답해설| ① ㉠은 '겸손하게 말할 것'을 요구하고 있다. 'A'의 칭찬에 대해 'A'가 부담을 갖지 않도록 'B'는 '여러모로 부족한 부분이 많다'라며 겸손하게 대답하고 있다.
② ㉡은 '상대방이 부담을 갖지 않도록 말할 것'을 요구하고 있다. 'B'는 늦어서 미안하다는 'A'에게 '쇼핑하면서 기다리니 시간 가는 줄 몰랐다'며 'A'가 부담을 갖지 않도록 말하고 있다.
④ ㉣은 '동의하는 부분을 찾아 인정해 준 다음에 자신의 의견을 말할 것'을 요구하고 있다. 'B'는 'A'의 의견에 대해 '그거 좋은 생각이네'라고 동의를 해 준 다음 '하지만~'이라면서 자신의 의견을 말하고 있다.

17 ④ 토의

④ '토의'는 기본적으로 최선의 대안을 도출하기 위한 협의의 과정이다. 찬반 입장으로 구분하여 이야기하는 형태는 '토론'이다.

|오답해설| ① 패널 토의와 심포지엄은 모두 전문가가 참여하여 청중과 질의응답 시간을 갖는다.
② 패널 토의와 심포지엄은 모두 문제에 대해 최선의 해결책을 찾는 것을 목적으로 한다.
③ 심포지엄은 전문가가 토의 문제의 하위 주제에 대해 발표할 수 있다.

18 ④ 토론

④ 반대 측 두 번째 발언의 '과연 누구까지를 ~ 있을까요?'를 통해 알 수 있다.

|오답해설| ① 친숙한 상황에 빗댄 부분이 없다.
② 자신의 경험을 제시한 부분이 없다.
③ 윤리적 방법으로 해결책을 제시한 부분이 없다.

|정답| 16 ③ 17 ④ 18 ④

19

2019 국가직 9급

다음의 여러 조건에 가장 잘 맞는 토론 논제는?

- 긍정 평서문으로 제시되어야 한다.
- 찬성과 반대의 대립이 분명하게 나타나야 한다.
- 쟁점이 하나여야 한다.
- 찬성이나 반대 어느 한 편에 유리하게 작용하는 정서적 표현을 사용해서는 안 된다.

① 징병 제도는 유지해야 한다.
② 정보통신망법을 개선할 수는 없다.
③ 야만적인 두발 제한을 폐지해야 한다.
④ 내신 제도와 논술 시험을 개혁해야 한다.

20

2013 국가직 9급

다음 글에 대한 설명으로 가장 적절한 것은?

사회자: 이번 시간에는 '유명인의 사생활 보장이 국민의 알 권리에 우선되어야 하는가?'를 논제로 하여 찬반 양측 토론자 각 두 분씩과 배심원들을 모시고 토론해 보겠습니다.
먼저 찬성 측 첫 번째 토론자가 자신들의 입장과 그 이유에 대하여 입론해 주십시오.

찬성 측 토론자1: 저희 측에서는 국민의 알 권리보다 유명인의 사생활 보호가 우선이라고 생각합니다. 여기서 '유명인'은 말뜻 그대로 사회적으로 널리 알려진 사람을 가리킵니다. 또 '사생활'은 개인의 사적인 생활 영역과 그와 관련된 개인적인 정보 등을 포함하는 개념이며, '알 권리'는 국민이 공공의 이익을 위해서 정보를 요구할 수 있는 권리입니다. 여기서 '사생활'은 '개인의 사적인 생활 영역'에 관계되므로, '알 권리'의 대상에 해당하지 않습니다. '알 권리'란 공공의 문제에 적용되는 개념 아닙니까? 유명인의 사생활은 공적 활동이 아니므로 알 권리의 대상에 해당하지 않습니다. 또한 사생활을 보장받을 권리는 한 인간으로서 부여받은 가장 기본적인 권리입니다. 사생활을 보장받을 최소한의 인권은 보장되어야 합니다.

사회자: 찬성 측의 입론을 잘 들었습니다. 이어서 반대 측에서 준비해 온 입론을 듣겠습니다.

반대 측 토론자1: 저희는 유명인의 사생활보다 국민의 알 권리가 우선이라고 봅니다. 여기서 '유명인'은 그 지명도를 바탕으로 사회에 큰 영향력을 행사하는 사람이고, '사생활'과 '알 권리'는 찬성 측의 개념과 같습니다. 우리는 유명인이 유명하다는 것 자체보다도 사회에 큰 영향력을 행사한다는 점에 주목해야 한다고 생각합니다. 유명 정치인의 경우, 그가 사적으로 어떤 말을 하고 행동을 하는지가 정치 활동의 형태로 공공에 영향을 미칠 수 있습니다. 유명 연예인 또한 그의 행동 하나하나가 사회에 큰 영향을 끼치지 않습니까? 그가 감추고 싶은 비밀이라도 공익을 위해 필요하다면 국민들이 알아야 합니다.

① 사회자가 토론자들의 발언 순서를 통제하고 있다.
② 사회자가 논제에 대한 자신의 찬반 여부를 표명하고 있다.
③ 찬성 측과 반대 측 모두 논제에 대한 상대방의 입장을 수용하고 있다.
④ 찬성 측은 입론 단계에서 논제와 관련된 구체적 사례를 제시하고 있다.

21

2014 국가직 9급

다음 발표에서 사용한 전략이 아닌 것은?

> 여러분은 지금부터 제 질문에 "받아들일 만하다!"와 "불공정하다!"의 두 가지 대답 중 하나만을 선택할 수 있습니다. 첫 번째 질문은 다음에 관한 내용입니다. 어떤 자동차가 매우 잘 팔려서 물량이 부족한 상황입니다. 이에 한 자동차 대리점은 지금까지와는 달리 상품 안내서에 표시된 가격에 20만 원을 덧붙여서 팔기로 했습니다. 자동차 대리점의 결정은 받아들일 만한 것일까요, 아니면 불공정한 것일까요?
> 두 번째 질문은 다음과 같습니다. 어떤 자동차가 매우 잘 팔려서 물량이 부족한 상황입니다. 20만 원 할인된 가격으로 차를 팔아 왔던 한 자동차 대리점이 할인을 중단하고 원래 가격대로 팔기로 했습니다. 이러한 결정은 받아들일 만한 것일까요, 아니면 불공정한 것일까요?
> 실제로 캐나다에서 130명을 상대로 이러한 질문을 했습니다. 그 결과에 따르면, 첫 번째 질문에 불공정하다고 답한 응답자는 71%인 반면, 두 번째 질문에 불공정하다고 답한 응답자는 42%에 불과합니다. 두 경우 모두 가격을 20만 원 올렸는데, 이러한 차이가 발생한 이유는 무엇일까요? 이에 대해 노벨 경제학상을 받은 대니얼 카너먼은 가격을 올리는 방식에 대해 정반대의 생각을 하기 때문이라고 했습니다. 기존의 가격에서 인상하는 것은 손해로, 할인을 없애는 것은 이득을 볼 기회를 잃어버리는 것으로 여긴다는 것입니다.

① 전문가의 견해를 인용하고 있다.
② 물음을 통해 청중의 주의를 환기하고 있다.
③ 구체적인 사례와 조사 결과를 제시하고 있다.
④ 매체의 특성을 고려해 발표 내용을 조절하고 있다.

정답&해설

19 ① 토론

|오답해설| ② 긍정 평서문이 아니다.
③ '야만적인'은 어느 한 편에 유리하게 작용하는 정서적 표현이다.
④ 쟁점이 하나가 아니고 둘이다.

20 ① 토론

① 제시된 토론에서 사회자는 찬성 측 토론자부터 입론을 제시하게 한 후, 반대 측 토론자에게 입론을 제시하게 하는 등 토론자의 발언 순서를 통제하고 있다. 토론자들의 발언 순서를 통제하는 것은 토론에서 사회자의 임무 중 하나이다.

|오답해설| ② 사회자는 찬반 여부를 표명하지 않고 있으며, 실제 토론에서도 사회자는 중립을 지켜야 한다.
③ 반대 측이 찬성 측이 정의한 '사생활', '알 권리'의 정의를 수용한 것이지 찬성 측의 입장을 수용한 것은 아니다. 다만, 토론 전략상 반대 측은 개념에 대해 찬성 측과 다른 대체 정의를 내리는 것이 유리하다.
④ 찬성 측, 반대 측 모두 구체적 사례를 제시하고 있지 않다.

21 ④ 발표

④ 매체의 특성을 고려한다는 것은 TV, 라디오, 인터넷 등의 전달 수단을 고려하거나 면대면 발표 상황에서 시각적 보조 자료의 사용 여부 등을 고려한다는 의미인데, 제시문에서는 구체적 매체를 추정할 단서가 제시되지 않았으므로 ④의 진술은 부적절하다.

|정답| 19 ① 20 ① 21 ④

22

2014 지방직 7급

다음 대화에서 화자의 말하는 자세에 대한 설명으로 옳지 않은 것은?

> 이도: (불안하게 그런 성삼문과 박팽년을 보며) 어째 말이 없느냐? 어떠하냐?
> 박팽년: (침을 한 번 삼키고는) 채근하지 마시옵소서. 어찌 한 번에 판단할 수 있사옵니까?
> 이도: (실망하면서도) 그래그래……. 삼문이는 어떠하냐?
> 성삼문: 아직 어떠하냐라고 물으실 계제가 아닌 것으로 사료되옵니다.
> 이도: 어찌…… 그러하냐?
> 성삼문: 목구멍소리…… 후음 말이옵니다. (과장하여 발음하며) 흐! 흐! 호! 호! 하! 하! 모음을 발음할 때와 구별점이 명확지 않을뿐더러, 후음만은 아직 상형이 되질 않았습니다.
> 박팽년: 예, 이것은 아직 다 되질 않은 글자이옵니다.
> 이도: (기는 죽고 걱정도 되어) 냉정한 것들 같으니라고……. (하고는 바로) 그래…… 맞다. (하고는 조심스럽게) 하여…… 그 이치를 알기 위해…….
>
> – 김영현·박상연, 「뿌리 깊은 나무」 중에서 –

① 세 명의 인물은 신분에 따라 존대와 하대를 하고 있다.
② 이도는 불안하지만 단호하게 자신의 의견을 개진하고 있다.
③ 성삼문은 분명하면서도 정확하게 자신의 의견을 개진하고 있다.
④ 박팽년은 조심스럽지만 사려 깊게 자신의 의견을 개진하고 있다.

23

2019 지방직 9급

진행자의 말하기 방식에 대한 설명으로 적절하지 않은 것은?

> 진행자: 안녕하십니까? 오늘은 고령자의 운전면허 자진 반납 제도에 대해 홍○○ 교수님 모시고 말씀 들어 보겠습니다.
> 홍 교수: 네, 반갑습니다.
> 진행자: 나와 주셔서 감사합니다. 우선 이 제도가 어떤 제도인가요?
> 홍 교수: 지자체마다 조금씩 다르기는 하지만 고령 운전자들이 운전면허를 자발적으로 반납하게 유도하여 고령 운전자에 의한 교통사고를 줄이고자 하는 제도입니다.
> 진행자: 고령 운전자에 의한 교통사고가 심각한가요? 뒷받침할 만한 자료가 있나요?
> 홍 교수: 네. 도로교통공단의 통계에 따르면, 전체 교통사고 대비 고령 운전자에 의한 교통사고 비율이 2014년에는 9.0%였으나 매년 조금씩 증가하여 2017년에는 12.3%를 차지하고 있습니다.
> 진행자: 그렇군요. 아무래도 고령화 사회로 진입하다 보니 전체 운전자 중에서 고령 운전자에 해당하는 비율이 늘었기 때문인 것 같은데요.
> 홍 교수: 네, 그렇습니다. 이전보다 차량 성능이 월등히 좋아진 점도 하나의 요인이 될 것입니다.
> 진행자: 그렇다고 해도 무작정 운전면허를 반납하라고만 할 수는 없을 테고, 뭔가 보완책이 있나요?
> 홍 교수: 네. 지자체마다 차이가 있지만 소정의 교통비를 지급함으로써 대중교통 이용을 권장하고 있습니다.
> 진행자: 취지 자체만으로는 긍정적으로 평가할 수 있을 것 같은데, 혹시 제도 시행상의 문제점은 없나요?
> 홍 교수: 일회성이 문제라고 생각합니다.
> 진행자: 아, 운전면허를 반납한 당시에만 교통비가 한 차례 지원된다는 말씀이군요.
> 홍 교수: 네. 이분들이 더 이상 운전을 하지 않아도 이동권을 확보할 수 있도록 지속적인 지원이 이루어져야 이 제도가 효과를 얻을 수 있습니다.
> 진행자: 그에 더해 장기적으로는 고령자 친화적인 대중교통 인프라를 구축하는 일도 필요할 듯합니다. 교수님, 오늘 말씀 감사합니다.

① 상대방의 의견이 합리적이지 않음을 지적하며 인터뷰를 마무리 짓는다.
② 상대방이 인용한 통계 자료에 대해 자기 나름대로의 해석을 제시한다.
③ 상대방이 제시한 정보 이외에 추가적인 정보를 요구한다.
④ 상대방에게 해당 제도의 시행 배경에 대한 객관적인 근거를 요구한다.

24

2016 국가직 9급

다음 대담에 대한 설명으로 적절하지 않은 것은?

> 진행자: 오늘은 우리의 전통 선박에 대해 재미있게 설명한 책인 『우리나라 배』에 대해 교수님과 이야기를 나눠 보겠습니다. 김 교수님, 우리나라 전통 선박에 담긴 선조들의 지혜를 설명한 책 내용이 참 흥미롭던데요, 구체적인 사례 하나만 소개해 주시겠습니까?
>
> 김 교수: 판옥선에 담긴 선조들의 지혜를 소개해 드릴까 합니다. 혹시 판옥선에 대해 들어 보셨나요?
>
> 진행자: 자세히는 모르지만 임진왜란 때 사용된 선박이라고 들었습니다.
>
> 김 교수: 네, 판옥선은 임진왜란 때 활약한 전투함인데, 우리나라 해양 환경에 적합한 평저 구조로 만들어졌습니다.
>
> 진행자: 아, 그렇군요. 교수님, 평저 구조가 무엇인지 말씀해 주시겠습니까?
>
> 김 교수: 네, 그건 밑부분이 넓고 평평하게 만든 구조입니다. 그 때문에 판옥선은 수심이 얕은 바다에서는 물론, 썰물 때에도 운항이 가능했죠. 또한 방향 전환도 쉽게 할 수 있었습니다.
>
> 진행자: 결국 섬이 많고 수심이 얕으면서 조수 간만의 차가 큰 우리나라 바다 환경에 적합한 구조라는 말씀이시군요?
>
> 김 교수: 네, 그렇습니다.
>
> 진행자: 선조들의 지혜가 참 대단합니다. 이런 특징을 가진 판옥선이 전투 상황에서는 얼마나 위력적이었는지 궁금한데, 더 설명해 주시겠습니까?

① 진행자는 김 교수에게 추가 설명을 요청하고 있다.
② 김 교수는 진행자의 의견에 동조하며 자신의 견해를 수정하고 있다.
③ 김 교수는 진행자의 부탁에 따라 소개할 내용을 선정하여 제시하고 있다.
④ 진행자는 김 교수의 설명을 듣고 자신의 이해가 맞는지 질문을 하고 있다.

정답&해설

22 ② 대화

② '이도'는 불안한 마음으로 박팽년과 성삼문에게 질문하고 대답을 재촉하고 있을 뿐, 문제에 대한 자신의 견해를 단호히 제시하고 있지는 않다.

| 오답해설 | ① 성삼문과 박팽년(사육신, 집현전 학자)은 이도(세종)에게 존대를 하고 있고, 이도는 성삼문과 박팽년에게 하대를 하고 있다. 이는 군신 관계라는 신분에 따른 것이다.
③ 성삼문은 후음의 상형에 대한 자신의 의견을 정확히 개진하고 있다.
④ 박팽년은 성삼문보다 조심스러운 태도로 의견을 개진하고 있다.

23 ① 대담

① 진행자는 문제 해결을 위한 자신의 의견을 덧붙여 인터뷰를 마무리하고 있다. 따라서 상대방의 의견이 합리적이지 않음을 지적하며 인터뷰를 마무리 짓는다는 내용은 적절하지 않다.

| 오답해설 | ② 홍 교수가 제시한 도로교통공단의 통계에 대하여 진행자는 '아무래도 고령화 사회로 진입하다 보니 전체 운전자 중에서 고령 운전자에 해당하는 비율이 늘었기 때문인 것 같은데요.'라며 자기 나름대로의 해석을 제시하였다.
③ 진행자는 '그렇다고 해도 무작정 운전면허를 반납하라고만 할 수는 없을 테고, 뭔가 보완책이 있나요?'라며 홍 교수에게 '고령자의 운전면허 자진 반납 제도의 보완책'을 추가적으로 요구하였다.
④ 진행자는 '고령 운전자에 의한 교통사고가 심각한가요? 뒷받침할 만한 자료가 있나요?'라며 '고령자의 운전면허 자진 반납 제도'의 시행 배경에 대한 객관적인 근거를 요구하였다.

24 ② 대담

② 김 교수는 진행자의 질문과 요구에 답하는 방식으로 대화를 진행하고 있다. 김 교수가 자신의 견해를 수정하는 부분은 드러나지 않는다.

| 정답 | 22 ② 23 ① 24 ②

논증과 오류

25

2015 경찰직 1차

다음 〈보기〉는 어느 글의 명제이다. 이 명제에 대한 설명으로 가장 적절한 것은?

보기

교통 법규를 위반하는 사람은 엄벌에 처하는 것이 더 바람직하다.

① 주관적 가치 판단을 바탕으로 어떤 문제의 좋고 나쁨을 주장하는 명제이다.

② 당위성 여부를 바탕으로 어떤 행동 실현의 필요성을 주장하는 명제이다.

③ 객관적 근거를 바탕으로 사실의 진위(眞僞)를 판단하는 명제이다.

④ 감정적 호소를 바탕으로 행위의 실천을 촉구하는 명제이다.

26

2008 선관위 7급

다음 중 글의 줄거리를 구성하는 방식이 특수화의 순서에 따라 이루어진 것은?

(가) 주제: 존댓말은 변하나 없어지지 않는다.
1. 들머리
2. 존댓말은 변한다.
3. 존댓말은 없어지지 않는다.
 1) 존댓말의 사회적 기능
 2) 사회적 기능의 영원성
4. 마무리

(나) 1. 나라 일은 우리 모두의 일이다.
2. 나라 일을 알고 관심을 가져야 한다.
3. 나라의 모든 잘잘못은 공개적으로 논의되어야 한다.
4. 최선의 의견들이 교류되어야 한다.
5. 언로가 막히는 것은 혈맥이 막히는 것이다.
주제: (결론) 언론 자유는 민주주의의 심장이다.

(다) 주제: 예술적 지식의 사회적 유용성
1. 교양을 높임
2. 정서를 순화함
3. 생활을 즐겁게 함
4. 예술 문화의 발전

(라) 주제: 여성의 취업 여건은 향상되고 있다.
1. 1) 직장 여성에 대한 편견
 2) 그것은 감소될 추세
2. 1) 여성의 생리적 불리점
 2) 의지력과 지적 능력으로 극복
3. 1) 여성의 사업상 여행의 어려움
 2) 점차 극복되고 있음
4. 1) 여성의 사무 능력 부족
 2) 여성 특유의 분야 선택으로 극복

① (가) ② (나)
③ (다) ④ (라)

27

2018 서울시 9급

〈보기〉와 같은 유형의 논리적 오류에 해당하는 것은?

보기

네가 내게 한 약속을 지키지 않은 것은 곧 나를 사랑하지 않는다는 증거야.

① 항상 보면 이등병들이 말썽이더라.
② 내 부탁을 거절하다니, 넌 나를 싫어하는구나.
③ 김 씨는 참말만 하는 사람이다. 왜냐하면 그는 거짓말을 하지 않는 사람이기 때문이다.
④ 거짓말을 하는 것은 죄악이다. 그러므로 의사가 환자에게 거짓말을 하는 것은 당연히 죄악이다.

28

2017 서울시 9급

다음 예문과 같은 유형의 논리적 오류가 나타난 것은?

이 식당은 요즘 SNS에서 굉장히 뜨고 있어. 그러니까 엄청 맛있을 거야.

① 이 식당 음식을 꼭 먹어 보도록 해. 만나는 사람들마다 이 집 이야기를 하는 걸 보니 맛이 괜찮은가 봐.
② 누구도 이 식당이 맛없다고 말한 사람은 없어. 그러니까 엄청 맛있는 집이란 소리지.
③ 여기는 유명한 개그맨이 맛있다고 한 식당이니까 당연히 맛있겠지. 그러니까 꼭 여기서 먹어야 해.
④ 이번에는 이 식당에서 밥을 먹자. 내가 얼마나 여기서 먹어 보고 싶었는지 몰라. 꼭 한번 오게 되기를 간절히 바랐어.

정답&해설

25 ① 명제

〈보기〉의 내용은 교통 법규를 위반하는 사람을 엄벌에 처하는 것이 더 바람직하다는 가치를 표현하는 명제이다. ①은 가치 명제에 대한 설명이다.

26 ③ 연역 추론

'특수화'란 일반적 사항의 제시로부터 특수한 사항으로 서술해 가는 연역적 구성 방법이다. ③ (다)는 '예술적 지식의 사회적 유용성'이라는 일반적 사항을 제시한 후 이것들이 '교양, 정서, 생활, 예술 문화'라는 특수한 사항에 어떻게 영향을 미치는지 서술해 가는 방식이므로 특수화의 구성 방식에 해당한다.

|오답해설| ① '존댓말은 변한다. 존댓말은 없어지지 않는다.'라는 사실을 통해 '존댓말은 변하나 없어지지 않는다'라는 결론을 내리고 있으므로 변증법적 구성을 보여 준다.
② 구체적 사실로부터 보편적 결론에 이르는 귀납적 구성을 보여 준다.
④ 주제와 어긋나는 조건을 먼저 제시한 후, 주제와 일치하는 조건을 뒤에 제시하며 논박하고 있다.

27 ② 비형식적 오류 > 흑백 논리의 오류

중립적인 논리를 인정하지 않고 편중된 사고를 해 나가는 논리적 오류는 흑백 논리의 오류이다. 〈보기〉는 약속을 지킬 경우 나를 사랑하는 것이 되고 약속을 지키지 않을 경우 나를 사랑하지 않는 것이 된다. 즉, 양극단으로만 구분하고 있으므로 흑백 논리의 오류이다. ②도 내 부탁을 들어주는 경우 나를 좋아하는 것이 되고 내 부탁을 거절할 경우 나를 싫어하는 것이 된다. 역시나 흑백 논리의 오류이다.

|오답해설| ① 성급한 일반화의 오류이다.
③ 순환 논증의 오류이다.
④ 우연의 오류이다.

28 ① 비형식적 오류 > 대중에 호소하는 오류

제시된 예문은 SNS에서 굉장히 뜨고 있다는 표현을 함으로써 대중의 선호나 인기를 이용해 자신의 주장을 받아들이게 하고 있다. 이는 대중에 호소하는 오류이다. ① 역시 대중의 선호나 인기를 근거로 이야기하고 있으므로 대중에 호소하는 오류에 해당한다.

|오답해설| ② 흑백 논리의 오류이다.
③ 부적합한 권위에 호소하는 오류이다.
④ 동정에 호소하는 오류이다.

|정답| 25 ① 26 ③ 27 ② 28 ①

I 이론 비문학

공무원 vs. 수능 비교분석▶ 공무원 국어 이론 비문학 영역과 수능 화법, 작문 비문학 영역은 유형적으로 살펴봤을 때 완전히 일치하는 영역은 아니다. 하지만 수능에서는 화법과 작문의 실제 상황이 주어지고 이를 문제화하는 유형이 많으므로 화법, 예를 들어 발표, 토의, 토론, 협상 등의 상황을 실제 문제로 접해 보기 좋은 장점이 있다. 또한 뒤에서 공부할 독해 비문학의 관점에서도 의미가 있는 영역이므로 열심히 공부해 둘 필요가 있다.

작문

[01~03] 글을 쓰기 위해 (가)의 메모를 작성한 후, (나)의 자료를 수집하고 (다)를 작성하였다. 물음에 답하시오.

(가) 학생의 메모

- 학습 활동 과제: 사회적 쟁점에 대해 학급 학생들에게 주장하는 글을 쓴다.
- 학급 학생들에 대한 분석
  - 일부 학생들은 로봇세가 무엇인지 잘 모른다. ··········· ㉠
  - 로봇세를 도입하려는 목적을 궁금해하는 학생이 있다. ··········· ㉡
  - 로봇세를 알고 있는 학생들 중에는 나와 상반되는 견해를 가진 학생들도 있다. ··········· ㉢

(나) 학생이 수집한 자료의 일부

한 설문 조사에서 ⓐ전체 응답자 중 86.6%가 로봇이 일자리를 빼앗을 것이라고, 52.2%는 자신의 직업이 로봇으로 인해 위협받게 될 것이라고 응답했다. 과거에도 ⓑ새로운 기계가 도입되면서 일부 분야에서 일자리가 줄어든 경우가 있었지만, 산업 전반적으로는 일자리가 증가했다.

…(중략)…

ⓒ로봇 기술 중 상당수는 특허권 등록의 대상이므로, ⓓ로봇 기술 개발 경쟁에서 뒤처지면 문제가 발생할 수 있다.

…(중략)…

ⓔ전문가들 사이에서도 로봇세가 로봇 기술 개발에 악영향을 준다는 의견과 로봇세가 로봇 산업의 활성화에 도움이 된다는 의견이 있다.

– 로봇 전문 잡지 〈○○〉 –

(다) 학생의 글

로봇의 발달로 일자리가 줄어들 것이라는 사람들의 불안이 커지면서 최근 로봇세 도입에 대한 논의가 활발하다. 로봇세는 로봇을 사용해 이익을 얻는 기업이나 개인에 부과하는 세금이다. 로봇으로 인해 일자리를 잃은 사람들을 지원하거나 사회 안전망을 구축하기 위해 예산을 마련하자는 것이 로봇세 도입의 목적이다. 하지만 나는 로봇세 도입을 다음과 같은 이유로 반대한다.

로봇세는 공정한 과세로 보기 어렵다. 널리 쓰이고 있는 모바일 뱅킹이나 티켓 자동 발매기도 일자리를 줄였음에도 세금을 부과하지 않았는데 로봇에만 세금을 부과하는 것은 그 기준이 일관되지 않는다는 문제가 있다. 또 로봇을 사용해 이익을 얻은 기업이나 개인은 이미 법인세나 소득세를 납부하고 있다. 로봇을 사용했다는 이유로 세금을 추가로 부과한다면 한 번의 이익에 두 번의 과세를 하는 것이므로 불공평하다.

앞으로 로봇 수요가 증가하면서 로봇 시장의 우위를 선점하기 위한 로봇 기술 개발의 경쟁이 더욱 뜨거워질 것이다. 로봇 기술 중 상당수가 특허권이 인정되는 고부가 가치 기술이기 때문이다. 이러한 상황에서 전문가들은 로봇세를 도입하면 기술 개발에 악영향을 끼칠 수 있다고 말한다. 로봇세를 도입하면 세금에 대한 부담이 늘어나 로봇에 대한 수요가 감소한다. 그렇게 되면 로봇을 생산하는 기업은 기술 개발 의지가 약화되어 로봇 기술의 특허권으로 이익을 창출할 수 있는 기회가 줄어들게 된다. 그래서 로봇 사용이 필요한 기업이나 개인은 선진 로봇 기술이 적용된 로봇을 외국에서 수입해야 하므로 막대한 금액이 외부로 유출되어 국가적으로 손해이다.

[A] 로봇의 사용으로 일자리가 감소할 것이라는 이유로 로봇세의 필요성이 제기되었지만, 역사적으로 볼 때 새로운 기술로 인해 전체 일자리는 줄지 않았다. 산업 혁명을 거치면서 새로운 기술에 대한 걱정은 늘 존재했지만, 산업 전반에서 일자리는 오히려 증가해 왔다는 점이 이를 뒷받침한다. 따라서 로봇의 사용으로 일자리가 줄어들 가능성은 낮다.

우리는 로봇 덕분에 어렵고 위험한 일이나 반복적인 일로부터 벗어나고 있다. 로봇 사용의 증가 추세에서 알 수 있듯이 로봇 기술이 인간의 삶을 편하게 만들어 주는 것은 틀림이 없다. 로봇제의 도입으로 이러한 편안한 삶이 지연되지 않기를 바란다.

01

2019 수능

㉠~㉢을 고려하여 (다)를 작성했다고 할 때, 학생의 글에 활용된 글쓰기 전략으로 적절하지 않은 것은?

① ㉠을 고려해, 로봇세의 납부 주체를 포함한 로봇세의 개념을 설명한다.
② ㉡을 고려해, 로봇 사용으로 얻을 수 있는 편안한 삶에 로봇세 도입이 미치는 영향을 드러낸다.
③ ㉡을 고려해, 로봇 사용으로 일자리를 잃은 사람들을 지원하려는 로봇세 도입의 취지를 언급한다.
④ ㉢을 고려해, 로봇세 도입과 로봇 기술 개발의 관계를 제시하여 로봇세의 부정적 측면을 부각한다.
⑤ ㉢을 고려해, 일자리가 증가해 온 역사적 사실을 언급하며 로봇세 도입이 필요하지 않음을 부각한다.

02

2019 수능

(나)를 활용하여 (다)를 작성했다고 할 때, 학생의 자료 활용에 대한 설명으로 적절하지 않은 것은?

① ⓐ에 대한 해석을 토대로, 로봇세 도입에 대한 논의는 일자리가 감소할 것이라는 사람들의 우려를 배경으로 한다는 점을 제시했다.
② ⓑ의 사례를 찾아, 이를 로봇의 경우와 비교하여 로봇세가 중복 부과되는 세금이라는 점을 제시했다.
③ ⓒ를 이유로 들어, 로봇 시장을 선점하기 위해 벌어질 경쟁의 양상을 예측하여 제시했다.
④ ⓓ를 구체화하여, 로봇세를 도입하는 경우 국가에 손실이 발생할 수 있음을 제시했다.
⑤ ⓔ에서 한쪽의 의견을 선택하여, 로봇세 부과가 로봇 관련 특허 기술 개발에 걸림돌이 될 수 있음을 제시했다.

정답&해설

01 ②

② 로봇 사용으로 얻을 수 있는 편안한 삶에 로봇세 도입이 미치는 영향은 로봇세 도입 목적과 관련이 없다. 따라서 로봇세 도입의 목적인 '로봇으로 인해 일자리를 잃은 사람들의 복지 및 사회 안전망 구축'을 언급해야 한다.

02 ②

② (다)의 2문단에 ⓑ의 사례로 '모바일 뱅킹'과 '티켓 자동 발매기'가 언급되어 있다. 그러나 이것은 로봇세가 중복 부과되는 세금이라는 것을 제시하는 것이 아니라, 일관되지 않은 과세의 기준을 지적하는 것이다.

| 오답해설 | ① ⓐ는 로봇이 사람들의 일자리를 빼앗을 것이라는 우려를 담고 있다. 이를 토대로 로봇세 도입에 대한 논의가 활발하다는 내용을 제시하였다.
③ ⓒ에서 로봇 기술 중 상당수는 특허권 등록의 대상이라고 하면서 로봇 기술 개발의 경쟁이 뜨거워질 것이라는 내용을 제시하고 있다.
④ 로봇 기술 개발 경쟁에서 뒤처지면 문제가 발생할 수 있다는 ⓓ의 내용이 구체적으로 제시되고 있다.
⑤ ⓔ는 로봇세에 대한 전문가들 사이의 의견을 보여 주고 있다. 글쓴이는 이 가운데 '로봇세가 로봇 기술 개발에 악영향을 준다'는 의견을 선택하였다.

| 정답 | 01 ② 02 ②

03

2019 수능

〈보기〉에서 근거를 찾아 [A]에 대해 반박하는 글을 쓰려고 한다. 글에 담길 내용으로 가장 적절한 것은?

보기

로봇 기술의 발전에 따라 로봇의 생산 능력이 비약적으로 향상되고 있다. 이는 로봇 하나당 대체할 수 있는 인간 노동자의 수도 지속적으로 증가함을 의미한다. 로봇 사용이 사회 전반에 빠르게 확산되는 현실을 고려할 때, 로봇 사용으로 인한 일자리 대체 규모가 기하급수적으로 커질 것이다.

① 로봇 기술의 발달을 통해 일자리를 늘리려면 지속적으로 일자리가 늘었던 산업 혁명의 경험에서 대안을 찾아야 한다.
② 로봇의 생산 능력에 대한 고려 없이 과거 사례만으로 일자리가 감소하지 않을 것이라고 보는 것은 성급한 판단이다.
③ 로봇 사용으로 밀려날 수 있는 인간 노동자의 생산 능력을 향상시킬 수 있는 제도적 지원 방안을 마련해야 한다.
④ 로봇세를 도입해 기업이 로봇의 생산성 향상에 기여하도록 해야 인간의 일자리 감소를 막을 수 있다.
⑤ 산업 혁명의 경우와 같이 로봇의 생산성 증가는 인간의 새로운 일자리를 만드는 데 기여할 것이다.

[04~06] 다음을 읽고 물음에 답하시오.

[초고 작성을 위한 학생의 메모]

- 글의 목적: 사극을 어떻게 바라볼 것인가에 대한 나의 생각을 밝히려고 함
- 글을 쓰기 위해 떠올린 생각
  - 학생들 사이에 사극에 대한 논란이 있음 ··· ㉠
  - 사극의 본질은 주제 의식에 있음 ··· ㉡
  - 시청자들이 사극에 흥미를 갖는 원인 ··· ㉢
  - 사극은 실제 역사에 대한 관심을 유도함 ··· ㉣
  - 역사적 사실의 반영 정도에 따른 사극의 유형 ··· ㉤

[글의 초고]

드라마 '○○'이 인기를 끌면서 사극에 대해 학생들 사이에 논란이 일고 있다. 실제 역사와는 다르지만 재미있었다는 반응과 아무리 드라마이지만 수업에서 배운 내용과 너무 달라서 보기에 불편했다는 반응도 있었다. 이러한 반응을 지켜보면서 사극의 본질과 역할에 대해 다시 생각해 보게 되었다.

[A] 사극은 역사적 사건이나 인물을 소재로 다양한 상상력을 발휘하여 만든 허구적 창작물이다. 따라서 사극의 본질은 상상력을 바탕으로 만들어진 이야기를 통해 구현되는 주제 의식에 있다. 사극에서는 허구를 통해 가치 있는 의미를 담고 그것이 얼마나 시청자의 공감을 살 수 있느냐가 중요한 것이지, 역사적 사실과 얼마나 부합하느냐는 중요하지 않다.

사극에서는 실존 인물에 새로운 성격을 부여하거나, 실재하지 않았던 인물을 등장시켜 극적 긴장감을 더욱 높인다. 이러한 점은 시청자들이 사극에 공감하고 재미를 느끼게 하는 요인이 되어 실제 역사에 대한 관심을 유도하는 역할을 한다. 그리고 이러한 관심은 역사에 대한 탐색으로 이어져 과거의 지식으로만 존재하던 역사를 현재에서 살아 숨 쉬게 만들 수 있다.

한편 일각에서는 시청자들이 사극에서 다뤄지는 상황을 실제 역사로 오해할 수 있다는 우려를 제기한다. 하지만 다큐멘터리와 달리 사극은 정확한 역사적 지식을 전달하기 위해 제작된 것이 아니다. 또한 사극의 영향력이 크기는 하지만 대부분의 시청자들은 사극의 내용이 실제 역사라고 생각하지 않는다. 우리는 실제 역사 속 인물과 사건을 통해 현재의 삶을 성찰하며 지혜를 얻는다. 한편 사극을 통해서는 감동과 즐거움을 얻는다. 이처럼 실제 역사와 사극은 저마다의 가치를 지니며 우리의 삶을 풍요롭게 만들어 주기에 어느 하나도 포기할 수 없다.

[초고 작성 후 수행한 자기 점검]

- 점검 내용: 초고의 마지막 문단은 [ⓐ] 수정해야 글의 목적이 더 잘 드러날 것 같아.
- 고쳐 쓴 마지막 문단

  사극은 상상력을 바탕으로 실제 역사를 현실로 소환하면서, 끊임없이 과거와의 대화를 시도한다. 이로 인해 시간적 간극에도 불구하고 우리는 사극에서 재창조된 인물에 공감하거나 그들의 삶을 통해 의미 있는 경험을 하게 된다. 이러한 공감과 경험을 온전하게 즐길 수 있으려면 사극을 실제 역사 그 자체의 재현이 아닌 허구적 창작물로 인식해야 한다.

04

2018 6월 고3 모의고사

㉠~㉤ 중 '글의 초고'에 반영되지 않은 것은?

① ㉠　② ㉡　③ ㉢
④ ㉣　⑤ ㉤

05

2018 6월 고3 모의고사

'고쳐 쓴 마지막 문단'을 고려할 때, ⓐ에 들어갈 내용으로 가장 적절한 것은?

① 사극의 순기능과 역기능을 함께 제시하여 통일성이 약화되므로, 허구적 창작물이 사극의 본질이라는 입장이 부각되도록
② 실제 역사와 사극으로 초점이 분산되어 논지가 흐려지므로, 사극은 상상력을 바탕으로 한 창작물이라는 입장이 부각되도록
③ 실제 역사의 장점을 위주로 제시하여 주장이 분명하게 드러나지 않으므로, 사극이 실제 역사에 긍정적 영향을 미친다는 입장이 강조되도록
④ 실제 역사와 사극의 긍정적 기능을 함께 제시하여 일관성이 부족하므로, 사극의 본질은 실제 역사를 온전히 수용하는 데 있다는 입장이 강조되도록
⑤ 실제 역사 반영이 사극에서 중요함을 제시하여 설득력이 부족하므로, 허구적 창작물로서의 사극이 갖는 효용에 주목해야 한다는 입장이 강조되도록

06

2018 6월 고3 모의고사

〈보기〉의 관점에서 [A]에 대해 비판하는 글을 쓰려고 한다. 글에 담길 주장으로 가장 적절한 것은?

보기

사실로서의 역사와 상상력의 산물로서의 허구라는 두 가지 요소가 사극의 본질이다. 그중 어느 한쪽으로 치우치게 되면 사극은 자신의 정체성에서 멀어지므로 둘 사이의 균형을 유지해야 한다. 이를 위해서는 보편적으로 인정하는 역사적 사실은 유지하고, 역사적 사실들을 연결해 하나의 이야기를 만들어 가는 과정에서 상상력이 발휘되어야 한다.

① 사극은 상상력의 산물로서의 허구를 제외하고 사실로서의 역사를 중심으로 만들어야 한다.
② 사극에서는 상상력을 바탕으로 한 허구를 사실로서의 역사보다 더 가치 있게 바라봐야 한다.
③ 사극에서 상상력은 역사적 사실에 부합하는 범위에서 역사적 사실들 간의 유기성을 부여하는 데 활용해야 한다.
④ 사극에서 시청자의 공감을 유도하는 요인은 허구를 통해서 드러나는 주제 의식이 아니라 사실로서의 역사이다.
⑤ 사극의 본질에 부합하려면 허구적 내용의 재미보다는 역사적 사건과의 유사성에 초점을 맞춰 사극을 제작해야 한다.

정답&해설

03 ②

② 〈보기〉는 로봇의 생산 능력이 비약적으로 향상되고 있다는 점을 근거로 들어 로봇 사용으로 인해 인간의 일자리가 감소할 것이라는 견해이다. 따라서 〈보기〉를 바탕으로 한 [A]에 대한 반론은 '로봇의 생산 능력을 고려해야 한다'라는 내용이 들어가야 한다.

04 ⑤

⑤ '역사적 사실의 반영 정도에 따른 사극의 유형'은 언급되지 않았다.

05 ②

② 초고의 마지막 문단은 '사극'과 '실제 역사'의 가치가 동등하다고 여기는 입장이다. 사극을 어떻게 바라볼 것인가에 대한 '나'의 생각을 밝히려고 하는 것이 글의 목적인데 이러한 입장은 실제 역사와 사극으로 초점이 분산되어 논지를 흐린다. 따라서 '고쳐 쓴 마지막 문단'은 '사극의 가치'에 주목하며, '사극은 실제 역사 그 자체의 재현이 아닌 허구적 창작물로 인식해야 한다'라는 점을 분명하게 드러내고 있다.

| 오답해설 | ① '고쳐 쓴 마지막 문단'의 내용이 허구적 창작물이 사극의 본질이라는 입장을 보이는 점은 맞지만, 초고의 마지막 문단에서 사극의 역기능과 순기능을 함께 제시하지는 않았다.

06 ③

[A]는 사극이 역사적 사실과 얼마나 부합하느냐는 중요하지 않다는 입장이고, 〈보기〉는 사극에서는 역사적 사실을 유지하는 범위에서 이야기를 만들어 가는 데 상상력이 가미되어야 한다는 입장이다. 따라서 〈보기〉의 관점에서 [A]를 비판하는 주장은 ③이다.

| 오답해설 | ① 사극을 '허구를 제외하고 사실로서의 역사를 중심으로 만들어야 한다'라는 주장은 사실과 허구의 균형을 중요시하는 〈보기〉의 관점에 부합하지 않는다.

| 정답 | 03 ② 04 ⑤ 05 ② 06 ③

[07~09] (가)는 학생의 메모이고, (나)는 (가)를 바탕으로 쓴 초고이다. 물음에 답하시오.

(가) 초고 작성을 위한 메모

- **작문 상황**: 봉사의 날 운영 방식을 글감으로 하여 교지에 글을 게재하려 함
- **글의 목적**: 예상 독자인 우리 학교 구성원을 설득하는 글
- **주제**: 봉사의 날 운영 방식을 동아리별 봉사 활동으로 전환할 필요가 있다.
- **자료**: 우리 학급 학생들을 대상으로 한 인터뷰

(나) 글의 초고

우리 학교에서는 한 달에 한 번씩 봉사의 날을 지정하여 학급별로 학교 주변의 환경을 정화하는 봉사 활동을 실시해 왔다. 그러나 이러한 운영 방식에 대한 학생들의 개선 요구가 제기되면서 봉사의 날 운영 방식을 동아리별 봉사 활동으로 전환하는 것이 대안으로 제시되었다. 이로 인해 학교 구성원들 사이에서 봉사의 날 운영 방식에 대한 논의가 한창이다.

[A] 우리 학급 학생들을 대상으로 인터뷰를 해 본 결과 실제로 학생들 대다수가 현행 봉사의 날 운영 방식에 대해 만족하지 않았다. 학생들은 그 이유로 참여 의지가 떨어진다는 점을 들었다. 이러한 결과를 바탕으로 할 때 환경 정화 활동과 같이 개인의 의사를 반영하지 않은 획일적인 방식은 학생들의 자발적 참여를 유도하기 어렵다고 할 수 있다.

학생들은 동아리별 봉사 활동의 장점으로 진로와 관심사를 반영한 봉사 활동을 할 수 있다는 점을 언급했다. 동아리별 봉사 활동은 진로와 관심사가 비슷한 학생들이 모인 동아리를 기반으로 하기 때문에 동아리의 특색을 살린 봉사 활동을 할 수 있다. 그 결과 학생들은 획일적인 봉사 활동에서 벗어나 보다 다양한 봉사 활동을 계획하고 실행할 수 있다. 동아리 활동이 위축될 수 있다는 일부 학생들의 우려도 있지만, 이 방식은 현행 봉사의 날 운영 방식에 대한 학생들의 불만을 해소할 수 있는 효과적인 대안이 될 수 있다.

청소년기는 육체적·심리적·사회적으로 중요한 변화가 나타나고 성장이 이루어지는 시기라는 점에서 의의가 있다. 청소년기에 수행하는 봉사 활동은 청소년들에게 나눔과 배려의 정신을 길러 줄 뿐만 아니라, 스스로 성장할 수 있는 기회를 제공한다는 점에서 의의가 있다.

07

2018 수능

(가)의 사항이 (나)에 반영된 내용으로 가장 적절한 것은?

① 글감에 대한 논의의 필요성을 드러내기 위해, 봉사의 날 운영 방식이 논의되고 있는 우리 학교 상황을 제시하였다.

② 글의 목적을 강조하기 위해, 자료를 수집한 과정과 우리 학교에 봉사의 날이 도입된 취지를 제시하였다.

③ 예상 독자의 관심을 반영하기 위해, 학교 구성원이 관심을 가질 수 있는 주제를 선정하는 과정을 제시하였다.

④ 글의 주제를 구체화하기 위해, 현행 봉사의 날 운영 방식의 장점을 병렬적으로 열거하여 제시하였다.

⑤ 자료의 객관성을 높이기 위해, 봉사 활동과 관련한 설문 조사 문항과 조사 대상에 대한 정보를 제시하였다.

08

2018 수능

다음은 [A]를 보완하기 위해 추가로 수집한 자료이다. 〈자료〉의 활용 방안으로 적절하지 않은 것은?

자료

우리 학교 학생 대상 설문 조사 결과

㉮ 현행 봉사의 날 운영 방식에 대한 만족 여부

매우 만족 7%
만족 15%
보통 9%
불만족 52%
매우 불만족 17%

㉯ 현행 봉사의 날 운영 방식에 대한 불만족 이유
('매우 불만족', '불만족' 응답자 대상)

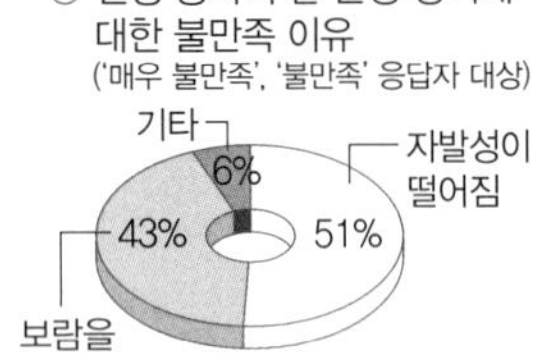

㉰ 교육 전문 잡지 『□□□』

동아리별 봉사 활동은 동아리 활동을 통해 계발한 역량을 봉사 활동에서 발휘할 수 있어 학생들에게 성취 경험을 제공하므로 봉사 활동에 대한 학생들의 자발성을 높일 수 있다. 하지만 학생들이 동아리 활동 시간에 봉사 활동 준비를 하는 경우도 있어 동아리의 본래 목적에 맞는 활동이 잘 이뤄지지 않을 수 있다. 따라서 학교에서는 별도의 봉사 활동 준비 시간을 마련해 주는 방안을 고려할 필요가 있다.

① ㉮를 활용해, 현행 운영 방식에 대한 우리 학교 학생들의 만족 여부를 구체적으로 보여 주는 설문 조사의 결과를 추가해야겠어.
② ㉯를 활용해, 현행 운영 방식에 대한 학생들의 불만족 이유에 봉사 활동에서 보람을 느낄 수 없다는 점을 추가해야겠어.
③ ㉰를 활용해, 동아리별 봉사 활동의 도입과 관련한 일부 학생들의 우려에 대해 이를 해결할 수 있는 방안을 추가해야겠어.
④ ㉮와 ㉰를 활용해, 현행 운영 방식의 문제점으로 봉사 활동 준비에 많은 시간이 소요된다는 점을 추가해야겠어.
⑤ ㉯와 ㉰를 활용해, 동아리별 봉사 활동이 학생들에게 성취 경험을 제공하여 불만족 이유 중 가장 비율이 높은 문제의 해결에 도움이 된다는 점을 추가해야겠어.

09

2018 수능

다음은 (나)를 쓴 학생이 교지 편집부장에게 보낸 이메일이다. ㉠에 들어갈 내용으로 가장 적절한 것은?

답장 | 전체답장 | 전달 | ×삭제 | 스팸신고 목록 ▶ 위 | 아래

보내 주신 검토 의견 중 (㉠)해 달라는 말을 고려해 초고의 마지막 문단을 아래와 같이 수정했습니다. 확인 바랍니다.

> 청소년기에 수행하는 봉사 활동은 청소년들에게 나눔과 배려의 정신을 길러 줄 뿐만 아니라, 스스로 성장할 수 있는 기회를 제공한다는 점에서 의의가 있다. 동아리별 봉사 활동을 도입한다면, 학생들이 자발적으로 봉사 활동에 참여하게 되어 봉사 정신을 기를 수 있고 자신들의 진로 관련 역량을 계발하여 자기 성장의 기회를 얻게 될 것이다.

① 청소년기의 의의는 삭제하고, 청소년기 봉사 활동의 의의는 추가
② 청소년기의 의의는 삭제하고, 동아리별 봉사 활동 도입 시 기대 효과는 추가
③ 청소년기의 의의는 삭제하고, 동아리별 봉사 활동 도입을 위한 지원 방안은 추가
④ 청소년기 봉사 활동의 의의는 삭제하고, 동아리별 봉사 활동 도입 시 기대 효과는 추가
⑤ 청소년기 봉사 활동의 의의는 삭제하고, 동아리별 봉사 활동 도입을 위한 지원 방안은 추가

정답&해설

07 ①

① (가)의 '봉사의 날 운영 방식'에 대한 논의의 필요성을 드러내기 위해 (나)의 1문단에서 '봉사의 날 운영 방식이 논의되고 있는 우리 학교 상황'을 제시하였다.

08 ④

④ ㉮는 현행 봉사의 날 운영 방식에 만족하지 못하는 학생이 만족하는 학생보다 많다는 내용이며, ㉰는 동아리별 봉사 활동의 장점과 문제점을 보완하는 방법에 대한 내용이다. 따라서 ㉮와 ㉰를 통해 '현행 운영 방식의 문제점으로 봉사 활동 준비에 많은 시간이 소요된다'라는 결론을 이끌어 내기는 어렵다.

09 ②

② (나)의 마지막 문단의 수정 전후를 비교해 보면, 청소년기의 의의가 삭제되고 동아리별 봉사 활동 도입 시 기대 효과가 추가된 것을 알 수 있다.

| 정답 | 07 ① 08 ④ 09 ②

[10~12] 다음을 읽고 물음에 답하시오.

[작문 상황]
- 작문 과제: 일상생활에서 많은 사람들이 겪고 있는 문제를 해결하기 위한 건의문 작성하기
- 예상 독자: ○○시청 시내버스 운행 정책 담당자

[학생의 초고]

안녕하세요? 저는 'A 단지'에 사는 □□고등학교 학생 ◇◇◇입니다. 제가 이렇게 글을 쓰게 된 이유는 시내버스 노선 문제로 어려움을 겪고 있는 A 단지 학생들을 대표하여 개선 방안을 건의하기 위해서입니다.

우리 시의 고등학교들은 시내에 위치한 반면 2016년 2월에 생긴 A 단지는 시 외곽에 있어 이곳에 사는 많은 학생들은 시내버스를 이용해 통학하고 있습니다. 그런데 시내버스를 이용하면 자가용을 이용할 때보다 30분 이상 시간이 더 걸립니다. ○번 버스의 경우 A 단지를 지나 시청, 버스 터미널, 중앙 시장 등 시내 주요 장소뿐만 아니라 여러 곳을 경유하여 □□고등학교에 이릅니다. 시내 고등학교들로 향하는 다른 노선들도 상황은 이와 유사합니다. 통학 시간이 길어서 아침부터 피곤해져 학생들이 수업 시간에 졸게 되는 등 학업에 집중하기가 어렵습니다. 그러다 보니 학생들이 시내버스를 기피하게 되고 부모님의 자가용을 이용해 통학하는 사례가 증가하였습니다. 이로 인해 학부모의 부담이 가중되고, 학교 주변의 교통이 혼잡해지고 있습니다. 결국 이러한 문제가 생긴 원인은 A 단지에서 고등학교들로 향하는 시내버스 노선들이 시내의 너무 많은 정류장을 경유하기 때문입니다.

이 문제를 해결하는 방안은 학생 전용 급행 노선을 신설하는 것입니다. 학생 전용 급행 노선이란 등교 시간에 학생들만 이용할 수 있는 시내버스 노선으로, A 단지에서 출발해서 거점 정류장만을 경유하여 시내 고등학교까지 최단 경로로 운행하는 노선을 말합니다. 급행 노선의 신설을 위해서는 학생들의 수요를 조사하여 인접한 고등학교들을 묶어 하나의 노선으로 정하고, A 단지 이외의 학생들이 많이 타는 곳을 거점 정류장으로 정하면 될 것입니다.

제 건의 내용이 받아들여진다면, [㉠]

10

2017 9월 고3 모의고사

'학생의 초고'에 대한 설명으로 가장 적절한 것은?

① 건의 내용의 신뢰성을 확보하기 위해 권위자의 견해를 인용하고 있다.
② 건의 내용의 타당성을 높이기 위해 해결 방안의 한계점을 검토하고 있다.
③ 건의 내용의 합리성을 확보하기 위해 여러 가지 해결 방안을 비교하고 있다.
④ 건의 내용의 공정성을 확보하기 위해 예상되는 반론을 함께 제시하고 있다.
⑤ 건의 내용의 실현 가능성을 높이기 위해 구체적인 실행 방안을 제안하고 있다.

11

2017 9월 고3 모의고사

선생님의 조언을 고려할 때, ㉠에 들어갈 내용으로 가장 적절한 것은?

선생님: 건의문의 끝부분에는 건의가 받아들여졌을 때 건의 주체에게 도움이 된다는 점을 밝히고 다른 사람들에게도 도움이 된다는 점을 제시하면 설득력을 높일 수 있어요.

① 수요 조사에 따른 버스 운영으로 시내버스 회사의 이익 창출에 기여하며, ○○시도 시내버스 운영 지원비를 줄일 수 있게 될 것입니다.
② A 단지 학생들이 겪는 등굣길 버스 이용의 불편을 줄일 수 있을 뿐만 아니라 A 단지 학생들의 아침 수면 시간을 확보할 수 있을 것입니다.
③ A 단지 학생들의 등굣길 스트레스를 줄여 줄 수 있으며, 여유롭게 등교할 수 있게 되어 A 단지 학생들이 즐겁게 학교생활을 하는 데에도 기여할 것입니다.
④ 학생들의 자가용 통학으로 인한 학부모들의 부담을 줄일 수 있으며, 자녀들을 데려다주지 않아도 되어 학부모들이 여유로운 아침 시간을 보낼 수 있을 것입니다.
⑤ 긴 통학 시간으로 인한 A 단지 학생들의 피로감을 줄일 수 있어 학업에 보다 집중할 수 있게 되고, 학교 주변 교통 혼잡을 해결하여 인근 주민들의 불편을 해소할 수 있을 것입니다.

12

2017 9월 고3 모의고사

〈자료〉를 활용하여 '학생의 초고'를 보완하려 한다. 〈자료〉의 활용 방안으로 적절하지 않은 것은?

자료

(가) 인터뷰

"학교까지 가는 버스가 너무 많은 곳을 돌아서 시간이 오래 걸려서 힘들어요. 그러다 보니 아침에 일찍 집을 나서야 되고, 종종 아침밥도 못 먹고 갈 때가 있어요."

– □□고등학교 학생 –

(나) 'A 단지' 고등학생들의 등교 수단 이용률

등교 수단 / 조사 시점	자가용	시내버스	기타
2016년 6월	25.2%	66.7%	8.1%
2016년 12월	44.4%	47.8%	7.8%
2017년 6월	53.2%	38.5%	8.3%

– □□고등학교 학생자치회 –

(다) 신문 기사

△△시가 3월부터 고등학교 학생 전용 급행 노선을 본격적으로 운행하였다. 등교 급행 노선은 오전 7시 30분부터 9시까지 통학생들이 집중된 지역에서 학교까지 일부 정류장만 경유하여 운행하는 것으로 기존 40분대 통학 시간을 20분대로 줄였다. 이로 인해 시내버스로 통학하는 학생의 비율이 급행 노선 운행 전보다 증가하였다.

① (가)의 학생 경험을 제시하여 등굣길 시내버스 노선 문제의 실태를 보여 주어야겠군.

② (나)의 시내버스 이용률 변화 추이를 활용하여 학생들의 시내버스 기피 현상이 심화되고 있음을 보여 주어야겠군.

③ (가)와 (나)를 활용하여 자가용 이용률 증가가 시내버스 이용 불편의 원인이 될 수 있다는 점을 보여 주어야겠군.

④ (나)와 (다)를 활용하여 학생 전용 급행 노선이 자가용 이용률을 감소시키는 데 도움이 될 수 있음을 제시해야겠군.

⑤ (가)와 (다)를 활용하여 학생 전용 급행 노선이 학생 불편 해소에 기여할 수 있음을 강조해야겠군.

정답&해설

10 ⑤

⑤ 2문단에서 시내버스 이용 시의 문제 상황을 언급하고, 3문단에서 이를 해결하기 위한 방안으로 급행 노선의 신설이라는 구체적인 실행 방안을 제안함으로써, 건의 내용의 실현 가능성을 높이고 있다.

11 ⑤

⑤ 건의가 받아들여졌을 때 건의 주체(A 단지 학생들)와 다른 사람들(인근 주민들)에게 도움이 된다는 점을 근거로 들고 있다.

12 ③

③ (가)는 시내버스를 이용해 등교하는 학생의 불편을 알 수 있는 인터뷰 자료이고, (나)는 등교 수단으로 자가용 이용률이 증가하는 추세를 보여 주는 통계 자료이다. (가)와 (나)를 통해 자가용 이용률 증가가 시내버스 이용 불편의 원인이 될 수 있다는 것은 잘못된 해석이다.

| 정답 | 10 ⑤ 11 ⑤ 12 ③

[13~15] (가)는 학교 신문에 기고한 학생의 글이고, (나)는 (가)를 읽은 후 다른 학생이 같은 신문에 기고한 반박 글이다. 물음에 답하시오.

(가) 우리 학교는 내년도 학사 일정을 수립하기 위해 학생들의 의견을 수렴하였다. 그 과정에서 여름 방학 기간을 현행 4주에서 2주로 단축하자는 주장이 제기되었다. 하지만 여름 방학 기간을 단축하자는 주장에는 다음과 같은 문제점이 있다.

첫째, 여름 방학의 의미가 제대로 실현되기 어렵다. 여름방학은 1학기가 끝나고 휴식을 취하면서 몸과 마음의 여유를 찾아 2학기를 준비한다는 점에서 의미가 있다. 그런데 여름 방학 기간이 단축되면 그만큼 여유를 찾는 시간이 줄어들게 된다.

둘째, 학생들이 원하는 프로그램에 참여하기 어렵다. 우리 학교의 많은 학생들은 여름 방학 기간에 외부 기관에서 운영하는 교외 청소년 프로그램에 참여하고 싶어 한다. 그런데 여름 방학 기간이 단축되면 개학 이후에 시작되는 프로그램에는 참여할 수 없게 된다.

셋째, 학교 시설을 개선할 수 있는 기간을 확보하기 어렵다. 학교 시설을 보수하거나 설치하는 일이 2주 이상 걸리는 경우 방학을 활용한다. 그런데 여름 방학 기간이 단축되면 학교 시설 공사를 완료하지 못한 상태에서 2학기를 시작하게 되므로 생활이 불편하게 될 가능성이 매우 크다.

학교는 학생들이 여유를 갖고 자율적으로 활동에 참여하며 편안한 환경에서 생활할 수 있도록 충분한 시간을 확보해 주어야 한다. 따라서 현재의 여름 방학 기간을 유지해야 한다.

(나) 학교 신문에 여름 방학 기간 단축을 반대하는 글이 실린 후 학생들 사이에서 찬성과 반대의 다양한 의견들이 오가고 있다. 그 글에서 제시한 근거들을 반박하고자 한다.

첫째, 여름 방학 기간을 유지한다고 해서 여름 방학의 의미가 실현되는 것은 아니다. 대다수의 학생들은 오히려 학기 중보다 학습 부담이 커져서 여름 방학 기간에 여유를 갖고 휴식을 취하지 못한다. 그러므로 2주로 줄여도 문제가 되지 않는다.

둘째, 여름 방학 기간을 단축해도 학생들은 원하는 프로그램에 참여할 수 있다. 2학기가 시작된 후에도 개인 체험 학습을 신청하면 원하는 프로그램에 얼마든지 참여할 수 있다.

셋째, 오랜 시일이 필요한 공사는 겨울 방학 기간을 활용하고 시급한 공사의 경우 기간을 단축할 수 있는 방안을 모색하면 된다. 불가피하게 학기 중에 공사를 하게 되더라도 불편 없이 진행할 수 있다. 실제로 우리 학교에서 지난 학기 중 특별실 보수 공사를 하였지만 불편 없이 진행되었다.

[A] 여름 방학 기간을 단축해야 하는 이유는 다음과 같다. 수업 공백이 줄어들어 지난 학기의 수업 내용을 잘 기억할 수 있게 되어서 학습이 연속적으로 이루어질 수 있다. 그리고 겨울 방학 시작을 앞당길 수 있어 학년 말의 비효율적인 학사 운영을 피하는 데에도 도움을 준다. 인근 고등학교에서는 이미 여름 방학 기간을 단축하여 운영하고 있는데, 학생들의 만족도가 높다고 한다.

학교가 학생들의 여유로운 생활을 보장해 주어야 한다는 주장도 타당한 측면이 있지만, 학교가 해야 할 더 중요한 일은 수업의 연속성 확보와 학사 운영의 효율성 제고라고 생각한다. 따라서 이를 실현하려면 여름 방학 기간을 단축해야 한다.

13

2017 6월 고3 모의고사

〈보기〉는 (가)를 쓰기 위해 떠올린 생각이다. (가)에 반영된 생각만을 〈보기〉에서 있는 대로 고른 것은?

보기

ㄱ. 여름 방학 기간에 학교 측에서는 무슨 일을 할까?
ㄴ. 여름 방학 기간을 단축했을 때 얻을 수 있는 이점은 무엇일까?
ㄷ. 여름 방학 기간을 단축했을 때 발생할 수 있는 문제는 무엇일까?
ㄹ. 여름 방학 기간을 유지하자는 주장에 대해 어떤 반론이 제기될 수 있을까?

① ㄱ, ㄴ ② ㄱ, ㄷ ③ ㄴ, ㄹ
④ ㄱ, ㄷ, ㄹ ⑤ ㄴ, ㄷ, ㄹ

14

2017 6월 고3 모의고사

(나)에 사용된 쓰기 전략이 아닌 것은?

① 여름 방학 기간 단축에 대하여 (가)로 인해 촉발된 반응을 제시하고 글을 쓰는 목적을 밝힌다.
② 여름 방학의 의미가 현실과 차이가 있다는 점을 들어 (가)의 주장을 비판한다.
③ 학생들이 원하는 프로그램에 참여하기 어렵다는 (가)의 주장을 반박하며 이를 뒷받침할 수 있는 근거를 제시한다.
④ 학기 중 공사가 불편을 초래한다는 (가)의 주장을 비판하며 이를 뒷받침하는 사례를 제시한다.
⑤ 학생들의 여유로운 생활을 보장해야 한다는 (가)의 주장을 일부 수용하고 자신의 의견을 추가하여 절충안을 제시한다.

15

2017 6월 고3 모의고사

(가)를 쓴 학생이 (나)를 반박하는 글을 쓰려고 한다. [A]를 비판하기 위한 자료 활용 방안으로 가장 적절한 것은?

① 학교 시설 공사로 통행에 불편을 겪었던 학생의 인터뷰를, 학기 중 공사가 불편 없이 진행된다는 주장을 반박하는 근거로 제시해야겠어.
② 개인이 신청할 수 있는 체험 학습 일수를 제한하고 있는 학교 규정을, 학기 중에도 체험 학습 참여가 얼마든지 가능하다는 주장을 반박하는 근거로 제시해야겠어.
③ 학기 중보다 여름 방학 기간에 더 많은 휴식을 취한다는 신문 기사를, 여름 방학 기간을 유지할 때 학생들의 만족도가 높다는 주장을 반박하는 근거로 제시해야겠어.
④ 여름 방학 기간을 단축했지만 학년 말 학사 운영이 비효율적이었던 다른 학교 사례를, 여름 방학 기간 단축이 학사 운영과 무관하다는 주장을 반박하는 근거로 제시해야겠어.
⑤ 여름 방학 기간이 2주, 4주인 두 학교 학생들이 지난 학기의 수업 내용을 기억하는 정도에 차이가 없다는 조사 결과를, 여름 방학 기간과 학습 연속성이 관련 있다는 주장을 반박하는 근거로 제시해야겠어.

정답&해설

13 ②

ㄱ. 4문단에서 여름 방학 기간 중 학교 시설 개선에 대한 내용이 언급되어 있다.
ㄷ. 2, 3, 4문단에서 여름 방학 기간을 단축했을 때 발생하는 문제점들을 주장하고 있다.

14 ⑤

⑤ (나)의 마지막 문단을 보면, (가) 주장의 타당성을 일부 인정하고 있지만 수용하지는 않으며, 절충안을 제시하지도 않는다.

15 ⑤

⑤ [A]의 핵심 내용은 '지난 학기의 수업 내용을 잘 기억할 수 있게 되어서 학습이 연속적으로 이루어질 수 있다'는 것과 '학년 말의 비효율적인 학사 운영을 피할 수 있다'는 것이다. 여름 방학 기간이 2주와 4주로 서로 다른 두 학교 학생들이 지난 학기의 수업 내용을 기억하는 정도에 차이가 없다는 조사 결과는, 여름 방학 기간과 학습 연속성이 관련성이 없다는 사실을 뒷받침한다. 따라서 지난 학기의 수업 내용을 잘 기억할 수 있게 되어서 학습이 연속적으로 이루어질 수 있다는 [A]의 주장이 근거가 없다는 것을 보여 준다.

| 오답해설 | [A]의 의견은 '여름 방학 기간 단축을 통해 비효율적인 학사 운영을 피할 수 있다'는 것이다. 즉, 여름 방학 기간을 단축하면 효율적인 학사 운영을 할 수 있다는 말이다. 하지만 ④에서 '여름 방학 기간 단축이 학사 운영과 무관하다'는 [A]의 주장에 반박하겠다고 말하고 있으므로 [A]의 의견을 정확하게 이해하지 못한 반박이다.

| 정답 | 13 ② 14 ⑤ 15 ⑤

화법

[16~18] 다음은 라디오 방송이다. 물음에 답하시오.

혹시 어두운 밤길을 걸어 본 적이 있으신가요? 예전에 제가 밤길을 혼자 걸은 적이 있는데요, 처음엔 어둡고 무서웠지만 달빛 덕분에 어렵지 않게 걸었답니다. 여러분의 삶에 든든한 달빛 같은 방송, 청취자의 사연을 읽고 상담해 주는 '나에게 말해 줘' 시간입니다. 저는 이 방송의 진행자인 심리상담가 ○○○입니다. 오늘의 사연을 읽어 드릴게요.

[저는 고등학생 □□라고 해요. 제 친구는 자꾸 친구들과 비교하면서 자신이 못났다고 생각해요. 차분하고 손재주도 좋은 친구인데 스스로를 그렇게 생각하는 게 안타까워요. 또 작은 실수에도 "난 항상 이래."라며 자책하고 우울해해요. 그런 생각을 안 하도록 돕고 싶은데 방법을 모르겠어요.]

□□ 님은 스스로를 못났다고 생각하는 친구를 돕고 싶은데 방법을 모르신다는 거네요. 친구를 생각하는 마음이 참 따뜻하게 느껴져요. 저도 □□ 님처럼 안타깝네요.

자신의 능력과 가치에 대한 전반적인 평가와 태도를 나타내는 말을 자존감이라고 합니다. 자존감이 낮은 원인은 다양하지만 일반적으로 알려진 것에는 남과 비교하는 버릇이 원인인 경우와 자책하는 태도가 원인인 경우가 있습니다. 사연 속 친구는 자신을 다른 사람과 비교해서 열등감을 느끼고, 사소한 실수에도 자신을 탓하며 스트레스를 받아서 자존감이 낮아진 것으로 보이네요.

이러한 경우에는, '장점 말해 주기'와 '감정 헤아려 주기' 방법이 도움이 될 수 있어요. 먼저 친구가 현재 가지고 있는 긍정적인 면들을 자주 말해 주세요. 그러면 친구가 자신의 장점을 깨닫고 남과 비교하지 않을 거예요. 그리고 친구의 마음을 헤아려 주세요. 만약 친구가 실수해서 자책하고 있으면 "많이 속상하겠구나. 괜찮아. 누구나 그럴 수 있어."라며 친구의 감정을 이해해 주는 식으로요. 그러면 친구가 스스로 괜찮다고 느껴 스트레스를 덜 받고 자책하지 않을 거예요.

오늘 방송 잘 들으셨나요? 저에게 하고 싶은 말이나 청취소감은 언제든 게시판에 올려 주세요. 그럼 △△의 노래 '우리 함께'를 들으며 오늘 방송 마치겠습니다. 추운 날씨에 감기 조심하세요.

16
2019 수능

위 방송 진행자의 말하기 방식에 대한 설명으로 가장 적절한 것은?

① 사연 내용을 정리하고 사연 신청자의 마음에 공감하고 있다.
② 사연 신청자의 궁금증을 해소하고 다음 방송을 예고하고 있다.
③ 사연 내용을 선정하게 된 동기를 밝히고 청취자의 참여를 독려하고 있다.
④ 사연과 관련된 자신의 과거 경력을 소개하고 전문성을 부각하고 있다.
⑤ 사연에 대한 상담 중에 질문을 던지고 사연 속 상황을 다양한 관점에서 생각해 보도록 유도하고 있다.

17
2019 수능

다음은 위 방송을 진행하기 위해 진행자가 세운 계획이다. 방송에 반영되지 않은 것은?

[오프닝] 방송의 취지를 드러내기 위해 '달빛' 이야기로 시작
[사연 소개 및 고민 진단]
- 사연 신청자가 보낸 사연 소개
- 내용의 이해를 돕기 위해 자존감이라는 용어의 의미 제시 ……… ㉠
- 자존감이 낮은 원인 중 일반적으로 알려진 원인을 제시하고 사연의 문제 상황에 적용 ……… ㉡
- 사연의 문제 상황을 설명하기 위해 유사한 문제 상황 제시 ……… ㉢

[방법 제시]
- '장점 말해 주기' 방법을 안내하고 효과 제시 ……… ㉣
- '감정 헤아려 주기' 방법을 예를 들어 소개하고 효과 제시 ……… ㉤

[클로징] 청취자 게시판에 관한 안내 및 인사말로 마무리

① ㉠ ② ㉡ ③ ㉢ ④ ㉣ ⑤ ㉤

18

2019 수능

다음은 위 방송을 들은 청취자들이 게시판에 올린 댓글이다. 방송 내용을 고려하여 청취자들의 반응을 분석한 것으로 적절하지 않은 것은?

'나에게 말해 줘' 게시판

○월 ○일 방송에 대해 자유롭게 의견을 남겨 주세요.

ㄴ, 청취자 1: 저도 자존감이 낮은 거 같아서 좋은 방법이 나오기를 기다리며 들었는데, 스스로 자존감을 높이는 방법은 안 나오네요.

ㄴ, 청취자 2: 자존감을 높여 주려면 자기만 부족하다는 생각에서 벗어나게 해 주라는 거네요. 그렇다면 가능한 목표를 세워서 도달하게 하는 방법도 성취감을 느낄 수 있게 해 주어 자존감을 높이는 데 도움이 되겠군요.

ㄴ, 청취자 3: 딸아이의 자존감이 향상되도록 앞으로는 제 아이에게 긍정적인 면들을 말해 줘야겠어요.

ㄴ, 청취자 4: 도와주고 싶은 대상의 연령대가 사연 속 친구와 다를 때에도 방송에서 알려 준 방법대로 해도 되는 건가요?

ㄴ, 청취자 5: 감정을 헤아려 주는 건 좋은 방법이네요. 제가 직설적으로 말하는 버릇이 있어서 친구들이 속상했을 텐데 활용해 볼게요.

① '청취자 1'은 자신이 방송을 들은 목적과 관련해 방송 내용이 충분하지 않다고 판단하고 있군.

② '청취자 2'는 방송 내용을 이해한 바를 확인하고 방송에서 안내되지 않았던 방법의 효과를 예측하고 있군.

③ '청취자 3'은 방송에서 언급한 방법을 다른 사람들에게 권유하고 적용할 것을 다짐하고 있군.

④ '청취자 4'는 방송에서 제시한 방법을 다른 경우에도 적용할 수 있는지 궁금해하고 있군.

⑤ '청취자 5'는 방송에서 언급한 방법을 긍정적으로 평가하고 자신의 언어 습관을 반성하고 있군.

정답&해설

16 ①

① 3문단에서 방송 진행자는 사연 내용을 정리하고, 사연 신청자의 안타까운 마음에 공감하고 있다.

| 오답해설 | ② 5문단에서 '장점 말해 주기'와 '감정 헤아려 주기' 방법이 도움이 된다며 사연 신청자의 궁금증을 해소해 주지만, 다음 방송을 예고하고 있지는 않다.

17 ③

③ 4문단에서 방송 진행자는 자존감이 낮은 원인 중 일반적으로 알려진 원인을 제시한다. 그러나 사연의 문제 상황을 설명하기 위해 유사한 문제 상황을 제시하고 있지는 않다.

18 ③

③ 청취자 3은 딸아이의 자존감 향상을 위해 자신이 딸에게 긍정적인 면들을 말해 주겠다고 다짐하는 것이지, 방송에서 언급한 방법을 다른 사람들에게 권유할 것을 다짐하고 있는 것이 아니다.

| 정답 | 16 ① 17 ③ 18 ③

[19~21] 다음은 강연이다. 물음에 답하시오.

> 안녕하세요. 야생조류보호협회의 ○○○입니다.
>
> 여러분, 혹시 걷다가 유리문에 부딪친 적 있나요? (대답을 듣고) 네, 몇몇 학생들이 경험했군요. 꽤 아팠죠? 그런데 사람보다 훨씬 빠른 야생 조류가 유리창에 부딪치면 어떻게 될까요? □□연구소에서 발간한 안내서에 따르면 유리창 충돌이 야생 조류가 사고로 죽는 원인 중 2위에 해당한다고 합니다.
>
> 야생 조류는 왜 유리창에 잘 부딪치는 걸까요? (㉠자료 제시) 보시는 것처럼 사람은 양쪽 눈의 시야가 겹치는 범위가 넓어서 전방에 있는 사물을 잘 인식하지만, 대부분의 야생 조류는 눈이 머리 측면에 있어서 양쪽 눈의 시야가 겹치는 범위가 좁습니다. 이 때문에 전방 인지 능력이 떨어지므로 유리창을 인식하지 못해서 부딪치는 경우가 많은 거죠.
>
> 그렇다면, 야생 조류가 유리창에 부딪치지 않도록 도울 방법이 없을까요? □□연구소의 안내서에는 그물망 설치나 줄 늘어뜨리기 등의 방법이 소개돼 있습니다. 그중 자외선 반사 테이프를 붙이는 것은 건물의 미관을 해치지 않으면서도 효과를 볼 수 있는 방법입니다. 사람은 자외선을 볼 수 없다고 과학 시간에 배웠죠? (대답을 듣고) 다들 잘 알고 있군요. (㉡자료 제시) 보시는 것처럼 대부분의 야생 조류는 사람과 달리 우리가 보는 색뿐만 아니라 자외선도 볼 수 있습니다. 이를 이용한 것이 바로 자외선 반사 테이프입니다. 이 테이프를 유리창에 붙이면 야생 조류가 테이프에서 반사된 자외선을 보고 그곳에 장애물이 있다고 인식할 수 있지요. 그러면 얼마나 효과가 있을까요? 테이프 부착 전후를 비교한 결과, (㉢자료 제시) 보시는 것처럼 부착 후 야생 조류의 유리창 충돌이 크게 줄었습니다.
>
> 야생 조류의 유리창 충돌 사고는 우리 주변에서 계속 일어나고 있습니다. 여러분의 작은 관심이 야생 조류의 유리창 충돌을 줄이는 데 큰 힘이 됩니다. 제가 안내한 방법 중에는 여러분이 집에서 활용할 수 있는 것도 있으니 가능한 방법을 찾아 실천해 보세요. 이상으로 강연을 마치겠습니다.

19

2018 6월 고3 모의고사

위 강연에 대한 설명으로 가장 적절한 것은?

① 강연에서 제시된 용어를 정의하여 청중의 이해를 돕고 있다.
② 청중의 응답을 이끌어 내고 반응을 확인하여 청중과 상호 작용하고 있다.
③ 청중의 배경지식이 잘못되었음을 지적하여 청중의 주의를 환기하고 있다.
④ 강연의 앞부분에서 강연 내용의 순서를 제시하여 청중들이 내용을 예측하며 듣게 하고 있다.
⑤ 강연 내용의 이해 정도를 확인하는 질문을 하면서 강연을 마무리하여 청중에게 강연 주제를 강조하고 있다.

20

2018 6월 고3 모의고사

다음은 학생이 강연을 들으며 떠올린 생각들이다. 이를 바탕으로 학생의 듣기 활동을 이해한 내용으로 적절하지 않은 것은?

> • 며칠 전 우리 집 유리창에도 비둘기가 부딪쳐서 놀랐어.
> • 비둘기도 야생 조류에 해당할까?
> • 자외선 반사 테이프는 정말 좋은 방법인 것 같아. 우리 집에도 부착하면 새가 부딪치지 않겠지.
> • 야생 조류가 부딪치지 않게 유리창에 그물망을 설치하는 것은 나도 할 수 있을 것 같아.

① 강연 내용과 관련된 자신의 과거 경험을 떠올리며 들었다.
② 강연자가 설득의 근거로 제시한 내용에 의문을 제기하며 들었다.
③ 강연을 통해 알게 된 정보에 대해 긍정적으로 평가하며 들었다.
④ 강연자가 제시한 방법이 실제로 효과가 있을 것이라고 생각하며 들었다.
⑤ 강연자의 제안에 따라 자신이 실천할 수 있는 방법을 생각하며 들었다.

21

2018 6월 고3 모의고사

〈보기〉는 강연에서 강연자가 제시한 자료이다. 강연자의 자료 활용에 대한 설명으로 가장 적절한 것은?

보기

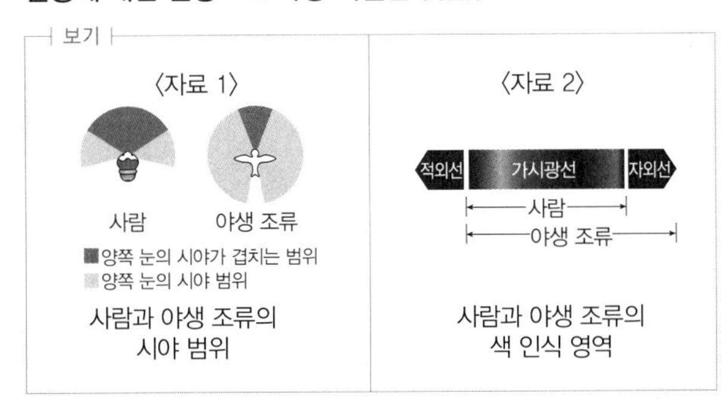

① 〈자료 1〉은 야생 조류의 유리창 충돌로 인한 피해 현황을 보여 주기 위해 ㉠에서 활용하였다.

② 〈자료 1〉은 사람과 야생 조류의 시야 범위가 다름을 설명하기 위해 ㉡에서 활용하였다.

③ 〈자료 1〉은 자외선 반사 테이프의 부착 효과를 보여 주기 위해 ㉢에서 활용하였다.

④ 〈자료 2〉는 야생 조류가 유리창에 충돌하는 원인을 설명하기 위해 ㉠에서 활용하였다.

⑤ 〈자료 2〉는 야생 조류가 자외선 반사 테이프를 장애물로 인식할 수 있음을 설명하기 위해 ㉡에서 활용하였다.

정답&해설

19 ②

② 2문단과 4문단에서 강연자가 청중의 응답을 이끌어 내고 있는 모습과 청중의 반응을 확인하는 모습을 찾을 수 있다. 이처럼 청중의 응답을 이끌어 내고 반응을 확인하는 것은 강연자가 청중과 상호 작용하는 것에 해당한다.

20 ②

② 학생이 제기한 의문인 '비둘기도 야생 조류에 해당할까?'는 강연자가 설득의 근거로 제시한 내용에 의문을 제기하는 것이 아니다.

21 ⑤

⑤ 〈자료 2〉는 야생 조류가 가시광선뿐만 아니라 자외선 영역까지 인식할 수 있음을 보여 준다. 강연자는 '㉡ 자료 제시'에서 '야생 조류는 사람과 달리 우리가 보는 색뿐만 아니라 자외선도 볼 수 있다'라고 말하면서 '이를 이용한 것이 바로 자외선 반사 테이프'라고 소개한다. 따라서 〈자료 2〉는 ㉡에서 활용하기에 적절하다.

| 정답 | 19 ② 20 ② 21 ⑤

[22~24] 다음은 학생이 수업 시간에 한 발표이다. 물음에 답하시오.

오늘은 조선의 궁중 음식 중 수라상에 대해 말씀드리겠습니다. 발표는 수라상의 상차림, 왕의 식사 횟수와 식사 장면, 그리고 수라상의 음식을 포함한 조선의 궁중 음식이 지닌 의의 순으로 진행하겠습니다.

우선 '수라'는요, 고려 때 몽골의 영향으로 생긴 말로 왕에게 올리는 밥을 높여 이르던 말입니다. ㉠지금 보시는 화면이 수라상의 사진인데요, 세 개의 상과 화로를 한눈에 볼 수 있습니다. (사진을 가리키며) 왼쪽에 보이는 큰 상인 대원반에는 흰밥과 탕, 반찬들이, 오른쪽에 보이는 소원반에는 팥밥과 탕, 접시가 놓여 있습니다. 왕이 고를 수 있게 밥과 탕을 두 가지씩 준비한 겁니다. 소원반 옆에 놓인 화로는 전골 요리에 썼다고 해요. 『조선 왕조 궁중 음식』이라는 책에 따르면 왕은 이러한 수라상을 아침과 저녁에 받았다고 합니다.

왕이 하루에 식사를 두 번만 한 것은 아니었어요. ㉡두 번째 화면을 볼게요. 이것은 수라상 외에 왕이 받은 초조반상, 낮것상, 야참의 사진입니다. 초조반상과 낮것상은 주로 죽으로, 야참은 면, 식혜 등으로 간단히 차린 걸 볼 수 있죠. 야참을 식사로 본다면 왕은 하루에 몇 번이나 식사를 했을까요? (청중의 대답을 듣고) 예, 다섯 번이죠. 아침, 저녁의 수라상까지 합해 왕은 하루에 다섯 번 식사를 한 셈입니다. ㉢다음 화면에서 보실 것은 왕의 식사 장면을 재현한 동영상입니다. (동영상을 보여 준 후) 어떤 상궁은 왕보다 먼저 음식을 먹어 보아 독의 유무를 확인하고, 다른 상궁은 왕에게 생선을 발라 드리는 모습을 보셨습니다. 이렇게 왕은 상궁들의 시중을 받으며 식사를 했어요.

수라상의 음식을 포함한 조선의 궁중 음식은 우리 전통 음식을 대표한다고 할 수 있는데요, 이는 궁중과 민간의 교류를 통해 조선의 궁중 음식이 민간의 음식뿐만 아니라 민간의 뛰어난 조리 기술까지 받아들여 우리 음식 전반을 아울렀기 때문이지요. 이러한 의의가 인정되어 조선의 궁중 음식은 무형 문화재로 지정되었어요. 수라상에 대해 제가 참고한 기록은 대한 제국 시기 상궁들의 구술을 토대로 한 것입니다. 수라상에 대해 이해가 되셨기를 바라며 발표를 마치겠습니다.

22

2018 수능

발표에 반영된 학생의 발표 계획으로 적절하지 않은 것은?

① 정보의 출처를 언급하여 발표 내용의 신뢰성을 높여야겠어.
② 내용을 요약하며 마무리하여 발표의 중심 내용을 한 번 더 강조해야겠어.
③ 발표 중에 질문을 하여 발표 내용에 대한 청중의 이해를 확인해야겠어.
④ 발표 주제와 관련된 단어의 의미를 설명하여 발표 내용에 대한 청중의 이해를 도와야겠어.
⑤ 발표할 내용의 순서를 앞부분에 제시하여 청중이 발표 내용을 예측하며 들을 수 있게 해야겠어.

23

2018 수능

발표에서 학생이 자료를 활용한 방식에 대한 설명으로 가장 적절한 것은?

① 전골을 조리하는 과정을 설명하기 위해 ㉠에 소원반과 화로의 사진을 제시하였다.
② 수라상의 전체적인 모습을 보여 주기 위해 ㉠에 음식이 차려진 상들과 화로의 사진을 제시하였다.
③ 왕이 식사한 시간을 알려 주기 위해 ㉡에 수라상의 사진을 제시하였다.
④ 수라상을 간단히 차린 이유를 알려 주기 위해 ㉡에 낮것상의 사진을 제시하였다.
⑤ 수라상을 차리는 과정을 설명하기 위해 ㉢에 시중을 드는 상궁들의 모습을 담은 동영상을 제시하였다.

24

2018 수능

〈보기〉는 발표를 들은 후 청중이 보인 반응이다. 발표를 고려하여 청중의 반응을 분석한 것으로 적절하지 않은 것은?

보기

청자 1: 궁중 음식을 민간과 무관한 것으로 생각했는데, 민간과 교류를 했다는 사실을 알게 되어 좋았어. 그런데 수라상에 세 개의 상이 있다고 하면서도 설명은 두 개만 해서 아쉬웠어.

청자 2: 왕의 음식에 독이 들었는지 확인하는 상궁을 기미 상궁으로 알고 있는데, 동영상의 상궁 중 한 명이 기미 상궁이겠군. 그리고 발표자가 참고한 기록이 대한 제국 시기 상궁들의 구술을 토대로 했다면, 오늘 들은 수라상에 대한 내용은 조선 시대 전반에 걸친 것이 아닐 수도 있지 않을까?

청자 3: 궁중 음식이 무형 문화재로 지정되었다는 것은 단지 음식만이 아니라 조리법을 비롯한 음식 문화 전반의 가치를 인정한 것이겠군. 그리고 고추와 같은 재료는 조선 후기에 유입된 것으로 알고 있는데, 그렇다면 그에 따라 수라상의 음식들에 변화가 있었겠군.

① 청자 1은 이전에 몰랐던 사실을 발표를 통해 알게 된 것을 긍정적으로 생각하고 있군.

② 청자 2는 발표 내용의 일부를 언급하며 이와 관련하여 의문을 제기하고 있군.

③ 청자 3은 발표 내용을 바탕으로 발표에서 직접적으로 언급되지 않은 내용을 추론하고 있군.

④ 청자 1과 청자 3 모두 발표 내용에 누락된 내용이 있는 것을 부정적으로 생각하고 있군.

⑤ 청자 2와 청자 3 모두 발표 내용과 관련된 자신의 배경지식을 활용하고 있군.

정답&해설

22 ②

② 마지막 문단에서 내용을 요약하며 발표를 마무리하고 있기는 하지만, 이것은 중심 내용을 강조하려는 것이 아니라, 내용의 출처를 제공하기 위함이다.

23 ②

② 2문단에서 수라의 개념을 설명한 후, 수라상의 전체적인 모습을 보여 주기 위한 사진으로 ㉠을 제시했고, ㉠에는 음식이 차려진 대원반과 소원반, 화로의 모습이 나타나 있다.

|오답해설| ① ㉠에 소원반과 화로의 사진을 제시한 것은 맞으나, 전골을 조리하는 과정을 설명하기 위함은 아니다.

24 ④

④ 청자 1은 수라상에 세 개의 상이 있다고 했지만 대원반과 소원반 두 개만을 설명하여 발표 내용이 누락된 것에 대해 아쉬움을 토로하고 있다. 즉, 청자 1은 누락된 내용에 대한 부정적 인식을 가지고 있다. 그러나 청자 3이 아쉬움을 토로하는 부분은 없다.

|정답| 22 ② 23 ② 24 ④

[25~27] 다음은 강연의 일부이다. 물음에 답하시오.

안녕하세요? 영양 성분 표시 제도와 관련해 강연을 하게 된 ○○보건소의 △△△입니다. 2018년부터는 개정된 영양 성분 표시 방법으로 식품의 영양 정보를 표시하게 되는데요, 알고 있나요? (학생들의 대답을 듣고) 모른다는 학생들이 많은데요, 오늘은 이에 대해 알려 드리고자 합니다.

식품의약품안전처에서는 일부 가공 식품에 영양 정보를 표시하는 영양 성분 표시 제도를 운영하고 있는데요, 소비자들이 좀 더 쉽게 영양 정보를 확인하고 건강한 식생활을 실천하는 데 도움이 되도록 영양 성분을 표시하는 방법을 개정하였습니다. 개정 전과 후의 표시 도안을 같이 보시죠. (시각 자료를 보여 주며) 함량을 의무적으로 표시해야 하는 대상이 열량, 나트륨, 탄수화물, 당류, 지방, 트랜스지방, 포화지방, 콜레스테롤, 단백질인 점은 이전과 변함이 없습니다. 그러나 이를 표시하는 기준은 달라졌습니다. 개정 전에는 한 번에 섭취할 것으로 예상되는 양인 1회 제공량을 기준으로 영양 성분의 함량을 표시했는데요, 업체마다 1회로 보는 양이 달라서 소비자에게 혼란을 줄 수 있었습니다. 그래서 제품의 총 내용량을 기준으로 영양 성분의 함량을 표시하는 것으로 바뀌었습니다. 단, 한 번에 먹기 힘든 대용량 제품은 별도의 표시 기준을 두기로 했습니다.

영양 성분의 표시 순서에도 변화가 있는데요, 개정 전에는 에너지 공급원순으로 표시했는데 소비자의 관심도가 높고 국민 건강상 중요해진 성분들은 순서를 위로 올려 표시하는 것으로 바뀌었습니다. 예로 나트륨의 표시 위치가 개정 전보다 올라가게 되었는데요, 이는 우리나라 국민이 나트륨을 과도하게 섭취하고 있어 1일 나트륨 섭취량의 관리가 시급하기 때문입니다. 질병관리본부 발표 자료에 따르면 우리나라 국민의 1일 나트륨 섭취량은 세계보건기구 권고량의 2배 수준이라고 합니다.

또한 열량의 표시 방식도 바뀌었는데요, 열량에 대한 소비자들의 관심이 높은 만큼 이를 확인하기 쉽도록 다른 성분들과 분리해 열량을 표시하게 되었습니다. 그리고 그동안 1일 영양 성분 기준치에 대한 비율을 표시하지 않았던 열량, 당류, 트랜스 지방 중에서 당류는 이번에 개정되면서 그 비율을 표시하도록 바뀌었습니다.

25

2017 9월 고3 모의고사

위 강연자의 말하기 방식으로 가장 적절한 것은?

① 강연 중간 중간에 자신이 말한 내용을 요약하여 청중의 이해를 돕고 있다.

② 관련 기관의 발표 자료를 인용하여 자신이 언급한 내용을 뒷받침하고 있다.

③ 강연 대상과 관련된 자신의 경험을 사례로 들어 청중의 흥미를 유발하고 있다.

④ 강연 대상을 친숙한 소재에 빗대어 표현함으로써 대상의 개념을 설명하고 있다.

⑤ 청중의 질문에 답을 함으로써 강연 내용과 관련된 청중의 궁금증을 해소하고 있다.

26

2017 9월 고3 모의고사

다음은 강연자가 사용한 시각 자료이다. 시각 자료를 보며 강연을 들은 학생이 떠올린 생각으로 적절하지 않은 것은?

① ㉠은 영양 정보를 확인할 때 소비자의 혼란을 줄이기 위한 함량 표시 기준이구나.

② ㉡은 에너지 공급원순에 따라 탄수화물, 단백질, 지방을 표시한 것이구나.

③ ㉢은 소비자의 관심도와 국민 건강상의 중요도가 반영되어 이전과 표시 위치가 달라졌구나.

④ ㉣은 소비자들이 확인하기 쉽도록 다른 성분들과 위치를 구분해 표시한 것이구나.

⑤ ㉤은 함량을 의무적으로 표시해야 하는 성분으로 추가되면서 1일 영양 성분 기준치에 대한 비율도 표시하게 되었구나.

27

2017 9월 고3 모의고사

강연 내용에 대한 이해를 바탕으로 추가 설명을 요청하는 학생의 질문으로 적절하지 않은 것은?

① 영양 성분 표시 제도가 일부 가공 식품에 적용되고 있다고 하셨는데, 무엇을 기준으로 적용 대상을 결정하나요?
② 식품의약품안전처에서 영양 성분 표시 방법을 바꿨다고 하셨는데, 그 이유는 무엇인가요?
③ 의무적으로 함량을 표시해야 하는 성분들을 말씀해 주셨는데, 비타민이나 칼슘 등은 왜 의무 표시 대상이 아닌가요?
④ 대용량 제품의 경우에는 별도의 표시 기준을 둔다고 하셨는데, 그 기준은 무엇인가요?
⑤ 우리나라 국민의 나트륨 섭취량이 세계보건기구 권고량의 2배 수준이라고 하셨는데, 그 권고량은 얼마인가요?

정답&해설

25 ②

② 3문단 하단부를 보면, '질병관리본부'라는 관련 기관의 발표 자료를 인용하여 자신이 언급한 내용을 뒷받침하고 있다.

26 ⑤

⑤ 2문단에 의하면 당류 함량은 의무적으로 표시해야 하는 성분으로 추가된 것이 아니라 기존에도 의무적으로 표시해야 하는 성분이었다. 다만, 4문단에서 알 수 있듯이 당류의 비율을 추가적으로 표시하게 되었다.

27 ②

② 2문단에서 '소비자들이 좀 더 쉽게 영양 정보를 확인하고 건강한 식생활을 실천하는 데 도움이 되도록 영양 성분을 표시하는 방법을 개정'하였다고 밝히고 있다. 이미 강연에서 말한 내용이므로 추가 설명을 요청하는 질문으로 적절하지 않다.

| 정답 | 25 ② 26 ⑤ 27 ②

[28~30] 다음은 학생의 발표이다. 물음에 답하시오.

안녕하세요? 지난주 진로 시간에 우리 학급은 '디지털 기술의 오늘과 내일'을 주제로 한 강연을 들었는데요, 디지털 기술의 활용을 쉽게 이해하고 진로 선택에도 도움이 되었던 유익한 시간이었습니다. 여러분도 강연을 들어 잘 알고 있듯이 디지털 기술의 활용 범위는 점차 확대되어 가고 있는데요. 그래서 오늘은 문화유산의 디지털 복원에 대해 말씀을 드리겠습니다.

문화유산의 디지털 복원이라는 개념이 생소하게 느껴질 텐데요. 문화유산의 디지털 복원이란 디지털 기술을 활용해 문화유산을 디지털 자료로 변환하여 보존하거나 그것을 가상의 공간에 복원하는 것을 의미합니다.

문화유산의 디지털 복원을 활용하면, 파손 정도가 심해서 사라질 우려가 있는 문화유산을 디지털 자료의 형태로 반영구적으로 보존할 수 있습니다. 또한 현재 훼손이 심각하여 현실의 공간에 복원이 불가능한 문화유산을 가상의 공간에 복원할 수 있습니다.

한편, 문화유산을 직접 접하고 싶은데 거리가 멀어서 그러지 못한 적이 있지요? 문화유산의 디지털 복원을 활용하면, 멀티미디어 기기를 활용하여 간접적이지만 문화유산을 쉽게 접할 수 있습니다. 더 나아가 가상 체험 기술과 결합하여 문화유산을 가상 공간에서 체험할 수 있는 디지털 콘텐츠로도 만들 수 있습니다. 몇 년 전 석굴암을 가상 체험할 수 있는 디지털 콘텐츠가 큰 인기를 끌었던 것처럼 문화유산을 다양한 디지털 콘텐츠로 만드는 움직임이 활발하게 이루어지고 있습니다. 여러분들도 평소 디지털 콘텐츠 이용에 관심이 많은데, 문화유산을 소재로 한 디지털 콘텐츠에도 관심을 가져 본다면 그 매력을 느낄 수 있을 거예요.

지금까지 말씀드린 것처럼 디지털 기술은 문화유산 복원에 유용하게 활용될 수 있습니다. 디지털 기술에 대한 관심에서 더 나아가 문화유산의 디지털 복원에도 관심을 가져 보는 건 어떨까요? 마침 학교와 가까운 ○○ 박물관에서 '디지털로 복원한 조선 시대 한양 도성 체험전'이 다음 주까지 열린다고 합니다. 눈앞에 생생하게 펼쳐진 한양 도성을 저와 함께 걸어 보지 않겠어요? 이상으로 발표를 마치겠습니다.

28

2017 6월 고3 모의고사

위 발표에 대한 설명으로 가장 적절한 것은?

① 디지털 기술과 문화유산의 관계를 비유적으로 설명하며 문화유산 복원에 디지털 기술이 유용함을 강조하고 있다.
② 문화유산의 디지털 복원이 성공한 요인을 제시하며 다양한 학술 분야 간의 연계가 선행되어야 함을 강조하고 있다.
③ 디지털 기술을 활용한 문화유산 복원의 장점을 소개하며 문화유산의 디지털 복원에 대한 관심을 갖도록 권유하고 있다.
④ 문화유산과 관련된 산업의 발전 가능성을 언급하며 디지털 기술의 개발을 위한 재정적 지원이 필요함을 강조하고 있다.
⑤ 문화유산 훼손의 근본 원인을 다각도로 분석하며 문화유산 복원에 학생들이 더 많은 관심을 가져 줄 것을 요청하고 있다.

29

2017 6월 고3 모의고사

다음은 위 발표를 위해 사전에 청중을 분석하여 세운 발표 계획이다. 발표 내용에 반영되지 않은 것은?

○ 지역
 – 학교 가까운 곳에 박물관이 있으니, 그곳에서 발표 내용과 관련된 체험을 함께 해 보자고 제안해야겠다. ······ ①
○ 사전 지식
 – 디지털 기술의 활용에 대해서는 알고 있을 테니, 문화유산 복원을 디지털 기술과 관련지어 설명해야겠다. ······ ②
 – 문화유산의 디지털 복원이라는 용어가 낯설 테니, 개념을 설명해야겠다. ······ ③
○ 요구
 – 발표 내용이 진로 선택에도 도움이 되기를 바라니, 문화유산의 디지털 복원과 관련된 직업을 소개해야겠다. ······ ④
○ 관심사
 – 디지털 콘텐츠 이용에 관심이 많으니, 문화유산을 디지털 콘텐츠로 만든 사례를 언급해야겠다. ······ ⑤

30

2017 6월 고3 모의고사

다음은 위 발표를 들으며 학생이 떠올린 생각이다. 이를 바탕으로 발표자에게 질문할 내용으로 가장 적절한 것은?

> 디지털 기술을 활용하더라도 문화유산의 종류에 따라 디지털 복원의 가능 여부가 다를 것 같은데, 이에 대해서는 구체적으로 밝히지 않은 것 같아.

① 발표 내용이 유형 문화유산에만 해당하는 것 같은데요, 한옥을 짓는 기술과 같은 무형 문화유산도 디지털 기술을 활용해 복원할 수 있는 건가요?

② 얼마나 훼손되어야 현실 공간에 문화유산을 복원하는 게 불가능한지 구체적으로 밝히지 않았는데요, 복원 가능 여부를 판단하는 기준은 무엇인가요?

③ 디지털 기술을 활용하면 문화유산을 반영구적으로 보존할 수 있다고 했는데요, 구체적으로 디지털 기술의 어떤 원리로 그것이 가능하다는 건가요?

④ 문화유산의 복원을 과학 기술의 차원에서만 다룬 것 같은데요, 그 외에 제도적 차원에서 문화유산의 복원을 위해 할 수 있는 노력에는 무엇이 있을까요?

⑤ 앞으로 해결해야 할 과제에 대해서는 말씀하지 않았는데요, 만약 개인이 소장한 문화유산을 디지털 콘텐츠로 제작한다면 그 소유권은 누구에게 있는 건가요?

정답&해설

28 ③

③ 3문단, 4문단에서 디지털 기술을 활용한 문화유산 복원의 장점을 소개하고 있다. 그리고 마지막 문단에서 '디지털 기술에 대한 관심에서 더 나아가 문화유산의 디지털 복원에도 관심을 가져 보는 건 어떨까요?'라고 하여 문화유산의 디지털 복원에 대한 관심을 갖도록 권유하고 있다.

| 오답해설 | ⑤ 마지막 문단에서 문화유산 복원에 학생들이 더 많은 관심을 가져 줄 것을 요청하고 있기는 하지만, 문화유산 훼손의 근본 원인을 분석하는 부분은 없다.

29 ④

④ 문화유산의 디지털 복원과 관련된 직업을 소개하는 내용은 언급되지 않았다.

30 ①

'학생'은 문화유산의 종류에 따라 디지털 복원의 가능 여부가 다를 것이라 생각하며, 발표자가 복원 가능한 문화유산의 범위에 대해서는 언급하지 않았다고 생각한다. 따라서 이를 바탕으로 질문을 해야 한다. ①은 '유형 문화유산'과 '무형 문화유산'이라는 문화유산의 종류에 따른 복원 가능 여부에 대해 구체적 질문을 하고 있다.

| 오답해설 | ② '학생'은 문화유산 훼손의 정도에 따른 복원 가능 여부에 대한 궁금증을 가진 것이 아니다.

| 정답 | 28 ③ 29 ④ 30 ①

ENERGY

잘 시작하는 것은 중요합니다.
잘 마무리하는 것은 더 중요합니다.

– 조정민, 『사람이 선물이다』, 두란노

PART

Ⅱ 독해 비문학

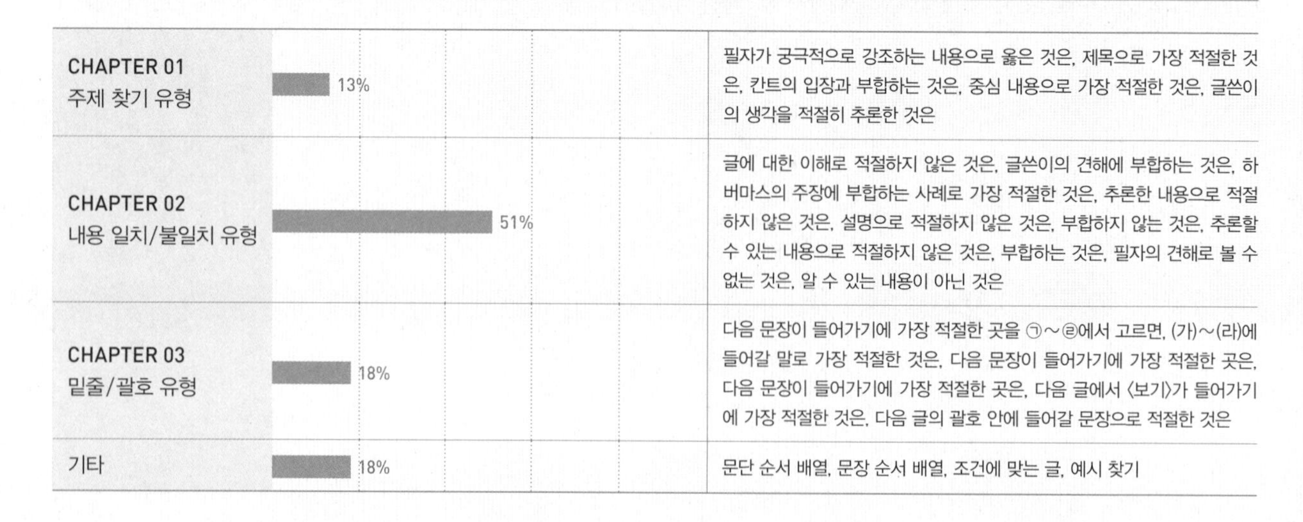

5개년 챕터별 출제비중 & 출제개념

챕터	출제비중	출제개념
CHAPTER 01 주제 찾기 유형	13%	필자가 궁극적으로 강조하는 내용으로 옳은 것은, 제목으로 가장 적절한 것은, 칸트의 입장과 부합하는 것은, 중심 내용으로 가장 적절한 것은, 글쓴이의 생각을 적절히 추론한 것은
CHAPTER 02 내용 일치/불일치 유형	51%	글에 대한 이해로 적절하지 않은 것은, 글쓴이의 견해에 부합하는 것은, 하버마스의 주장에 부합하는 사례로 가장 적절한 것은, 추론한 내용으로 적절하지 않은 것은, 설명으로 적절하지 않은 것은, 부합하지 않는 것은, 추론할 수 있는 내용으로 적절하지 않은 것은, 부합하는 것은, 필자의 견해로 볼 수 없는 것은, 알 수 있는 내용이 아닌 것은
CHAPTER 03 밑줄/괄호 유형	18%	다음 문장이 들어가기에 가장 적절한 곳을 ㉠~㉣에서 고르면, (가)~(라)에 들어갈 말로 가장 적절한 것은, 다음 문장이 들어가기에 가장 적절한 곳은, 다음 문장이 들어가기에 가장 적절한 곳은, 다음 글에서 〈보기〉가 들어가기에 가장 적절한 것은, 다음 글의 괄호 안에 들어갈 문장으로 적절한 것은
기타	18%	문단 순서 배열, 문장 순서 배열, 조건에 맞는 글, 예시 찾기

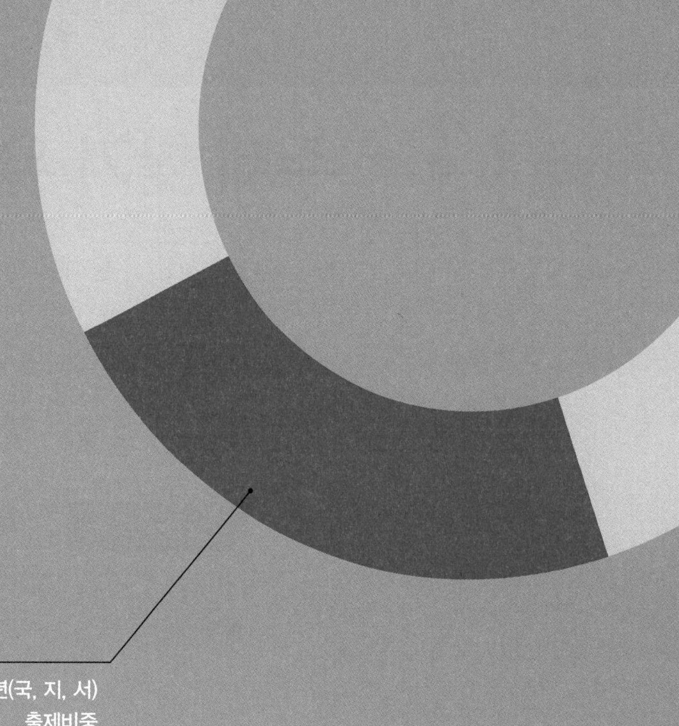

26%

※최근 5개년(국, 지, 서)
출제비중

학습목표

CHAPTER 01 주제 찾기 유형	❶ 주제를 찾는 방법 공부하기 ❷ 실제 문제를 통해 연습해 보기
CHAPTER 02 내용 일치/불일치 유형	❶ 내용 일치/불일치 찾는 방법 공부하기 ❷ 실제 문제를 통해 연습해 보기
CHAPTER 03 밑줄/괄호 유형	❶ 밑줄/괄호 유형 해결하는 방법 공부하기 ❷ 실제 문제를 통해 연습해 보기

CHAPTER

01 주제 찾기 유형

☐ 1 회 독 월 일
☐ 2 회 독 월 일
☐ 3 회 독 월 일
☐ 4 회 독 월 일
☐ 5 회 독 월 일

교수님 코멘트▶ 주제 찾기 유형을 세부적으로 나누자면 단순 주제 찾기 유형과 추론형 주제 찾기 유형으로 나눌 수 있다. 단순 주제 찾기 유형이 본문을 정리하고 핵심 내용을 뽑아내는 것이라면, 추론형 주제 찾기 유형은 뽑은 핵심을 바탕으로 한 발 더 나아가 문제를 묻는다. 하지만 추론형 또한 결국 본문의 내용을 잘 정리한다면 누구나 손쉽게 생각할 수 있는 수준의 문제가 출제된다. 즉, 핵심은 한 발 더 나아가는 데 있는 것이 아니라 본문의 내용을 올바르게 정리하는 데 있는 것이다. 따라서 핵심 내용을 뽑아내는 능력을 키워야 한다.

STEP 1 기출유형 익히기

● **다음 글의 중심 내용으로 가장 적절한 것은?** 2016 지방직 9급

> 영어에서 위기를 뜻하는 단어 'crisis'의 어원은 '분리하다'라는 뜻의 그리스어 '크리네인(Krinein)'이다. 크리네인은 본래 회복과 죽음의 분기점이 되는 병세의 변화를 가리키는 의학 용어로 사용되었는데, 서양인들은 위기에 어떻게 대응하느냐에 따라 결과가 달라진다고 보았다. 상황에 위축되지 않고 침착하게 위기의 원인을 분석하여 사리에 맞는 해결 방안을 찾을 수 있다면 긍정적 결과가 나올 수 있다는 것이다. 한편, 동양에서는 위기(危機)를 '위험(危險)'과 '기회(機會)'가 합쳐진 것으로 해석하여, 위기를 통해 새로운 기회를 모색하라고 한다. 동양인들 또한 상황을 바라보는 관점에 따라 위기가 기회로 변모될 수도 있다고 본 것이다.

① 위기가 아예 다가오지 못하게 미리 대처해야 한다.
② 위기 상황을 냉정하게 판단하고 긍정적으로 받아들인다.
③ 위기가 지나갔다고 해서 반드시 기회가 오는 것은 아니다.
④ 욕심에서 비롯된 위기를 통해 자신의 상황을 되돌아봐야 한다.

단권화 MEMO

|정답해설|
제시된 글을 요약하면, 위기가 닥쳤을 때 서양인들은 상황에 위축되지 않고 위기의 원인을 분석하여 사리에 맞는 해결 방안을 찾으면 긍정적 결과가 나올 수 있다고 보았고, 동양인들은 상황을 보는 관점에 따라 위기가 기회로 변모될 수 있다고 보았다.
② 제시된 글의 중심 내용은 '위기 상황에서의 냉정한 판단과 긍정적 자세의 필요성'이라고 볼 수 있다.

|정답| ②

STEP 2 기출유형 분석하기

독해 비문학의 첫 번째 유형은 '주제 찾기'이다.
'주제'는 글에서 글쓴이의 의도와 관련하여 핵심이 되는 내용이며, '주제 찾기 유형'은 중심 내용, 중심 문장, 제목, 추론 등의 표현과 어울리는 유형이다. 주로 길지 않은 글을 제시하고 글의 핵심 내용을 찾는 유형으로 출제가 된다. 글의 세부적인 내용보다는 글의 전반적인 내용 파악이 중요한 유형으로, 독해 유형 중 특별히 어려운 유형은 아니다.
하지만 요즈음은 글의 분량이 단문 독해보다는 중문 독해 이상으로 출제되는 경향을 보인다. 실제 시험 현장에서 장문의 글을 만나게 되면 단순히 글이 길어지는 데서 끝나는 것이 아니라, 장문의 글이 시간적인 압박감을 느끼게 하고 가독성을 저하시켜서 체감 난도를 높여 시험 전반의 페이스를 잃게 만든다. 따라서 단문 독해 연습도 중요하지만, 중문 독해 이상의 글에 대해서도 시간적 압박을 극복하고 수험생 본인이 시험을 리드할 수 있도록 준비해야 한다.

STEP 3 대표 기출발문

- 다음 글의 논지*와 가장 거리가 먼 것은?
- 다음 글의 필자가 말하고자 하는 취지에 가장 알맞은 것은?
- 다음 글의 중심 내용으로 가장 적절한 것은?
- 다음 글의 중심 생각으로 가장 적절한 것은?
- 다음 글의 요지로 가장 적절한 것은?
- 다음 글의 필자가 궁극적으로 말하고자 하는 중심 내용은?
- 다음 글의 주된 논지는?
- 다음 글의 주제로 가장 적절한 것은?
- 다음 글의 제목으로 가장 적절한 것은?
- 다음 글을 읽고 추론한 내용으로 가장 적절한 것은?

※ 추론형 문제는 '주제 찾기' 유형일 수도 있고 '일치/불일치' 유형일 수도 있다.

단권화 MEMO

*논지
논하는 말이나 글의 취지를 말한다.

STEP 4 독해방법 알아보기

1 단문 독해방법

문단 두세 개 정도 분량의 글을 '단문'이라고 볼 수 있다. 단문의 글이 주어졌다면 비교적 어렵지 않게 문제를 해결할 수 있다. 일반적으로 구성은 다음과 같다.

구성	종속 주제 + 뒷받침하는 세부 내용 (소주제문) (전개문)
유형	• 두괄식: 중심 문장 + 뒷받침 문장 • 미괄식: 뒷받침 문장 + 중심 문장 • 양괄식: 중심 문장 + 뒷받침 문장 + 중심 문장 • 중괄식: 뒷받침 문장 + 중심 문장 + 뒷받침 문장

글의 전반적인 내용을 살펴보되, 글의 시작 부분과 끝나는 부분을 더 유심히 살펴보면 주제를 쉽게 찾을 수 있다. 간혹 시작 부분과 끝부분에 주제가 없는 경우, 중괄식 구성일 수도 있으므로 가운데 부분을 살펴보는 것도 요령이 될 수 있다.

단권화 MEMO

| 정답해설 |
제시된 글은 외래어의 특성을 외래어가 국어에 들어오는 과정에서 보이는 변화 양상을 통해 설명하고 있는 글이다. 글 앞부분의 밑줄 친 부분을 통해 주제를 드러내고 있는 두괄식 구성의 글이다.

| 정답 | ②

● 다음 글의 주제로 가장 적절한 것은? 2013 국가직 7급

> 외래어는 원래의 언어에서 가졌던 모습을 잃어버리고 새 언어에 동화되는 속성을 가지고 있다. 외래어의 동화 양상을 음운, 형태, 의미적 측면에서 살펴보자.
> 첫째, 외래어는 국어에 들어오면서 국어의 음운적 특징을 띠게 되어 외국어 본래의 발음이 그대로 유지되지 못한다. 자음이든 모음이든 국어에 없는 소리는 국어의 가장 가까운 소리로 바뀌고 만다. 프랑스의 수도 Paris는 원래 프랑스어인데 국어에서는 '파리'가 된다. 프랑스어 [r] 발음은 국어에 없는 소리여서 비슷한 소리인 'ㄹ'로 바뀌고 마는 것이다. 그 외에 장단이나 강세, 성조와 같은 운율적 자질도 원래 외국어의 모습을 잃어버리고 만다.
> 둘째, 외래어는 국어의 형태적인 특징을 갖게 된다. 외래어의 동사와 형용사는 '-하다'가 반드시 붙어서 쓰이게 된다. 영어 형용사 smart가 국어에 들어오면 '스마트하다'가 된다. '아이러니하다'라는 말도 있는데 이는 명사에 '-하다'가 붙어 형용사처럼 쓰인 경우이다.
> 셋째, 외래어는 원래 언어의 의미와 다른 의미로 쓰일 수 있다. 일례로 프랑스어 madame이 국어에 와서는 '마담'이 되는데 프랑스어에서의 '부인'의 의미가 국어에서는 '술집이나 다방의 여주인' 의미로 쓰이고 있다.

① 외래어의 갈래
② 외래어의 특성
③ 외래어의 변화
④ 외래어의 개념

2 장문 독해방법

장문 독해도 원칙적으로 지문을 읽고 그에 맞는 주제를 찾으면 된다. 따라서 글을 읽을 수만 있다면 누구나 풀 수 있는 유형이다. 하지만 여기서 문제점이 두 가지 생긴다. 첫째는 글이 어렵거나 수험생이 가지고 있는 스키마*(배경지식)와 맞지 않아 글이 잘 안 읽히는 경우, 둘째는 충분히 읽을 수 있는 글이지만 빨리 읽을 수 없는 경우이다. 공무원 국어 영역은 산술적으로 20분에 20문제, 즉 1분에 1문제씩 풀어야 한다. 하지만 마킹 시간, 영어 등 어려운 영역에 투자해야 할 시간 등을 고려하면 그 이상으로 빠르게 풀어야 한다.

그렇다면 수험생이 위의 두 가지 경우 중 한 가지 경우에 해당한다면 어떻게 해야 할까? 어떻게 해서라도 지문을 읽어 내기 위해 글과 사투를 벌여야 할까? 정답은 '아니다'이다. 수험생들이 독해력 또는 배경지식이 부족해 빠르게 읽어 내지 못한 글은 시험이라는 이유로 특별히 긴장한 경우를 제외하고는, 이미 본인의 능력으로는 빠르게 읽을 수 없는 글이다. 따라서 지문에 연연할수록 결국 시험 시간 부족이라는 더 큰 문제를 만나게 될 뿐이다. 그렇다면 어떻게 해야 할까? 정답은 '건너뛰며 읽기'이다.

문제를 푸는 과정에서 가장 좋은 경우는 글 전체를 모두 읽고 푸는 것이다. 하지만 그럴 수 없는 글은 안 읽히는 부분에 연연하지 말고 건너뛸 필요가 있다. 왜냐하면 '주제 찾기' 유형은 글의 세부적인 이해보다는 글의 전반적인 내용의 이해를 요구하기 때문이다. 예를 들어 가솔린 엔진에 대해 설명하는 4문단으로 구성된 글이 있다고 가정해 보자. 그리고 주어진 글을 읽는 수험생이 4개의 문단 중에 2문단이 특히 안 읽힌다고 가정했을 때, 안 읽히는 2문단을 읽으려 노력하지 말고 건너뛰라는 것이다. 좀 더 자세히 설명하자면 2문단이 가솔린 엔진 부품 중 하나인 점화 플러그의 원리를 설명하는 문단이라고 했을 때 '점화 플러그의 원리를 설명하는 문단인데 정확히 이해가 되질 않네.' 이렇게 생각하고 바로 3문단으로 건너뛰라는 것이다. 그 대신 2문단에서 단어, 문장 등 이해가 된 일부분이 있다면 기억해 두어야 한다. 그리고 무엇보다 중요한 점은 안 읽히는 2문단이 점화 플러그의 원리를 말하고 있는 문단이라는 맥락은 잡고 건너뛰어야 한다는 점이다. 왜냐하면 그래야 3문단의 내용과 연결하여 읽는 데 맥락을 놓치지 않을 수 있기 때문이다.

*** 스키마(Schema)**
배경지식, 사전 지식, 지식 구조, 본, 틀이라고 부르기도 하는데, 우리의 기억 속에 저장되어 있는 경험의 총체를 의미한다. 스키마 이론에 따르면, 독자가 기존에 가지고 있는 배경지식이 독해력에 큰 영향을 미친다고 한다.

■ '주제 찾기' 유형의 요령
사실 '주제(중심 내용, 제목) 찾기' 유형은 잘 읽히는 글의 경우에도 지문을 다 볼 필요 없이 의도적으로 건너뛰며 읽을 수 있다. 왜냐하면 그렇게 하더라도 문제를 푸는 데 아무런 지장이 없기 때문이다. 주제 파악이라는 유형 자체가 지엽적인 내용 확인이 아닌, 글 전체의 맥락을 묻는 문제이므로 건너뛰며 읽고 맥락만 파악해도 정답을 충분히 고를 수 있다.

이러한 원리는 비단 문단에만 적용되는 것이 아니다. 크게는 문단을 건너뛸 수도 있고, 작게는 문장, 어휘를 건너뛸 수도 있는 것이다. 이렇게 건너뛰며 읽게 될 경우, 어려운 지문을 만났을 때에도 시간을 낭비하지 않으면서도 맥락을 놓치지 않고 글을 읽을 수 있는 효과를 얻을 수 있다.

STEP 5 수능형 살펴보기

현재 공무원 국어 시험 비문학 난이도와 가장 비슷한 지문과 문제는 주로 2000~2010년 사이에 출제된 고3 수능과 모의고사 비문학 문제들이다. 이 기간의 지문과 문제로 연습한다면 현재 공무원 국어 시험 비문학 수준에 가장 적합하게 공부할 수 있다.

● 중심 화제에 대한 글쓴이의 서술 태도로 가장 적절한 것은? 2007 9월 고3 모의고사

(1) 한힌샘 주시경은 국어학자이면서 국어 교육자이다. 그는 과학적이고 독창적인 국어 연구를 통해 국어학을 하나의 학문으로 정립시켰을 뿐 아니라 국어 교육의 필요성을 널리 인식시키기 위해 노력하였다. 또한 맞춤법의 통일 같은 국어 정책의 수립에도 관심을 갖고 참여하였다.

(2) 국어학자로서 주시경은 근대 국어학의 기틀을 세운 선구적인 인물이었다. 과학적 연구 방법이 전무하다시피 했던 국어학 연구에서, 그는 단어의 원형을 밝혀 적는 형태주의적 입장을 가지고 독자적으로 문법 현상을 분석하고 이론으로 체계화하는 데 힘을 쏟았다. 이를 위해 순수 고유어를 사용하여 학술 용어를 만들기도 했다. 오늘날의 관점에서 보면 모호하거나 엄밀하지 못한 부분이 있는 것도 사실이지만, 그의 연구는 체계적이고 분석적이었을 뿐 아니라 놀라운 통찰력을 보여 주는 것이었다. 특히 '늣씨'와 '속뜻'의 개념을 도입한 것은 주목할 만하다.

(3) 그는 단어를 뜻하는 '씨'를 좀 더 작은 단위로 분석하면서 여기에 '늣씨'라는 이름을 붙였다. 예컨대 '해바라기'를 '해^바라^기', '이더라'를 '이^더라'처럼 늣씨 단위로 분석했다. 이는 그가 오늘날 '형태소'라 부르는 것과 유사한 개념을 인식하고 있었음을 보여 준다. 이것은 1930년대에 언어학자 블룸필드가 이 개념을 처음 사용하기 훨씬 이전이었다. 또한 그는 숨어 있는 구조인 '속뜻'을 통해 겉으로는 구조를 파악하기 어려운 문장을 분석했고, 말로 설명하기 어려운 문장의 계층적 구조는 그림을 그려 풀이하는 방식으로 분석했다. 이러한 방법은 현대 언어학의 분석적인 연구 방법과 유사하다는 점에서 연구사적 의의가 크다.

(4) 주시경은 국어학사에서 길이 기억될 연구 업적을 남겼을 뿐 아니라, 국어 교육자로서도 큰 공헌을 하였다. 그는 언어를 민족의 정체성을 나타내는 징표로 보았으며, 국가와 민족의 발전이 말과 글에 달려 있다고 생각하여 국어 교육에 온 힘을 다하였다. 여러 학교에서 우리말을 가르쳤을 뿐만 아니라, 국어 강습소를 만들어 장차 교사가 될 사람들에게 국어 문법을 체계적으로 교육하였다. 이러한 교육은 그의 국어학 연구가 없었더라면 불가능한 일이었다. 세종대왕이 훈민정음을 창제하였다면, 주시경은 '한글'이라는 용어를 만들고 우리말과 글을 바르게 보급하는 일에 앞장섰던 인물이었다.

(5) 그는 맞춤법을 확립하는 정책에도 자신의 학문적 성과를 반영하고자 했다. 이를 위해 연구 모임을 만들어 맞춤법의 이론적 근거를 확보하기 위한 논의를 지속해 나갔다. 그리고 1907년에 설치된 '국문 연구소'의 위원으로 국어 정책을 수립하는 일에도 적극 참여하였다. 그의 이러한 노력은 오늘날 우리에게 지대한 영향을 미치고 있다. 우리가 사용하고 있는 현행 '한글 맞춤법'도 일찍이 주시경이 취했던 형태주의적 입장으로부터 영향을 받은 바 크다.

① 중심 화제의 위상을 주관적으로 평가하고 있다.
② 중심 화제의 성격을 객관적으로 평가하고 있다.
③ 중심 화제의 의의를 권위적으로 평가하고 있다.
④ 중심 화제의 문제점을 비판적으로 접근하고 있다.
⑤ 중심 화제의 가치를 적극적으로 부각시키고 있다.

단권화 MEMO

|정답해설|
⑤ '주시경은 근대 국어학의 기틀을 세운 선구적인 인물, 놀라운 통찰력, 의의가 크다, 큰 공헌을 하였다, 우리에게 지대한 영향' 등의 표현에서 글쓴이는 주시경의 업적을 객관적인 입장에서 소개하는 것이 아니라, 적극적으로 가치 부여를 하고 있음을 알 수 있다.

|유형해설|
제시된 글과 관련하여 문제를 풀 때 만약 (3)문단이 잘 읽히지 않는다면 연연하지 말고 건너뛰어도 된다. 단, 넘어가더라도 '주시경 선생님의 업적 중 하나를 예로 들고 있는데 어떤 말인지는 잘 모르겠네.' 정도로는 생각하고 (4)문단으로 넘어가야 글 전체의 맥락을 놓치지 않고 넘어갈 수 있다. 그리고 넘어가기 전에 다행히도 (3)문단에 밑줄 그어 놓은 부분 정도는 이해가 되었다면 기억하고 넘어가는 것도 좋다. 그 정도면 충분하다. '주제 찾기' 유형은 세부 내용을 이해하는 것과 정답을 고르는 것에 큰 상관이 없다. 제시된 글을 통해 알 수 있는 것처럼 지문에 밑줄 쳐 놓은 부분들만 파악할 수 있다면 정답을 고를 수 있다.

|정답| ⑤

CHAPTER

02 내용 일치/불일치 유형

□ 1회독	월	일
□ 2회독	월	일
□ 3회독	월	일
□ 4회독	월	일
□ 5회독	월	일

교수님 코멘트▶ 일치/불일치 유형 또한 세부적으로 나누자면 단순 일치/불일치 유형과 추론형 일치/불일치 유형으로 나눌 수 있다. 단순 일치/불일치 유형이 본문 속에 정답의 근거가 표면적으로 드러나는 유형이라면, 추론형 일치/불일치 유형의 경우는 정답의 근거가 표면적으로 드러나지 않고 행간의 의미를 고려하여 근거를 찾는 유형이다. 하지만 추론형 또한 실제 시험 문제에서는 단순 일치/불일치 유형과 크게 다르지 않은 모습을 보인다. 언뜻 내용을 바탕으로 추론을 하게 하는 문제인 듯 보이지만 결국 표면적으로 드러난 내용에서 '아' 다르고 '어' 다른 수준으로 행간의 맥락을 묻기 때문이다.

STEP 1 기출유형 익히기

● 필자의 견해로 볼 수 없는 것은? 2017 국가직 9급

우리는 우리가 생각한 것을 말로 나타낸다. 또 다른 사람의 말을 듣고, 그 사람이 무슨 생각을 가지고 있는가를 짐작한다. 그러므로 생각과 말은 서로 떨어질 수 없는 깊은 관계를 가지고 있다.

그러면 말과 생각이 얼마만큼 깊은 관계를 가지고 있을까? 이 문제를 놓고 사람들은 오랫동안 여러 가지 생각을 하였다. 그 가운데 가장 두드러진 것이 두 가지 있다. 그 하나는 말과 생각이 서로 꼭 달라붙은 쌍둥이인데 한 놈은 생각이 되어 속에 감추어져 있고 다른 한 놈은 말이 되어 사람 귀에 들리는 것이라는 생각이다. 다른 하나는 생각이 큰 그릇이고 말은 생각 속에 들어가는 작은 그릇이어서 생각에는 말 이외에도 다른 것이 더 있다는 생각이다.

이 두 가지 생각 가운데서 앞의 것은 조금만 깊이 생각해 보면 틀렸다는 것을 즉시 깨달을 수 있다. 우리가 생각한 것은 거의 대부분 말로 나타낼 수 있지만, 누구든지 가슴속에 응어리진 어떤 생각이 분명히 있기는 한데 그것을 어떻게 말로 표현해야 할지 애태운 경험을 가지고 있을 것이다. 이것 한 가지만 보더라도 말과 생각이 서로 안팎을 이루는 쌍둥이가 아님은 쉽게 판명된다.

인간의 생각이라는 것은 매우 넓고 큰 것이며 말이란 결국 생각의 일부분을 주워 담는 작은 그릇에 지나지 않는다. 그러나 아무리 인간의 생각이 말보다 범위가 넓고 큰 것이라고 하여도 그것을 가능한 한 말로 바꾸어 놓지 않으면 그 생각의 위대함이나 오묘함이 다른 사람에게 전달되지 않기 때문에 생각이 형님이요, 말이 동생이라고 할지라도 생각은 동생의 신세를 지지 않을 수가 없게 되어 있다. 그러니 말을 통하지 않고는 생각을 전달할 수가 없는 것이다.

① 말은 생각보다 범위가 좁다.
② 말은 생각을 나타내는 매개체이다.
③ 말과 생각은 불가분의 관계에 놓여 있다.
④ 말을 통하지 않고도 얼마든지 생각을 전달할 수 있다.

단권화 MEMO

|정답해설|
④ 마지막 문단을 보면, 말은 생각보다 범위가 좁지만 말을 통하지 않고는 생각을 전달할 수 없다는 것을 분명히 제시하고 있다.

|정답| ④

STEP 2 기출유형 분석하기

단권화 MEMO

독해 비문학의 두 번째 유형은 '내용 일치/불일치' 유형이다. '일치/불일치' 유형은 '주제(중심 내용, 제목 등) 찾기' 유형과 함께 가장 대표적인 독해력 평가 유형이다.
이 유형 또한 일반적으로 길지 않은 글을 제시하고 선택지의 정보를 확인하게 하는 유형으로 출제된다. 글의 전반적인 내용 파악보다는 글의 세부적인 내용 파악이 중요한 유형으로, '주제 찾기' 유형보다는 상대적으로 다소 어렵게 느낄 수 있는 유형이다. 글의 전체 내용을 놓치는 부분 없이 세부적으로 살펴봐야 하기 때문이다.
단문 독해인 경우에는 큰 문제가 되지 않을 수 있는 유형이지만, '주제 찾기'와 마찬가지로 요즈음은 단문 독해보다는 중문 독해 이상으로 출제되는 경향을 보이기 때문에 수험생 입장에서 다소 어렵게 느낄 수 있다. 따라서 공무원 기출 지문뿐만 아니라 긴 글에서 세부 정보를 묻는 수능형 지문을 통해 연습할 필요가 있다.

STEP 3 대표 기출발문

- 다음 글에서 다루고 있는 내용이 아닌 것은?
- 다음 글의 내용에 부합되지 않는 것은?
- 다음 글의 내용과 일치하지 않는 것은?
- 필자의 견해로 볼 수 없는 것은?
- 다음 글의 내용과 무관한 것은?
- 다음 글을 통해 알 수 있는 내용으로 적절하지 않은 것은?
- 다음 글의 내용과 관련이 가장 적은 것은?
- 다음 글의 내용과 사실이 다른 것은?
- 다음 글에 대한 이해로 적절하지 않은 것은?
- 다음 글에서 말하는 '발전 기술'의 효과를 전망한 것으로 적절하지 않은 것은?
- 다음 글에서 추론할 수 있는 내용으로 적절하지 않은 것은?

※ 추론형 문제는 '주제 찾기' 유형일 수도 있고 '일치/불일치' 유형일 수도 있다.

STEP 4 독해방법 알아보기

1 단문 독해방법

'일치/불일치' 유형의 경우 '주제 찾기' 유형에 비해 지문을 더 자세히 읽어야 하는 부담이 있다는 점을 제외하고는 접근법에 있어 '주제 찾기' 유형과 다르지 않다. 문단 두세 개 정도 분량의 글이 주어졌다면 특히나 어렵지 않게 해결할 수 있다. 단문 독해의 경우 설령 글을 잘 읽지 못했다 하더라도 선택지의 근거가 되는 단어 또는 단어의 또 다른 표현을 지문에서 찾고 선택지를 소거해 나가면 된다.

단권화 MEMO

|정답해설|
마지막 문장 "책 읽기에는 ~ 습관 또한 요구된다."를 통해 책 읽기에는 상당한 정신 에너지와 훈련이 요구됨을 알 수 있다. 따라서 책 읽기는 별다른 훈련이나 노력 없이도 가능하다는 ①의 진술은 적절하지 않다.

|오답해설|
제시된 글에서 밑줄 친 ❷~❹를 통해 파악할 수 있다.

|정답| ①

● 다음 글의 내용에 부합하지 않는 것은? 2014 지방직 9급

> 책은 인간이 가진 그 독특한 네 가지 능력의 유지, 심화, 계발에 도움을 주는 유효한 매체이다. 하지만, ❷ 문자를 고안하고 책을 만들고 책을 읽는 일은 결코 '자연스러운' 행위가 아니다. 인간의 뇌는 애초부터 책을 읽으라고 설계된 것이 아니기 때문이다. 문자가 등장한 역사는 6천 년, 지금과 같은 형태의 책이 등장한 역사 또한 6백여 년에 불과하다. 책을 쓰고 읽는 기능은 생존에 필요한 다른 기능들을 수행하도록 설계된 뇌 건축물의 부수적 파생 효과 가운데 하나이다. 말하자면 그 능력은 덤으로 얻어진 것이다.
> 그런데 이 '덤'이 참으로 중요하다. ❸ 책이 없이도 인간은 기억하고 생각하고 상상하고 표현할 수 있기는 하나 책과 책 읽기는 인간이 이 능력을 키우고 발전시키는 데 중대한 차이를 낳기 때문이다. 또한 ❹ 책을 읽는 문화와 책을 읽지 않는 문화는 기억, 사유, 상상, 표현의 층위에서 상당한 질적 차이를 가진 사회적 주체들을 생산한다. 그렇기는 해도 모든 사람이 맹목적인 책 예찬자가 될 필요는 없다. 그러나 중요한 것은, 인간을 더욱 인간적이게 하는 소중한 능력들을 지키고 발전시키기 위해서 책은 결코 희생할 수 없는 매체라는 사실이다. 그 능력을 지속적으로 발전시키는 데 드는 비용은 적지 않다. 무엇보다 책 읽기는 결코 손쉬운 일이 아니기 때문이다. ❶ 책 읽기에는 상당량의 정신 에너지와 훈련이 요구되며, 독서의 즐거움을 경험하는 습관 또한 요구된다.

① 책 읽기는 별다른 훈련이나 노력 없이도 마음만 먹으면 가능한 일이다.
② 책을 쓰고 읽는 기능은 인간 뇌의 본래적 기능은 아니다.
③ 책과 책 읽기는 인간의 기억, 사유, 상상 등과 관련된 능력을 키우는 데 상당히 중요한 변수로 작용한다.
④ 독서 문화는 특정 층위에서 사회적 주체들의 질적 차이를 유발한다.

2 장문 독해방법

장문 독해방법은 앞에서 언급한 단문 독해방법과 접근법이 다르지 않다. 장문 독해 또한 설령 글을 잘 읽지 못했다 하더라도 선택지의 근거가 되는 단어 또는 단어의 또 다른 표현을 지문에서 찾고 선택지를 소거해 나가면 된다. 다만, 단문 독해보다 지문이 길어 세부 정보를 확인할 때 복잡하게 느낄 수 있다.

따라서 장문 독해의 경우에는 발문과 선택지를 먼저 보고 지문을 읽은 후 문제를 푸는 것이 요령이 될 수 있다. 선택지를 먼저 보고 그다음에 지문을 읽으며 선택지와 관련된 단어나 문장이 나오면 밑줄을 그어 가며 읽는 것이 좋다. 이때 지문을 놓치는 것 없이 읽고, 선택지에 제시된 단어나 문장을 놓치지 않고 옳게 밑줄을 표시했다면, 문제를 풀 때 속도를 높일 수 있을 것이다. 만약 지문을 100% 파악하며 읽지 못했다면, 지문에 표시한 밑줄이 선택지의 맥락을 비교해 보며 정답을 구성하는 데 중요한 구심점 역할을 할 것이다.

장문에서 근거를 찾는 문제는 무엇보다 많은 문제를 풀어 보는 연습이 중요하다. 잘 안 읽히는 글을 놓고 선택지의 근거를 찾는 연습을 많이 하면 할수록 실력이 향상된다. 오히려 잘 읽히는 글을 읽고 근거를 확인하는 연습은 실력이 향상되는 데 큰 도움이 되지 않을 수도 있다.

STEP 5 수능형 살펴보기

● 이 글의 내용과 일치하지 않는 것은? 2002 수능

자본주의 경제 체제는 이익을 추구하려는 인간의 욕구를 최대한 보장해 주고 있다. ❶ 기업 또한 이익 추구라는 목적에서 탄생하여, 생산의 주체로서 자본주의 체제의 핵심적 역할을 수행하고 있다. 곧, 이익은 기업가로 하여금 사업을 시작하게 하는 동기가 된다.

이익에는 단기적으로 실현되는 이익과 장기간에 걸쳐 지속적으로 실현되는 이익이 있다. 기업이 장기적으로 존속, 성장하기 위해서는 단기 이익보다 장기 이익을 추구하는 것이 더 중요하다. 실제로 기업은 ❷ 단기 이익의 극대화가 장기 이익의 극대화와 상충할 때에는 단기 이익을 과감히 포기하기도 한다. 하루 세 번 칫솔질할 것을 권장하는 치과 의사의 경우를 생각해 보자. 모두가 이처럼 이를 닦으면 사람들의 치아 상태가 좋아져서 치과 의사의 단기 이익은 줄어들 것이다. 하지만 많은 사람들이 치아를 오랫동안 보존하게 되므로 치과 의사로서는 장기적인 고객을 확보하는 셈이 된다. 반대로 칫솔질을 자주 하지 않으면 단기 이익은 증가하겠지만, 의치를 하는 사람들이 많아지면서 장기 이익은 오히려 감소하게 된다.

자본주의 초기에는 기업이 단기 이익과 장기 이익을 구별하여 추구할 필요가 없었다. 소자본끼리의 자유 경쟁 상태에서는 단기든 장기든 이익을 포기하는 순간에 경쟁에서 탈락하기 때문이다. 그에 따라 기업은 치열한 경쟁에서 살아남기 위해 주어진 자원을 최대한 효율적으로 활용하여 가장 저렴한 가격으로 상품을 공급하게 되었다. ❸ 이는 기업의 이익 추구가 결과적으로 사회 전체의 이익도 증진시켰다는 의미이다. 이 단계에서는 기업의 소유자가 곧 경영자였기 때문에, 기업의 목적은 자본가의 이익을 추구하는 것으로 집중되었다.

그러나 기업의 규모가 점차 커지고 경영 활동이 복잡해지면서 전문적인 경영 능력을 갖춘 경영자가 필요하게 되었다. 이에 따라 소유와 경영이 분리되어 경영의 효율성이 높아졌지만, 동시에 기업이 단기 이익과 장기 이익 사이에서 갈등을 겪게 되는 일도 발생하였다. ❹ 주주의 대리인으로 경영을 위임받은 전문 경영인은 기업의 장기적 전망보다 단기 이익에 치중하여 경영 능력을 과시하려는 경향이 있기 때문이다. 주주는 경영자의 이러한 비효율적 경영 활동을 감시함으로써 자신의 이익은 물론 기업의 장기 이익을 극대화하고자 하였다.

오늘날의 기업은 경제적 이익뿐 아니라 사회적 이익도 포함된 다원적인 목적을 추구하는 것이 일반적이다. ❺ 현대 사회가 어떠한 집단도 독점적 권력을 행사할 수 없는 다원(多元) 사회로 변화하였기 때문이다. 이는 많은 이해 집단이 기업에게 상당한 압력을 행사하기 시작했다는 것을 의미한다. 기업 활동과 직·간접적 이해 관계에 있는 집단으로는 노동 조합, 소비자 단체, 환경 단체, 지역 사회, 정부 등을 들 수 있다. 기업이 이러한 다원 사회의 구성원이 되어 장기적으로 생존하기 위해서는, 주주의 이익을 극대화하는 것은 물론 다양한 이해 집단들의 요구도 모두 만족시켜야 한다. 그래야만 기업의 장기 이익이 보장되기 때문이다.

① 기업은 자본주의 체제의 생산 주체이다.
② 기업은 단기적 손해를 감수하면 장기적 이익을 보장받는다.
③ 자본주의 초기에도 기업은 사회 전체의 이익을 증진시켰다.
④ 전문 경영인에 대한 적절한 감시가 없으면 기업의 장기 이익이 감소할 수도 있다.
⑤ 현대 사회에서 기업은 직·간접적으로 관계되는 이해 집단을 모두 만족시켜야 한다.

단권화 MEMO

|정답해설|

② 기업의 이익에는 장기 이익과 단기 이익이 있다. 이 둘은 상충하기도 하지만 단기적 손해를 감수한다고 해서 장기적 이익을 얻는 것은 아니다. 2문단에 '기업은 단기 이익의 극대화가 장기 이익의 극대화와 상충할 때에는 단기 이익을 과감히 포기하기도 한다.'라는 내용이 있다. 그러나 이를 '단기적 손해를 감수함으로써 장기적 이익을 얻는다'로 해석하는 것은 잘못이다.

|유형해설|

장문 독해 또한 단문 독해와 마찬가지로 비록 글을 100% 이해하지 못했다 하더라도 선택지의 근거를 충분히 찾을 수 있다. 선택지의 단어를 지문에서 확인하고 맥락이 맞는지를 살펴보면 된다. 다만 지문의 길이가 길다 보니 다소 복잡하게 느껴질 뿐이다. 아무리 복잡해도 모든 근거는 지문 속에 있다. 자신감을 갖고 근거를 찾아 밑줄을 긋는 연습을 해 보자.

|정답| ②

CHAPTER

03 밑줄/괄호 유형

□ 1 회 독 월 일
□ 2 회 독 월 일
□ 3 회 독 월 일
□ 4 회 독 월 일
□ 5 회 독 월 일

교수님 코멘트▶ 밑줄/괄호 유형은 실제 시험에서 단순 어휘부터 문단을 다루는 문제까지 매우 다양한 유형으로 제시된다. 하지만 이 유형의 공통점을 생각해 보면 모두 전체 맥락과 괄호, 밑줄 근처의 맥락을 함께 고려해야 문제를 정확하게 풀 수 있다는 점을 알 수 있다. 따라서 전체 맥락과 세부 맥락을 고려하는 연습이 필요하다.

단권화 MEMO

| 정답해설 |
'~ 전통을 찾고 이를 계승하고자 한다면, 이것은 편협한 배타주의나 국수주의로 오인되기에 알맞은 이야기가 될 것 같다.'를 통해 '전통이란 어떤 것인가, 전통은 어떻게 계승되어 왔는가'가 괄호 안에 들어갈 말로 적절함을 알 수 있다. 따라서 ② '전통은 어떻게 계승되어 왔는가'가 정답이다.

| 정답 | ②

STEP 1 기출유형 익히기

● 다음 글의 괄호 안에 들어갈 말로 가장 적절한 것은? 2014 지방직 9급

> 우리는 대체로 머리끝에서 발끝까지를 서양식(西洋式)으로 꾸미고 있다. "목은 잘라도 머리털은 못 자른다."라고 하던 구한말(舊韓末)의 비분강개(悲憤慷慨)를 잊은 지 오래다. 외양(外樣)뿐 아니라, 우리가 신봉(信奉)하는 종교(宗敎), 우리가 따르는 사상(思想), 우리가 즐기는 예술(藝術), 이 모든 것이 대체로 서양적(西洋的)인 것이다.
> 우리가 연구하는 학문(學問) 또한 예외가 아니다. 피와 뼈와 살을 조상(祖上)에게서 물려받았을 뿐, 문화(文化)라고 일컬을 수 있는 거의 모든 것이 서양(西洋)에서 받아들인 것들인 듯싶다. 이러한 현실(現實)을 앞에 놓고서 민족 문화(民族文化)의 전통(傳統)을 찾고 이를 계승(繼承)하고자 한다면, 이것은 편협(偏狹)한 배타주의(排他主義)나 국수주의(國粹主義)로 오인(誤認)되기에 알맞은 이야기가 될 것 같다.
> 그러면 민족 문화의 전통을 말하는 것이 반드시 보수적(保守的)이라는 멍에를 메어야만 하는 것일까? 이 문제(問題)에 대한 올바른 해답(解答)을 얻기 위해서는, 전통이란 어떤 것이며, 또 (   )를 살펴보아야 할 것이다.

① 전통은 서구 문화와 어떤 관계를 맺고 있는가
② 전통은 어떻게 계승되어 왔는가
③ 전통은 앞으로 어떤 변화를 겪을 것인가
④ 전통은 서구 문화와 어떤 차이가 있는가

STEP 2 기출유형 분석하기

독해 비문학의 세 번째 유형은 '밑줄/괄호'이다. 이 유형은 보통 길지 않은 글을 제시하고 글 안에 있는 밑줄이나 괄호를 활용하여 문제를 구성하는 유형이다. 일반적으로 '괄호' 유형은 글 속에 괄호를 비워 두고 괄호에 들어갈 단어나 문장 등을 묻거나, 지문 뒤에 이어질 내용이나 지문 앞에 올 내용을 묻는 유형이 많다. '밑줄' 유형은 밑줄 친 단어나 문장의 의미를 묻거나, 〈보기〉를 통해 문장을 주고 글 속에 문장이 들어갈 위치를 묻는 유형이 많다. 독해 유형 중 특별히 어려운 유형은 아니지만, 일부 괄호 안에 들어갈 단어나 문장에서 밑줄 친 부분이 의미하는 내용이 생소할 경우라든지, 선택지에 제시된 단어들이 미세한 의미 차이를 가지고 있는 경우에는 수험생 입장에서 까다롭게 느낄 수 있는 유형이다. 이 유형 역시 독해를 기반으로 하는 유형이므로 독해 연습이 무엇보다 중요하다.

STEP 3 대표 기출발문

- 빈칸에 들어갈 단어로 적절한 것은?
- 괄호 안에 공통적으로 들어갈 단어로 가장 적합한 것은?
- ㉠~㉡에 들어갈 적절한 단어를 순서대로 옳게 나열한 것은?
- 밑줄 친 부분에 들어갈 말로 가장 적절한 것은?
- 괄호 안에 들어갈 문장으로 가장 적절한 것은?
- ㉠~㉣ 중 다음 〈보기〉가 들어갈 자리로 가장 적절한 것은?
- 다음 중 (A)가 들어갈 위치로 가장 적절한 것은?
- (　　　) 안에 들어갈 표현으로 가장 적절한 것은?
- ㉠~㉣ 중 밑줄 친 문장에서 강조하는 내용과 의미가 가장 가까운 것은?
- 밑줄 친 부분에 대한 풀이로 가장 적절한 것은?
- ㉠~㉣에서 온돌과 관련된 의미 중 나머지 셋과 거리가 가장 먼 것은?
- ㉠과 ㉡에 가장 알맞은 접속어는?
- 〈보기〉에 이어질 내용으로 가장 적절한 것은?
- 다음의 내용을 서론으로 하여 글을 쓸 때, 본론에 들어갈 내용으로 가장 적절하지 않은 것은?

STEP 4 독해방법 알아보기

공무원 국어 영역에서 '밑줄/괄호' 유형은 독해력 평가 유형이다. 따라서 무엇보다 글을 잘 읽는 것이 선행되어야 한다. 글을 잘 읽기 위한 방법은 앞에서 언급한 '주제 찾기' 유형의 접근법과 다르지 않다. 먼저 선택지를 잘 살펴보고 빈칸에 들어갈 단어 또는 밑줄의 의미가 될 선택지들을 점검한 후 글 전체 맥락을 읽어 나가되, 앞에서와 마찬가지로 잘 읽히지 않는 부분을 만났을 때는 연연하지 않고 건너뛰며 읽는다. 그리고 빈칸의 바로 앞과 뒤의 맥락(특히 바로 앞의 문장과 바로 뒤의 문장)을 특별히 잘 살펴보며 먼저 확인했던 선택지들 중 빈칸에 들어가거나 밑줄의 의미로 쓰이기에 적절한 문장이나 단어를 선택하면 된다. 이 유형을 잘 풀기 위해서는 어떤 특별한 기술보다도 앞의 유형들처럼 맥락을 잃지 않고 읽어 나가는 연습이 중요하다.

● **괄호 안에 들어갈 문장으로 가장 적절한 것은?** 2013 국가직 9급

> 힐링(Healing)은 사회적 압박과 스트레스 등으로 손상된 몸과 마음을 치유하는 방법을 포괄적으로 일컫는 말이다. 우리보다 먼저 힐링이 정착된 서구에서는 질병 치유의 대체 요법 또는 영적·심리적 치료 요법 등을 지칭하고 있다.
> 국내에서도 최근 힐링과 관련된 갖가지 상품이 유행하고 있다. 간단한 인터넷 검색을 통해 수천 가지의 상품을 확인할 수 있을 정도다. 종교적 명상, 자연 요법, 운동 요법 등 다양한 형태의 힐링 상품이 존재한다. 심지어 고가의 힐링 여행이나 힐링 주택 등의 상품들도 나오고 있다. 그러나 (　　　　　　　　　　　　　　　　　　　　) 우선 명상이나 기도 등을 통해 내면에 눈뜨고, 필라테스나 요가를 통해 육체적 건강을 회복하여 자신감을 얻는 것부터 출발할 수 있다.

① 힐링이 먼저 정착된 서구의 힐링 상품들을 참고해야 할 것이다.
② 많은 돈을 들이지 않고서도 쉽게 할 수 있는 일부터 찾는 것이 좋을 것이다.
③ 이러한 상품들의 값이 터무니없이 비싸다고 느껴지지는 않을 것이다.
④ 자신을 진정으로 사랑하는 법을 알아야 할 것이다.

단권화 MEMO

|정답해설|
②'고가의 힐링 여행이나 힐링 주택 등의 상품들도 나오고 있다.'를 '그러나'로 연결하고 있으므로 '많은 돈을 들이지 않는 힐링'에 관한 내용이 나와야 한다. 따라서 '많은 돈을 들이지 않고서도 쉽게 할 수 있는 일부터 찾는 것이 좋을 것이다.'가 적절한 내용이다. 괄호 뒤 맥락을 보더라도 '명상, 기도' 등 모두 '많은 돈을 들이지 않는 힐링'과 관련된 예를 들고 있음을 알 수 있다.

|정답| ②

단권화 MEMO

|정답해설|

빈칸의 앞부분에서 케인스는 인간의 행동은 합리성을 갖추기보다는 직관에 의존하기도 하고 충동에 좌우되기도 한다는 점을 제시하였다. 그러므로 ㉠에는 인간이 직관에 의해서 행동한다는 내용이 들어가는 것이 적절하다. 따라서 ④ '기업 투자는 이자율보다 기업가의 동물적 본능에 더 크게 영향을 받는다는' 내용이 들어가는 것이 적절하다.

|유형해설|

장문 독해 또한 단문 독해와 마찬가지로 글을 전반적으로 이해하면서 읽어 나가되, 괄호 앞 문장과 뒤 문장은 특별히 주의하며 읽어야 한다. ㉠의 앞 문장에서 제시하고 있는 직관, 충동 등의 단어들을 통해 정답을 쉽게 찾아낼 수 있다.

|정답| ④

STEP 5 수능형 살펴보기

● 문맥상 ㉠에 들어갈 말로 적당한 것은? 2006 9월 고3 모의고사

날마다 언론에서는 주식 시장이나 부동산 시장의 움직임을 설명하면서 투자 심리에 대해 이야기하지만, 정작 경제학에서는 '심리'에 대해 그다지 가르쳐 주지 않는다. 이 때문에 2002년에 카네만이라는 심리학자에게 노벨 경제학상이 수여되었을 때 많은 이들이 의아해했던 것이 사실이다. 경제학과 심리학이 무슨 상관이란 말인가?

물론, 1930년대 세계 대공황의 시기에 등장하여 자유방임의 철학에 수정을 가했던 케인스의 경제학이 인간의 심리적 측면에 대한 성찰에 근거하고 있음은 잘 알려진 사실이다. 그러나 케인스는 인간의 심리 그 자체를 과학적으로 파고들었다기보다, 우리의 의사 결정은 늘 미래가 불확실한 상황에서 이루어진다는 점과 우리가 직면하는 불확실성은 확률적으로도 파악하기 힘든 것이 대부분이라는 점을 강조하였다. 앞으로 어떻게 될지 모르는 상황에서도 무엇인가를 선택할 수밖에 없는 것이 인간의 운명이기에 인간의 행동은 경제학에서 가정하는 합리성을 갖추기보다는 때로는 직관에 의존하기도 하고 때로는 충동에 좌우되기도 한다는 것이다. [㉠] 그의 생각은 경제학도들 사이에서 인간 심리의 중요성을 강조하는 경구로 회자되었을지언정 합리성을 전제로 한 경제학의 접근 방법을 바꾸어 놓는 데까지 나아가지는 못했다.

그런데 카네만과 같은 확률 인지 심리학자들의 연구는 경제학의 방법론을 바꾸는 계기를 마련하였다. 그들은 사람들이 확률에 대해 판단할 때에 '주관적 추론'에 의존하는 경향이 매우 크다는 사실을 알아냈다. 예를 들어, A가 B에 속할 확률을 판단할 때 실제 확률에 영향을 미치는 정보보다 A가 B를 얼마나 닮았는지에 더 영향을 받는다거나, A의 구체적인 예를 떠올리기 쉬울수록 A가 발생할 확률이 더 크다고 판단한다거나, 또한 새로운 정보가 추가됨에 따라 자신의 평가를 조정하지만 최종적인 추정 결과는 처음의 평가 쪽으로 기울기 쉬운 경향이 있다는 것 등이다. 이러한 주관적 추론은 편리한 인지 방법이지만, 체계적인 편향이나 심각한 오류를 낳기 쉽다.

이러한 성과에 기초하여 이들은 합리적인 인간 행동에 대한 기존의 인식을 비판하는 연구로 나아갔다. 그 가운데 하나가 이득에 관한 의사 결정과 손실에 관한 의사 결정 사이의 비일관성에 대한 연구이다. 이들은 매우 다양한 실험을 통해, 이득이 생기는 경우에는 사람들이 '위험(risk)'을 기피하지만, 손실을 보는 경우에는 위험을 선호하는 비일관성이 나타난다는 사실을 발견하였다. 이러한 행동은 이해할 만한 것이기는 해도 불확실한 상황에서의 합리적인 행동에 대한 가장 핵심적인 가정, 즉 위험에 대한 태도의 일관성과는 모순된다. 카네만 등은 이러한 실험 결과가 사람들이 위험을 싫어하는 것이 아니라 손실을 싫어하는 것임을 보여 준다고 해석하였다. 손실은 언제나 이득보다 더 크게 보인다는 것이다.

이러한 연구는 합리성에 대한 일정한 가정에 기초하여 사회 현상을 다루어 온 경제학으로 하여금 인간의 행동에 대한 가정보다는 그에 대한 관찰에서 출발할 것을 요구하는 것이라 하겠다. 과연 심리학이 경제학을 얼마나, 그리고 어떻게 바꾸어 놓을지 그 귀추가 기대된다.

① 투자 관리는 예술도 과학도 아니고 공학이라는

② 직관은 많은 것을 하지만, 모든 것을 하지는 않는다는

③ 시장에만 맡겨 둔다면 비참한 결과를 낳을 수 있을 것이라는

④ 기업 투자는 이자율보다 기업가의 동물적 본능에 더 크게 영향을 받는다는

⑤ 과학의 장점은 우리 인간을 미혹으로 이끄는 감정을 배제한다는 것이라는

더 알아보기 전개 순서(배열) 유형

'전개 순서(배열)'는 일반적인 독해 비문학 유형으로 보기는 어렵지만 공무원 국어 시험문제에서 쉽게 볼 수 있는 유형이다.

1. 문장의 상대적 위치 파악

이 유형을 잘 풀기 위한 첫 번째 방법은, 문장의 '상대적 위치'를 따져 보는 것이다. 즉, 글이 시작되는 첫 번째 문장을 찾는 것이다. 예를 들어, 아래와 같은 선택지가 있다고 가정해 보자.

① ㄱ - ㄷ - ㄴ - ㄹ ② ㄱ - ㄹ - ㄷ - ㄴ
③ ㄷ - ㄱ - ㄴ - ㄹ ④ ㄷ - ㄴ - ㄱ - ㄹ

첫 번째 문장이 될 수 있는 후보는 'ㄱ'이 아니면 'ㄷ'이다. 따라서 첫 번째 문장 후보가 정해졌으므로 다른 문장들은 읽을 필요가 없는 것이다. 이렇게 첫 번째 문장의 후보를 추린 다음, 'ㄱ'과 'ㄷ'의 상대적 위치를 확인해야 한다. '상대적 위치'는 'ㄱ'과 'ㄷ', 이 둘을 놓고 봤을 때 '조금이라도 앞에 올 수 있는 문장은 무엇인가?, 그 근거는 무엇인가?'의 대답을 통해 확인할 수 있다. 예를 들어 'ㄱ' 문장이 '따라서 우리가 해야 할 일은 민족 문화를 보호하는 것이다.'라고 한다면 'ㄱ'은 첫 번째 문장이 될 수 없다. 그 이유는 '따라서' 때문이다. '따라서'라는 접속 부사의 사용은 'ㄱ' 문장 앞에 다른 문장이 필수적으로 있어야 함을 말해 준다. 하나의 예를 더 들어 보면 'ㄱ' 문장이 '도플러 효과란 파동을 발생시키는 파원과 그 파동을 관측하는 관측자 중 하나 이상이 운동하고 있을 때 발생하는 효과로……'이고, 'ㄴ' 문장이 '도플러 효과가 우리 실생활에 사용된 예를 들자면……'이라고 한다면 'ㄱ' 문장과 'ㄴ' 문장의 상대적 위치는 'ㄱ' 문장이 앞이 된다. 그 이유는 'ㄱ' 문장에서 '도플러 효과'를 정의하였기 때문에 'ㄴ' 문장에서 아무 부담 없이 '도플러 효과'라는 용어를 사용할 수 있는 것이기 때문이다.

2. 받는 표현인 문장 파악

이 유형을 잘 풀기 위한 두 번째 방법은, '받는 표현'을 잘 살펴보는 것이다. '받는 표현'이란 앞에 오는 문장의 내용을 뒤에 오는 문장이 받아서 표현해 주는 것을 말한다. 예를 들어,

① 철수는 어제 영희를 만나서 밥도 먹고 영화도 보고 산책도 하며 즐거운 시간을 보냈다.
② 데이트를 한 철수는 집에 돌아와 부모님을 도와 청소도 하고 음식도 만들고 부모님 안마도 해 드렸다.
③ 오랜만에 효도를 한 철수는 기분이 좋기도 했지만 그동안 부모님께 자신이 너무 무심했다는 생각이 들어 반성도 하였다.

밑줄 그은 부분이 '받는 표현'이다. 일반적으로 공무원 국어 '문장 배열' 문제는 받는 표현이 잘 드러나므로 받는 표현을 통해 앞 문장과 뒤 문장의 선후 관계를 파악할 수 있다.

지금까지 살펴본 풀이 방법에 따라 다음 문제를 풀어 보자.

3. 적용해 보기

내용의 전개에 따라 바르게 배열한 것은? 2017 국가직 9급

(가) 사물은 저것 아닌 것이 없고, 또 이것 아닌 것이 없다. 이쪽에서 보면 모두가 저것, 저쪽에서 보면 모두가 이것이다.
(나) 그러므로 저것은 이것에서 생겨나고, 이것 또한 저것에서 비롯된다고 한다. 이것과 저것은 저 혜시(惠施)가 말하는 방생(方生)의 설이다.
(다) 그래서 성인(聖人)은 이런 상대적인 방법에 의하지 않고, 그것을 절대적인 자연의 조명(照明)에 비추어 본다. 그리고 커다란 긍정에 의존한다. 거기서는 이것이 저것이고 저것 또한 이것이다. 또 저것도 하나의 시비(是非)이고 이것도 하나의 시비이다. 과연 저것과 이것이 있다는 말인가. 과연 저것과 이것이 없다는 말인가.
(라) 그러나 그, 즉 혜시(惠施)도 말하듯이 삶이 있으면 반드시 죽음이 있고, 죽음이 있으면 반드시 삶이 있다. 역시 된다가 있으면 안 된다가 있고, 안 된다가 있으면 된다가 있다. 옳다에 의거하면 옳지 않다에 기대는 셈이 되고, 옳지 않다에 의거하면 옳다에 의지하는 셈이 된다.

① (가) - (나) - (다) - (라) ② (가) - (나) - (라) - (다)
③ (가) - (다) - (나) - (라) ④ (가) - (라) - (나) - (다)

단권화 MEMO

| 정답해설 | ② (가)에서는 이것과 저것의 구분이 없음을 말하고 있으며, (나)에서는 이것이 혜시가 말하는 방생의 설임을 설명하였다. 그러나 (라)에서는 삶이 있으면 죽음이 있듯이 사물은 상대성이 있음을 설명하였다. 그래서 (다)에서는 성인은 상대적인 방법에 의하지 않고 절대적인 자연을 기준으로 삼음을 밝히고 있다.

| 정답 | ②

II 독해 비문학

교수님 코멘트▶ 이 영역에서는 글의 주제 찾기, 일치/불일치 확인하기, 문장이나 문단 배열하기, 괄호에 들어갈 단어, 문장, 문단 추론하기 등이 자주 출제된다. 특히 최근에는 독해 중에서도 장문 독해 부분의 출제 비중이 높아지고 있는 추세이다. 짧은 글을 읽는 연습뿐만 아니라 긴 글을 빠르게 읽고 문제를 푸는 연습도 필요하다.

주제 찾기

01

2018 국가직 9급

다음 글의 중심 내용으로 가장 적절한 것은?

'언문'은 실용 범위에 제약이 있었는데, 이런 현실은 '언간'에도 적용된다. '언간' 사용의 제약은 무엇보다 이것을 주고받은 사람의 성별(性別)에서 뚜렷이 드러난다. 15세기 후반 이래로 숱한 언간이 현전하지만 남성 간에 주고받은 언간은 찾아보기 어렵다. 이는 남성 간에는 한문 간찰이 오간 때문이나 남성이 공적인 영역을 독점했던 당시의 현실을 감안하면 '언문'이 공식성을 인정받지 못했던 사실과 상통한다. 결국 조선시대에는 언간의 발신자나 수신자 어느 한쪽으로 반드시 여성이 관여하는 특징을 보인다고 할 수 있다.

이러한 사용자의 성별 특징으로 인하여 종래 '언간'은 '내간'으로 일컬어지기도 하였다. 그러나 이러한 명칭 때문에 내간이 부녀자만을 상대로 하거나 부녀자끼리만 주고받은 편지로 오해되어서는 안 된다. 16, 17세기의 것만 하더라도 수신자는 왕이나 사대부를 비롯하여 한글 해독 능력이 있는 하층민에 이르기까지 거의 전 계층의 남성이 될 수 있었기 때문이다. 한문 간찰이 사대부 계층 이상 남성만의 전유물이었다면 언간은 특정 계층에 관계없이 남녀 모두의 공유물이었다고 할 수 있다.

① '언문'과 마찬가지로 '언간'의 실용 범위에는 제약이 있었다.
② 사용자의 성별 특징으로 인해 '언간'은 '내간'으로 일컬어졌다.
③ 언간은 특정 계층과 성별에 관계없이 이용된 의사소통 수단이었다.
④ 조선 시대에는 언간의 발신자나 수신자 어느 한쪽으로 반드시 여성이 관여하는 특징을 보인다.

02

2016 국가직 9급

다음 글을 읽고 추론한 내용으로 가장 적절한 것은?

한 연구원이 어떤 실험을 계획하고 참가자들에게 이렇게 설명했다.

"여러분은 지금부터 둘씩 조를 지어 함께 일을 하게 됩니다. 여러분의 파트너는 다른 작업장에서 여러분과 똑같은 일을, 똑같은 노력을 기울여야 할 것입니다. 이번 실험에 대한 보수는 각 조당 5만 원입니다."

실험 참가자들이 작업을 마치자 연구원은 참가자들을 세 부류로 나누어 각각 2만 원, 2만 5천 원, 3만 원의 보수를 차등 지급하면서, 그들이 다른 작업장에서 파트너가 받은 액수를 제외한 나머지 보수를 받은 것으로 믿게 하였다.

그 후 연구원은 실험 참가자들에게 몇 가지 설문을 했다. '보수를 받고 난 후에 어떤 기분이 들었는지, 나누어 받은 돈이 공정하다고 생각하는지'를 묻는 것이었다. 연구원은 설문을 하기 전에 3만 원을 받은 참가자가 가장 행복할 것이라고 예상했다. 그런데 결과는 예상과 달랐다. 3만 원을 받은 사람은 2만 5천 원을 받은 사람보다 덜 행복해했다. 자신이 과도하게 보상을 받아 부담을 느꼈기 때문이다. 2만 원을 받은 사람도 덜 행복해한 것은 마찬가지였다. 받아야 할 만큼 충분히 받지 못했다고 생각했기 때문이다.

① 인간은 공평한 대우를 받을 때 더 행복해한다.
② 인간은 남보다 능력을 더 인정받을 때 더 행복해한다.
③ 인간은 타인과 협력할 때 더 행복해한다.
④ 인간은 상대를 위해 자신의 몫을 양보했을 때 더 행복해한다.

03

2019 국가직 7급

다음 글의 주장으로 가장 적절한 것은?

> 사람은 일곱 자의 몸뚱이를 지니고 있지만 마음과 이치를 제하고 나면 귀하다 할 만한 것은 없다. 온통 한 껍데기의 피고름이 큰 뼈 덩어리를 감싸고 있을 뿐이다. 배고프면 밥 먹고 목마르면 물 마신다. 옷을 입을 줄도 알고 음탕한 욕심을 채울 줄도 안다. 가난하고 천하게 살면서 부귀를 사모하고, 부귀하게 지내면서 권세를 탐한다. 성날 때는 싸우고 근심이 생기면 슬퍼한다. 궁하게 되면 못하는 짓이 없고, 즐거우면 음란해진다. 무릇 백 가지 하는 바가 한결같이 본능에 따르니, 늙어 죽은 뒤에야 그만둘 따름이다. 그렇다면 이를 짐승이라 말하여도 괜찮을 것이다.

① 근심과 슬픔은 늙기 전까지 끊이지 않는다.
② 빈부 격차는 인간 삶의 지향성에 영향을 준다.
③ 마음으로 본능을 다스리는 삶의 자세가 필요하다.
④ 자연의 이치를 알고자 하는 욕구는 사람에게 본능적이다.

04

2019 지방직 9급

다음 글의 제목으로 가장 적절한 것은?

> 계몽주의 사상가들은 명백히 모순되는 두 개의 견해를 취했다. 그들은 인간의 위치를 자연계 안에서 해명하려고 애썼다. 역사의 법칙이란 것을 자연의 법칙과 동일한 것으로 여겼다. 다른 한편, 그들은 진보를 믿었다. 그렇다면 그들이 자연을 진보하는 것으로, 다시 말해 끊임없이 어떤 목적을 향해서 전진하는 것으로 받아들인 데에는 어떤 근거가 있었던가? 헤겔은 역사는 진보하는 것이고 자연은 진보하지 않는 것이라고 뚜렷이 구분했다. 반면, 다윈은 진화와 진보를 동일한 것으로 주장함으로써 모든 혼란을 정리한 듯했다. 자연도 역사와 마찬가지로 진보하는 것으로 본 것이다. 그러나 이것은 진화의 원천인 생물학적인 유전(biological inheritance)을 역사에서의 진보의 원천인 사회적인 획득(social acquisition)과 혼동함으로써 훨씬 더 심각한 오해에 이를 수 있는 길을 열어 놓았다. 오늘날 그 둘이 분명히 구별된다는 것은 익히 알려진 것이다.

① 자연의 진보에 대한 증거
② 인간 유전의 사회적 의미
③ 역사의 법칙과 자연의 법칙
④ 진보와 진화에 관한 견해들

정답&해설

01 ③ 주제 찾기

글의 요지는 '언간은 발신자나 수신자 어느 한쪽으로 반드시 여성이 관여해야 하지만 그렇다고 남성이 배제된 것은 아니었다. 언간은 특정 계층에 관계없이 남녀 모두의 공유물이었다.'이다. 따라서 정답은 ③이다.

| 오답해설 | ①②④ 지문에 내용이 언급되기는 하지만 중심 내용으로 보기는 어렵다.

02 ① 주제 찾기

제시된 글의 실험 내용은 피험자가 자신의 파트너보다 더 보상받거나 덜 보상받을 때 모두 행복해하지 않았음을 보여 준다. 그러므로 인간은 공평한 대우를 받을 때 더 행복해한다는 ①이 정답이다.

03 ③ 주제 찾기

③ 필자는 마음과 이치를 제외하면 우리 몸뚱이는 귀할 것이 없다고 주장한다. 우리 몸은 다만 본능에 따르는 짐승일 뿐이라고 생각하고 있고 이를 비판하고 있다. 따라서 마음과 이치를 통해 본능을 다스리는 삶을 살아가기를 요구하고 있다고 볼 수 있다.

04 ④ 주제 찾기

글쓴이는 계몽주의 사상가인 헤겔과 다윈 등을 소개하며 진보와 진화에 대해 다양한 견해를 설명하고 있다. 따라서 글의 제목으로 ④가 가장 적절하다.

| 정답 | 01 ③ 02 ① 03 ③ 04 ④

05

2016 국가직 9급

글의 제목으로 가장 적절한 것은?

평화로운 시대에 시인의 존재는 문화의 비싼 장식일 수 있다. 그러나 시인의 조국이 비운에 빠졌거나 통일을 잃었을 때 시인은 장식의 의미를 떠나 민족의 예언가가 될 수 있고, 민족혼을 불러일으키는 선구자적 지위에 놓일 수도 있다. 예를 들면 스스로 군대를 가지지 못한 채 제정 러시아의 가혹한 탄압 아래 있던 폴란드 사람들은 시인의 존재를 민족의 재생을 예언하고 굴욕스러운 현실을 탈피하도록 격려하는 예언자로 여겼다. 또한 통일된 국가를 가지지 못하고 이산되어 있던 이탈리아 사람들은 시성 단테를 유일한 '이탈리아'로 숭앙했고, 제1차 세계 대전 때 독일군의 잔혹한 압제하에 있었던 벨기에 사람들은 베르하렌을 조국을 상징하는 시인으로 추앙하였다.

① 시인의 생명(生命)　② 시인의 운명(運命)
③ 시인의 사명(使命)　④ 시인의 혁명(革命)

06

2016 지방직 9급

다음 글의 제목으로 가장 적절한 것은?

어느 대학의 심리학 교수가 그 학교에서 강의를 재미없게 하기로 정평이 나 있는, 한 인류학 교수의 수업을 대상으로 실험을 계획했다. 그 심리학 교수는 인류학 교수에게 이 사실을 철저히 비밀로 하고, 그 강의를 수강하는 학생들에게만 사전에 몇 가지 주의 사항을 전달했다. 첫째, 그 교수의 말 한 마디 한 마디에 주의를 집중하면서 열심히 들을 것. 둘째, 얼굴에는 약간 미소를 띠면서 눈을 반짝이며 고개를 끄덕이기도 하고 간혹 질문도 하면서 강의가 매우 재미있다는 반응을 겉으로 나타내며 들을 것.

한 학기 동안 계속된 이 실험의 결과는 흥미로웠다. 우선 재미없게 강의하던 그 인류학 교수는 줄줄 읽어 나가던 강의 노트에서 드디어 눈을 떼고 학생들과 시선을 마주치기 시작했고 가끔씩은 한두 마디 유머 섞인 농담을 던지기도 하더니, 그 학기가 끝날 즈음엔 가장 열의 있게 강의하는 교수로 면모를 일신하게 되었다. 더욱더 놀라운 것은 학생들의 변화였다. 처음에는 실험 차원에서 열심히 듣는 척하던 학생들이 이 과정을 통해 정말로 강의에 흥미롭게 참여하게 되었고, 나중에는 소수이긴 하지만 아예 전공을 인류학으로 바꾸기로 결심한 학생들도 나오게 되었다.

① 학생 간 의사소통의 중요성
② 교수 간 의사소통의 중요성
③ 언어적 메시지의 중요성
④ 공감하는 듣기의 중요성

07

2014 국가직 7급

다음 글의 제목으로 가장 적절한 것은?

소설가는 자신이 인생에서 발견한 것을 이야기로 풀어 쓰는 사람이다. 그가 발견하는 것은 사회의 모순일 수도 있고 본능의 진실이거나 영혼의 전율일 수도 있다. 어쨌든 소설가는 그것을 써서 발견자로서의 책임을 짊어진다.

인터넷 시대의 디지털 환경은 이 같은 발견자의 자신감을 뒤흔들어 놓았다. 심란한 얼굴로 소설의 위기를 말하는 작가들이 늘어났다. 멀티미디어의 등장으로 독자들의 관심이 문학에서 멀어져 가는 현상은 차라리 표면적인 위기라고 한다. 정보 혁명이 초래한 현실의 복잡성 때문에 인생을 관찰하고 뭔가를 발견하기 힘들다는 무력감이야말로 한층 더 심층적인 위기라는 것이다.

누구나 자유롭게 자기를 표현할 수 있는 인터넷의 쌍방향성은 독자와 작가의 구별을 없애 버렸다. 또 독자 스스로 이야기의 중요 지점에 개입하여 뒷이야기를 선택할 수 있는 하이퍼텍스트 픽션이 등장했다. 미국에서 CD로 출판된 셸리 잭슨의 하이퍼텍스트 픽션 '패치워크 걸(Patchwork Girl)'은 상업적으로 성공했을 뿐만 아니라 다중 인격의 역동성과 여성적인 몸의 상징성을 잘 표현한 걸작이라는 찬사를 받고 있다. 소설은 빠른 속도로 시뮬레이션 게임에 가까워지고 있는 것이다.

언어에 대한 날카로운 감수성으로 삶의 궁극적인 의문들을 다뤄 온 소설가들에게 작품이 네트워크 위에 떠서 음악, 사진, 동영상과 결합돼 가는 이런 변화는 확실히 당혹스럽다. 그러나 이것이 과연 소설가의 존재 이유를 뒤흔들 만큼 본질적인 변화일까. 단연코 아니라고 말하고 싶다.

① 정보 혁명과 소설의 몰락
② 디지털 시대와 소설가의 변화
③ 소설가의 사명과 소설의 본질
④ 소설과 하이퍼텍스트

08

2014 지방직 9급

다음 글의 제목으로 가장 적절한 것은?

> 예술에 해당하는 '아트(art)'는 '조립하다', '고안하다'라는 의미를 가진 라틴어의 '아르스(ars)'에서 비롯되었고, 예술을 의미하는 독일어 '쿤스트(Kunst)'는 '알고 있다', '할 수 있다'라는 의미의 '쾬넨(können)'에서 비롯되었다. 이러한 의미 모두 일정한 목적을 가진 일을 잘 해낼 수 있는 숙련된 기술을 의미한다. 따라서 이들 용어는 예술뿐만 아니라 수공이나 기타 실용적인 기술들을 모두 포괄하고 있다고 볼 수 있다.
>
> 미적인 의미로 한정해서 쓰이는 예술의 개념은 18세기에 들어와서야 비로소 두드러지게 나타나기 시작했으며 예술을 일반적인 기술과 구별하기 위하여 특별히 '미적 기술(영어: fine arts, 프랑스어: beaux-arts)'이라고 하는 표현이 사용되었다. 생활에 유용한 것을 만들기 위한 실용적인 기술과 구별되는 좁은 의미의 예술은 조형 예술에 국한되기도 하지만, 일반적으로는 조형 예술 이외의 음악, 문예, 연극, 무용 등을 포함한 미적 가치의 실현을 본래의 목적으로 하는 기술을 가리키는 것으로 이해된다.

① '예술'과 '기술'의 차이
② '예술'의 변천과 그 원인
③ '예술'의 속성과 종류
④ '예술'의 어원과 그 의미의 변화

정답&해설

05 ③ 주제 찾기

제시된 글에서는 시인이 평화로운 시대에는 장식적 존재일 수 있으나 그렇지 않은 시대에는 민족의 예언가나 선구자적 지위에 놓인다고 주장하였다. 이때의 예언가, 선구자는 시인의 역할로 볼 수 있으므로, '맡겨진 임무'를 뜻하는 ③ '시인의 사명'이 가장 적절하다.

06 ④ 주제 찾기

학생들이 인류학 교수에게 보인 반응은 적극적인 언어적·비언어적 메시지를 활용한 듣기이므로 공감적 듣기라고 할 수 있다. 또한 학생들의 이러한 반응은 교수를 변화시켰을 뿐 아니라 학생들의 행동과 태도의 변화도 가져왔으므로 제시된 글의 내용은 ④ '공감하는 듣기의 중요성'을 설명하고 있는 것으로 볼 수 있다.

07 ② 주제 찾기

제시된 글은 인터넷 시대의 디지털 환경으로 인한 소설가들의 위기의식을 말하고 있다. 하지만 필자는 이는 소설가들의 본질을 흔들 만한 것은 아니라고 말하며, 결국 '위기'가 아닌 '변화 과정'이라는 입장을 밝히고 있다. 따라서 ② '디지털 시대와 소설가의 변화'가 제시된 글의 제목으로 적절하다.

08 ④ 주제 찾기

제시된 글은 예술을 의미하는 단어인 '아트(art)'와 '쿤스트(Kunst)'의 어원을 소개하면서 해당 용어의 의미가 예술뿐만 아니라 수공이나 기타 실용적인 기술들을 모두 포괄하는 것에서 어떻게 미적인 의미로 한정해서 쓰이게 되었는지 설명하고 있다. 따라서 ④ '예술의 어원과 그 의미의 변화'가 제목으로 적절하다.

| 정답 | 05 ③ 06 ④ 07 ② 08 ④

09
2014 지방직 7급

다음 글의 중심 내용으로 가장 적절한 것은?

옛날 어느 나라에 장군이 있었다. 병사들과 생사고락을 같이하는, 능력 있는 장군이었다. 하루는 전쟁터에서 휘하의 군사들을 점검하다가 등창이 나서 고생하는 한 병사를 만났다. 장군은 그 병사의 종기에 입을 대고 피고름을 빨아냈다. 종기로 고생하던 병사는 물론 그 장면을 지켜본 모든 군사들이 장군의 태도에 감동했다. 하지만 이 소식을 들은 그 병사의 어머니는 슬퍼하며 소리 내어 울었다. 마을 사람들이 의아해하며 묻자 그 어머니는 말했다. 장차 내 아들이 전쟁터에서 죽게 될 텐데, 어찌 슬프지 않겠는가.

이 병사의 어머니는, 교환의 질서와 구분되는 증여의 질서를 정확하게 간파하고 있다. 말뜻 그대로 보자면 교환은 주고받는 것이고, 증여는 그냥 주는 것이다. 교환의 질서가 현재 우리 삶의 핵심적인 요소라는 점에는 긴 설명이 필요 없을 것이다. 자본주의 시장 경제의 으뜸가는 원리가 등가교환이기 때문이다. 그렇다면 증여의 질서란 무엇인가. 단지 주기만 하는 것인가. 일단 간 것이 있는데 오는 것이 없기는 어렵다. 위의 예에서처럼 장군은 단지 자기 휘하 병사의 병을 걱정했을 뿐이지만 그 행위는 다른 형태로 보답받는다. 자기를 배려하고 인정해 준 장군에게 병사가 돌려줄 수 있는 최고의 것은 목숨을 건 충성일 것이다. 어머니가 슬퍼했던 것이 바로 그것이기도 했다. 내게 주어진 신뢰와 사랑이라는 무형의 선물을 목숨으로 갚아야 한다는 것.

그렇다면 교환이나 증여는 모두 주고받는 것이라는 점에서는 마찬가지가 아닌가. 이 둘은 어떻게 구분되는가. 최소한 세 가지 점을 지적할 수 있겠다. 첫째, 교환과 달리 증여는 계량 가능한 물질을 매개로 하지 않는다. 둘째, 교환에서는 주고받는 일이 동시적으로 이루어지지만, 선물을 둘러싼 증여와 답례는 시간을 두고 이루어진다. 그래서 증여는 '지연된 교환'이다. 셋째, 교환과는 달리 증여에는 이해관계가 개입하지 않는다.

① 증여와 교환의 차이
② 어머니의 자식 사랑
③ 자본주의 시장 경제의 원리
④ 장군의 헌신과 사랑

10
2014 지방직 9급

다음 글의 중심 내용으로 가장 적절한 것은?

한 번에 두 가지 이상의 일을 할 때 당신은 마음에게 흩어지라고 지시하는 것입니다. 그것은 모든 분야에서 좋은 성과를 내는 데 필수적인 요소가 되는 집중과는 정반대입니다. 당신은 자신의 마음이 분열되는 상황에 처하도록 하는 경우도 많습니다. 마음이 흔들리도록, 과거나 미래에 사로잡히도록, 문제들을 안고 낑낑거리도록, 강박이나 충동에 따라 행동하는 때가 그런 경우입니다. 예를 들어, 읽으면서 동시에 먹을 때 마음의 일부는 읽는 데 가 있고, 일부는 먹는 데 가 있습니다. 이런 때는 어느 활동에서도 최상의 것을 얻지 못합니다. 다음과 같은 부처의 가르침을 명심하세요. '걷고 있을 때는 걸어라. 앉아 있을 때는 앉아 있어라. 갈팡질팡하지 마라.' 당신이 하는 모든 일은 당신의 온전한 주의를 받을 가치가 있는 것이어야 합니다. 단지 부분적인 주의를 받을 가치밖에 없다고 생각하면, 그것이 진정으로 할 가치가 있는지 자문하세요. 어떤 활동이 사소해 보이더라도, 당신은 마음을 훈련하고 있다는 사실을 명심하세요.

① 일을 시작하기 전에 먼저 사소한 일과 중요한 일을 구분하는 습관을 기르라.
② 한 번에 두 가지 이상의 일을 성공적으로 수행할 수 있도록 훈련하라.
③ 자신이 하는 일에 전적으로 주의를 집중하라.
④ 과거나 미래가 주는 교훈에 귀를 기울이라.

11

2020 지방직(= 서울시) 9급

다음 글의 주장으로 가장 적절한 것은?

> 우리에게 친숙한 동물들의 사소한 행동을 살펴보면 그들이 자신의 환경을 개조한다는 것을 알 수 있다. 가장 단순한 생명체는 먹이가 그들에게 헤엄쳐 오게 만들고, 고등동물은 먹이를 구하기 위해 땅을 파거나 포획 대상을 추적하기도 한다. 이처럼 동물들은 자신의 목적을 위해 행동함으로써 환경을 변형시킨다. 이러한 생존 방식을 흔히 환경에 적응하는 것으로 설명한다. 그러나 이러한 설명은 생명체들이 그들의 환경 개변(改變)에 능동적으로 행동한다는 중요한 사실을 놓치고 있다.
>
> 가장 고등한 동물인 인간도 다른 생명체와 마찬가지로 생존이나 적응을 넘어서 환경에 대해 적극성을 보인다. 이는 인간의 세 가지 충동—사는 것, 잘 사는 것, 더 잘 사는 것—으로 인하여 가능하다. 잘 살기 위한 노력은 순응적이기보다는 능동적인 모습으로 나타나게 된다. 인간도 생명체이다. 더 잘 살기 위해서는 환경에 순응할 수만은 없다.

① 인간은 환경에 적응해 왔다.
② 삶의 기술은 생존을 위한 것이다.
③ 생명체는 환경을 능동적으로 변형한다.
④ 인간은 잘 사는 것을 삶의 목표로 한다.

정답&해설

09 ① 주제 찾기

제시된 글은 '장군의 일화'를 통해 끌어온 '증여'의 개념을 바탕으로 '증여와 교환'의 의미를 3가지 관점에서 구별하고 있다. 따라서 전체 맥락을 통해 ① '증여와 교환의 차이'가 중심 내용임을 알 수 있다.

10 ③ 주제 찾기

'한 번에 두 가지 이상을 같이 하지 마라. 그러면 어느 것도 최상의 것을 얻지 못한다. 당신이 하는 모든 일에 온전한 주의를 기울여라.'가 제시된 글의 핵심 내용이다. 이를 정리하면 ③ '자신이 하는 일에 전적으로 주의를 집중하라.'가 정답이다.

11 ③ 주제 찾기

③ 1문단 "우리에게 친숙한 동물들의 사소한 행동을 살펴보면 그들이 자신의 환경을 개조한다는 것을 알 수 있다."와 2문단 "인간도 생명체이다. 더 잘 살기 위해서는 환경에 순응할 수만은 없다."를 통해 '생명체는 환경을 능동적으로 변형한다.'라는 주장을 확인할 수 있다.

| 정답 | 09 ① 10 ③ 11 ③

내용 일치/불일치

12

2022 국가직 9급

다음 글에 대한 이해로 적절하지 않은 것은?

국가정보자원관리원과 ○○시는 빅데이터 기반의 맞춤형 복지 서비스 분석 사업을 수행했다. 국가정보자원관리원은 자체 확보한 공공 데이터와 ○○시로부터 받은 복지 사업 관련 데이터를 활용하여 '복지 공감 지도'를 제작하고, 복지 기관 접근성 분석을 통해 취약 지역 지원 방안을 제시했다.

복지 공감 지도는 공간 분석 시스템을 활용하여 ○○시에 소재한 복지 기관들의 다양한 지원 항목과 이를 필요로 하는 복지 대상자, 독거노인, 장애인 등의 수급자 현황을 한눈에 확인할 수 있도록 구현한 것이다. 이 지도를 활용하면 복지 혜택이 필요한 지역과 수급자를 빨리 찾아낼 수 있으며, 생필품 지원이나 방문 상담 등 복지 기관의 맞춤형 대응이 가능하고, 최적의 복지 기관 설립 위치를 선정할 수 있다.

이 사업을 통해 ○○시는 그동안 복지 기관으로부터 도보로 약 15분 내 위치한 수급자에게 복지 혜택이 집중되고 있는 것도 확인했다. 이에 교통이나 건강 등의 문제로 복지 기관 방문이 어려운 수급자를 위해 맞춤형 복지 서비스가 절실하게 필요한 상황임을 발견하고, 복지 셔틀버스 노선을 4개 증설할 계획을 수립했다.

① 빅데이터를 활용하여 복지 사각지대를 줄이는 방안을 마련할 수 있다.
② 복지 기관과 수급자 거주지 사이의 거리는 복지 혜택의 정도에 영향을 준다.
③ 복지 기관 접근성 분석 결과는 복지 셔틀버스 노선 증설의 근거가 된다.
④ 복지 공감 지도로 복지 혜택에 대한 수급자들의 개별 만족도를 파악할 수 있다.

13

2022 국가직 9급

다음 글에 대한 이해로 적절하지 않은 것은?

△△시 시장님께

안녕하십니까? 저는 △△시에서 농장을 운영하는 □□□입니다. 이렇게 글을 쓰게 된 것은 우리 농장 근처에 신축된 골프장의 빛 공해 문제에 대해 말씀드리기 위함입니다. 빛이 공해가 될 수 있다는 말이 다소 생소하실 수도 있습니다. 하지만 지나친 야간 조명이 식물의 성장에 부정적인 영향을 끼쳐 작물 수확량을 감소시킬 수 있음은 이미 여러 연구를 통해 입증된 바 있습니다. 좀 늦었지만 △△시에서도 이 문제에 대해 경각심을 가질 필요가 있습니다. 실제로 골프장이 야간 운영을 시작했을 때를 기점으로 우리 농장의 수확률이 현저히 낮아졌음을 제가 확인했습니다. 물론, 이윤을 추구하는 골프장의 야간 운영을 무조건 막는다면 골프장 측에서 반발할 것입니다. 그래서 계절에 따라 야간 운영 시간을 조정하거나 운영 제한에 따른 손실금을 보전해 주는 등의 보완책도 필요합니다. 또한 ○○군에서도 빛 공해 문제를 해결하기 위해 야간 조명의 조도를 조정하는 프로젝트를 진행한 바 있으니 참고해 보시기 바랍니다. 모쪼록 시장님께서 이 문제에 관심을 가지고 농장과 골프장이 상생할 수 있는 정책을 펼쳐 주시기를 부탁드립니다.

① 시장에게 빛 공해로 농장이 겪는 어려움에 대해 관심을 촉구하고 있다.
② 건의에 대한 신뢰성을 높이기 위해 인용한 자료의 출처를 밝히고 있다.
③ 다른 지역에서 야간 조명으로 인한 폐해를 해결하기 위해 노력한 사례를 언급하고 있다.
④ 골프장의 야간 운영을 제한할 때 예상되는 문제점과 그 해결 방안에 대해 제시하고 있다.

14

2022 국가직 9급

다음 글에 대한 이해로 적절하지 않은 것은?

> 아동이 부모의 소유물 또는 종족의 유지나 국가의 방위를 위한 수단으로 간주되었던 전근대사회에서는 아동의 권리에 대한 인식이 존재하지 않았다. 산업혁명으로 봉건제도가 붕괴되고 자본주의가 탄생한 근대사회에 이르러 구빈법에 따른 국가 개입과 민간단체의 자발적인 참여로 아동보호가 시작되었다.
>
> 1922년 잽 여사는 아동권리사상을 담아 아동권리에 대한 내용을 성문화하였다. 이를 기초로 1924년 국제연맹에서는 전문과 5개의 조항으로 된 「아동권리에 관한 제네바 선언」을 채택하였다. 여기에는 "아동은 물질적으로나 정신적으로 정상적인 발달을 위해 필요한 조건이 충족되어야 한다."라든지 "아동의 재능은 인류를 위해 쓰인다는 자각 속에서 양육되어야 한다." 등의 내용이 포함되었다.
>
> 그러나 여기에서도 아동은 보호의 객체로만 인식되었을 뿐 생존, 보호, 발달을 위한 적극적인 권리의 주체로 인식되지는 않았다. 최근에 와서야 국제사회의 노력에 힘입어 아동은 보호되어야 할 수동적인 존재에서 자신의 권리를 주장할 수 있는 능동적인 존재로 자리매김할 수 있게 되었다. 1989년 유엔총회에서 채택된 「아동권리협약」이 그것이다.
>
> 우리나라는 이를 토대로 2016년 「아동권리헌장」 9개 항을 만들었다. 이 헌장은 '생존과 발달의 권리', '아동이 최선의 이익을 보장 받을 권리', '차별 받지 않을 권리', '자신의 의견이 존중될 권리' 등 유엔의 「아동권리협약」의 네 가지 기본 원칙을 포함하고 있다. 또한 전문에는 아동의 권리와 더불어 "부모와 사회, 국가와 지방자치단체는 아동의 이익을 최우선으로 고려해야 하며, 다음과 같은 아동의 권리를 확인하고 실현할 책임이 있다."라고 명시하여 아동을 둘러싼 사회적 주체들의 책임을 명확히 하였다.

① 아동의 권리에 대한 인식은 근대 이후에 형성되었다.
② 「아동권리헌장」은 「아동권리협약」을 토대로 만들어졌다.
③ 「아동권리에 관한 제네바 선언」, 「아동권리협약」, 「아동권리헌장」에는 모두 아동의 발달에 대한 내용이 들어가 있다.
④ 「아동권리에 관한 제네바 선언」은 아동을 적극적인 권리의 주체로 인식함으로써 아동의 권리에 대한 진전된 성과를 이루었다.

정답&해설

12 ④ 내용 일치/불일치

④ 복지 공감 지도로 복지 혜택에 대한 수급자들의 개별 만족도를 파악할 수 있다는 내용은 이 글에서 찾기 어렵다.

|오답해설| ① 1문단의 '국가정보자원관리원은 ~ 복지 기관 접근성 분석을 통해 취약 지역 지원 방안을 제시했다.'를 통해 알 수 있다.
② 3문단의 '도보로 약 15분 내 위치한 수급자에게 복지 혜택이 집중되고 있는 것도 확인했다.'를 통해 알 수 있다.
③ 3문단의 '이에 교통이나 ~ 증설한 계획을 수립했다.'를 통해 알 수 있다.

13 ② 내용 일치/불일치

② '이미 여러 연구를 통해 입증된 바 있습니다.'라는 표현은 있지만 이 연구의 출처를 정확하게 밝히고 있는 것은 아니다.

|오답해설| ① '이렇게 글을 쓰게 된 것은 ~ 빛 공해 문제에 대해 말씀드리기 위함입니다.'를 통해 알 수 있다.
③ 'OO군에서도 ~ 참고해 보시기 바랍니다.'를 통해 알 수 있다.
④ '이윤을 추구하는 골프장의 ~ 보완책도 필요합니다.'를 통해 알 수 있다.

14 ④ 내용 일치/불일치

④ 3문단의 '여기(「아동권리에 관한 제네바 선언」)에서도 아동은 보호의 객체로만 인식되었을 뿐 ~ 적극적인 권리의 주체로 인식되지는 않았다.'를 통해 「아동권리에 관한 제네바 선언」이 아동을 적극적인 권리의 주체로 인식하지 않았음을 알 수 있다.

|오답해설| ① 1문단의 '근대 사회에 이르러 ~ 아동 보호가 시작되었다.'를 통해 확인할 수 있다.
② 4문단의 '우리나라는 이(「아동권리협약」)를 토대로 2016년 「아동권리헌장」 9개 항을 만들었다.'를 통해 알 수 있다.
③ 2문단의 '정상적인 발달', 3문단의 '발달을 위한 적극적인 권리의 주체', 4문단의 '생존과 발달의 권리'를 통해 확인할 수 있다.

|정답| 12 ④ 13 ② 14 ④

15

2022 국가직 9급

글쓴이의 견해에 부합하는 것은?

문화란 공동체의 구성원들이 공유하는 생각과 행동 양식의 총체라고 할 수 있다. 문화를 연구하는 사람들의 주된 관심사는 특정 생각과 행동 양식이 하나의 공동체 안에서 전파되는 기제이다.

이에 대한 견해 중 하나는 문화를 생각의 전염이라는 각도에서 바라보는 것이다. 예컨대, 리처드 도킨스는 '밈(meme)'이라는 개념을 통해 생각의 전염 과정을 설명하고자 했다. 그에 따르면 문화는 복수의 밈으로 이루어져 있는데, 유전자에 저장된 생명체의 주요 정보가 번식을 통해 복제되어 개체군 내에서 확산되듯이, 밈 역시 유전자와 마찬가지로 공동체 내에서 복제를 통해 확산된다.

그러나 문화 전파의 기제를 설명하는 이론으로는 밈 이론보다 의사소통 이론이 더 적절해 보인다. 일례로, 요크셔 지역에 내려오는 독특한 푸딩 요리법은 누군가가 푸딩 만드는 것을 지켜본 후 그것을 그대로 따라 하는 방식으로 전파되었다기보다는 요크셔 푸딩 요리법에 대한 부모와 친척, 친구들의 설명을 통해 입에서 입으로 전파되고 공유되었을 가능성이 크다.

생명체의 경우와 달리 문화는 완벽하게 동일한 형태로 전파되지 않는다. 전파된 문화와 그것을 수용한 결과는 큰 틀에서는 비슷하더라도 세부적으로는 다를 수밖에 없다. 다시 말해 요크셔 지방의 푸딩 요리법은 다른 지방의 푸딩 요리법과 변별되는 특색을 지니는 동시에 요크셔 지방 내부에서도 가정이나 개인에 따라 약간씩의 차이를 보인다. 이는 푸딩 요리법의 수신자가 발신자가 전해 준 정보에다 자신의 생각을 덧붙였기 때문인데, 복제의 관점에서 문화의 전파를 설명하는 이론으로는 이와 같은 현상을 설명하기 어렵다. 반면, 의사소통 이론으로는 설명 가능하다. 이에 따르면 사람들은 자신이 들은 이야기를 남에게 전달할 때 들은 이야기에다 자신의 생각을 더해서 그 이야기를 전달하기 때문이다.

① 문화의 전파 기제는 밈 이론보다는 의사소통 이론으로 설명하는 것이 적절하다.
② 의사소통 이론에 따르면 문화의 수용 과정에는 수용 주체의 주관이 개입하지 않는다.
③ 의사소통 이론에 따르면 특정 공동체의 문화는 다른 공동체로 복제를 통해 전파될 수 있다.
④ 요크셔 푸딩 요리법이 요크셔 지방의 가정이나 개인에 따라 세부적인 차이를 보이는 현상은 밈 이론에 의해 설명할 수 있다.

16

2019 국가직 9급

(가)와 (나)를 통해서 추정하기 어려운 내용은?

(가) 찬성공 형제께서 정경부인의 상(喪)을 당하였다. 부윤공의 부인 이 씨가 우연히 언문 소설을 읽다가 그 소리가 밖으로 들렸다. 찬성공이 기뻐하지 않으며 제수를 계단 아래에 서게 하고, "부녀자의 무식을 심하게 책망할 필요는 없지만, 어찌 상중(喪中)에 있으면서 예의에 어긋난 책을 소리 내어 읽어서 스스로 평민과 같아지려 할 수 있는가?" 하고 꾸짖었다.

(나) 전기수: 늙은이가 동문 밖에 살면서 입으로 언문 소설을 읽었는데, 「숙향전」, 「소대성전」, 「심청전」, 「설인귀전」과 같은 전기 소설이었다. …(중략)… 잘 읽었기 때문에 옆에서 구경하는 사람들이 빙 둘러섰다. 가장 재미있고 긴요하여 매우 들을 만한 구절에 이르면 갑자기 침묵하고 소리를 내지 않았다. 사람들이 다음 이야기를 듣고 싶어서 다투어 돈을 던졌다. 이를 바로 '요전법(돈을 요구하는 법)'이라 한다.

① 상층 남성들은 상중의 예법에 대해 매우 엄격하였다.
② 혼자 소설을 보면서 소리 내어 읽기도 하였다.
③ 하층에서도 소설을 창작하는 사람이 많았다.
④ 상층이 아닌 하층에서도 소설을 즐겼다.

17

2019 국가직 9급

다음 글의 글쓰기 전략으로 볼 수 없는 것은?

고전파 음악은 어떤 음악인가? 서양 음악의 뿌리는 종교 음악에서 비롯되었다. 바로크 시대까지는 음악이 종교에 예속되어 있었으며, 음악가들 또한 종교에 예속되어 있었다. 고전파는 이렇게 종교에 예속되었던 음악을, 음악을 위한 음악으로 정립하려는 예술 운동에서 출발하였다. 따라서 종래의 신을 위한 음악에서 탈피해 형식과 내용의 일체화를 꾀하고 균형 잡힌 절대 음악을 추구하였다. 즉 '신'보다는 '사람'을 위한 음악, '음악'을 위한 음악을 이루어 나가겠다는 굳은 결의를 보여 준 것이다.

또한 고전파 음악은 음악적 형식과 내용의 완숙을 이룬 음악이기도 하다. 이 시기에는 하이든, 모차르트, 베토벤 등 음악의 역사에서 가장 위대한 작곡가들이 배출되기도 하였다. 이때에는 성악이 아닌 기악만으로도 음악이 가능하게 되었으며, 교향곡의 기본을 이루는 소나타 형식이 완성되었다. 특히 옛 그리스나 로마 때처럼 보다 정돈된 형식을 가진 음악을 해 보자고 주장하였기에 '옛것에서 배우자는 의미의 고전'과 '청정하고 우아하며 흐림 없음, 최고의 예술적 경지에 다다름으로서의 고전'을 모두 지향하게 되었다.

이렇듯 역사적으로 고전파 음악은 종교의 영역에서 음악 자체의 영역을 확보하였으며 최고 수준의 음악적 내용과 형식을 수립하였다. 고전파 음악이 서양 전통 음악 전체를 대표하게 된 것은 고전파 음악이 이룩한 역사적인 성과에서 비롯된 것일지도 모른다. 따라서 고전 음악의 개념을 이해하기 위해서는 고전파 음악의 성격과 특질에 대한 이해가 선행되어야 할 것이다.

① 고전파 음악이 지닌 음악사적 의의를 밝힌다.
② 고전파 음악의 음악가를 예시하여 이해를 돕는다.
③ 고전파 음악의 특징이 형식과 내용의 분리에 있음을 강조한다.
④ 질문을 통해 화제를 제시함으로써 호기심을 유발한다.

정답&해설

15 ① 내용 일치/불일치

① 3문단의 '문화 전파의 기제를 설명하는 이론으로는 밈 이론보다 의사소통 이론이 더 적절해 보인다.'를 통해 확인할 수 있다.

|오답해설| ② 4문단의 '수신자가 발신자가 전해 준 정보에다 자신의 생각을 덧붙였기 때문인데'에서 문화 수용 과정에서 수용 주체의 주관이 개입한다는 것을 알 수 있다.

③ 2문단의 '밈 역시 유전자와 마찬가지로 공동체 내에서 복제를 통해 확산된다.'에서 특정 공동체의 문화가 다른 공동체로 복제를 통해 전파되는 것은 '밈 이론'이라는 것을 알 수 있다.

④ 4문단은 '의사소통 이론'의 예이다. 따라서 '요크셔 푸딩 요리법'의 경우는 의사소통 이론에 의해 설명될 수 있다.

16 ③ 내용 일치/불일치

③ (나)를 보면 하층의 인물인 전기수가 소설을 읽고 하층의 사람들이 전기수의 이야기를 재미있게 즐기고 있음을 알 수 있다. 그러나 하층에서도 소설을 창작했다는 내용은 찾을 수 없다.

|오답해설| ① (가)의 '어찌 상중에 있으면서 ~ 하고 꾸짖었다.'를 통해 상층 남성들이 상중의 예법에 대해 매우 엄격하였다는 것을 알 수 있다.

② (가)의 '언문 소설을 읽다가 그 소리가 밖으로 들렸다.'를 통해 알 수 있다.

④ (가)가 상층이라면 (나)는 하층이므로 적절한 설명이다.

17 ③ 내용 일치/불일치

③ 1문단의 '형식과 내용의 일체화를 꾀하고 ~'를 통해 형식과 내용의 '분리'가 아닌 형식과 내용의 '일체화'를 꾀하는 것이 고전파 음악의 특징임을 알 수 있다.

|오답해설| ① 1문단의 마지막 부분 "'신'보다는 '사람'을 위한 음악 ~ 보여 준 것이다.", 2문단의 처음 부분인 "또한 고전파 음악은 ~ 완숙을 이룬 음악이기도 하다." 등을 통해 알 수 있다.

② '하이든, 모차르트, 베토벤' 등을 예로 들고 있다.

④ 1문단의 시작 부분 "고전파 음악은 어떤 음악인가?"를 통해 알 수 있다.

|정답| 15 ① 16 ③ 17 ③

18

2019 국가직 9급

(가)를 바탕으로 (나)에 담긴 글쓴이의 생각을 적절히 추론한 것은?

> (가) 철학사에서 합리론의 전통은 감각에 대해 매우 비판적이었다. 예컨대 플라톤은 감각이 보여 주는 세계를 끊임없이 변화하는, 전적으로 불안정한 세계로 간주하고 이에 근거하여 지식을 얻는 것은 불가능하다고 생각했다. 반대로 경험론자들은 우리의 모든 관념과 판단은 감각 경험에서 출발한다고 주장하면서 어떤 지식도 절대적으로 확실할 수는 없다고 결론짓는다.
>
> (나) 모든 사람은 착시 현상 등을 경험해 본 적이 있기에 감각이 우리를 속일 수 있다는 것을 분명히 알고 있고 감각에 대한 어느 정도의 경계심을 지니고 있다. 하지만 그렇다고 해서 일상생활에서 자신의 감각을 신뢰하고 이에 따라 행동하는 것은 잘못이 아니다. 모든 감각적 정보를 검증 절차를 거친 후 받아들이다가는 정상적 생활을 영위하는 것 자체가 불가능해질 것이기 때문이다. 반대로, 실용적 기술 개발이나 평범한 일상적 행동과는 달리 과학적 연구는 상당한 정도의 정확성을 요구하므로 경험적 자료에 대해 어느 정도의 경계심을 유지하는 것도 당연하다.

① 실용적 기술을 개발하는 것은 일차적으로 경험론적 사고에 토대를 둔다.

② 세계는 끊임없이 변화하므로 일상생활에서는 합리론적 사고를 우선하여야 한다.

③ 과학 연구는 합리론을 버리고 철저히 경험론을 바탕으로 이루어져야 한다.

④ 감각에 대한 신뢰는 어느 분야에나 전적으로 차별 없이 요구된다.

19

2019 국가직 9급

다음 글에 대한 설명으로 적절하지 않은 것은?

> 믿기 어렵겠지만 자장면 문화와 미국의 피자 문화는 닮은 점이 많다. 젊은 청년들이 오토바이를 타고 배달한다는 점에서 참으로 닮은꼴이다. 이사한다고 짐을 내려놓게 되면 주방기구들이 부족하게 되고 이때 자장면은 참으로 편리한 해결책이다. 미국에서의 피자도 마찬가지다. 갑자기 아이들의 친구들이 많이 몰려왔을 때 피자는 참으로 편리한 음식이다.
>
> 남자들이 군에 가 훈련을 받을 때 비라도 추적추적 오게 되면 자장면 생각이 제일 많이 난다고 한다. 비가 오는 바깥을 보며 따뜻한 방에서 입에 자장을 묻히는 장면은 정겨울 수밖에 없다. 프로 농구 원년에 수입된 미국 선수들은 하루도 빠지지 않고 피자를 시켜 먹었다고 한다. 음식이 맞지 않는 탓도 있겠지만 향수를 달래고자 함이 아닐까?
>
> 싸게 먹을 수 있는 이국 음식이란 점에서 자장면과 피자는 특별한 의미를 갖는다. 외식을 하기엔 부담되고 한번쯤 식단을 바꾸어 보고 싶을 즈음이면 중국식 자장면이나 이탈리아식 피자는 한국이나 미국의 서민에겐 안성맞춤이다. 그런데 한국에서나 미국에서나 변화가 생기기 시작했다. 한국에서는 피자 배달이 보편화되기 시작했다. 피자를 간식이 아닌 주식으로 삼고자 하는 아이들도 생겼다. 졸업식을 마치고 중국집으로 향하던 발걸음들이 이제 피자집으로 돌려졌다. 피자보다 자장면을 좋아하는 아이들을 찾아보기가 힘들어졌다.

① 피자는 쉽게 배달시켜 먹을 수 있는 편리한 음식이다.

② 자장면과 피자는 이국적인 음식이다.

③ 자장면과 피자는 값이 싸면서도 기분 전환이 되는 음식이다.

④ 자장면은 특별한 날에 어린이들에게 여전히 가장 사랑받는 음식이다.

20

2019 국가직 9급

다음 글에 대한 설명으로 적절하지 않은 것은?

(가) 20세기 들어서 생태학자들은 지속성 농약이 자연 생태계에 어떤 악영향을 미치는지를 밝힐 수 있었다. 예컨대 제2차 세계 대전 이후 전 세계에서 해충 구제용으로 널리 사용됨으로써 농업 생산량 향상에 커다란 기여를 한 디디티(DDT)는 유기 염소계 살충제의 대명사이다.

(나) 그렇지만 이 유기 염소계 살충제는 물에 잘 녹지 않고 자연에서 햇빛에 의한 광분해나 미생물에 의한 생물학적 분해가 거의 이루어지지 않는다. 그래서 디디티는 토양이나 물속의 퇴적물 속에 수십 년간 축적된다. 게다가 디디티는 지방에는 잘 녹아서 먹이 사슬을 거치는 동안 지방 함량이 높은 동물 체내에 그 농도가 높아진다. 이렇듯 많은 양의 유기 염소계 살충제를 체내에 축적하게 된 맹금류는 물질대사에 장애를 일으켜서 껍질이 매우 얇은 알을 낳기 때문에, 포란 중 대부분의 알이 깨져 버려 멸종의 길을 걷게 된다.

(다) 디디티는 쉽게 분해되지 않기 때문에 한번 뿌려진 디디티는 물과 공기, 생물체 등을 매개로 세계 전역으로 퍼질 수 있다. 그래서 디디티에 한 번도 노출된 적이 없는 알래스카 지방의 에스키모 산모의 젖에서도 디디티가 검출되었고, 남극 지방의 펭귄 몸속에서도 디디티가 발견되었다. 이러한 생물 농축과 잔존성의 특성이 밝혀짐으로써 미국에서는 1972년부터 디디티 생산이 전면 중단되었고, 1980년대에 이르러서는 유기 염소계 농약의 사용이 대부분 금지되었다.

(라) 이와 같이 디디티의 생물 농축 현상에서처럼 생태학자들은 한 생물 종에 미치는 오염의 영향이 오랫동안 누적되면 전체 생태계를 훼손시킬 수 있다는 사실을 발견하였다. 그래서인지 최근 우리나라에서도 사소한 환경 오염 행위가 장차 어떠한 재앙을 몰고 올 수 있는지에 대한 연구가 활발히 이루어지고 있다.

① (가)는 중심 화제를 소개하고, 핵심어를 제시함으로써 전개될 내용을 암시하고 있다.
② (나)는 디디티가 끼칠 생태계의 영향을 인과 분석의 방법으로 설명하고 있다.
③ (다)는 디디티의 악영향을 제시하고, 그것의 사용 금지를 주장하고 있다.
④ (라)는 환경 오염에 대한 경각심을 암시적으로 드러내고 있다.

정답&해설

18 ① 내용 일치/불일치

① (나)의 마지막 부분 '실용적 기술 개발이나 평범한 일상적 행동과는 달리 과학적 연구는 ~ 경계심을 유지하는 것도 당연하다.'를 통해 실용적 기술 개발은 경험적 자료에 대해 경계심을 유지해야 하는 과학적 연구와 다르다는 것을 알 수 있다. 이것은 실용적 기술 개발은 경험론적 사고에 토대를 둔다는 의미로 생각해 볼 수 있다.

|오답해설| ②③ (나)의 마지막 부분 '실용적 기술 개발이나 평범한 일상적 행동과는 달리 과학적 연구는 ~ 경계심을 유지하는 것도 당연하다.'를 통해 '일상생활'도 실용적 기술 개발과 같이 합리론적 사고가 아닌 경험론적 사고에 토대를 둔다는 것을 알 수 있다(②). 또한 과학 연구는 경험적 자료에 경계심을 유지해야 하는 것임을 알 수 있다(③).

④ (나)의 앞부분 '모든 사람은 착시 현상 ~ 어느 정도의 경계심을 지니고 있다.'를 통해 감각에 대한 경계심이 존재함을 알 수 있다.

19 ④ 내용 일치/불일치

④ 3문단의 마지막 부분 '중국집으로 향하던 ~ 찾아보기가 힘들어졌다.'를 통해 요즘 아이들은 자장면보다 피자를 더 좋아한다는 것을 알 수 있다.

|오답해설| ① 1문단의 앞부분 '젊은 청년들이 ~ 피자도 마찬가지다.'를 통해 알 수 있다.

② 3문단의 '싸게 먹을 수 있는 이국적인 음식이라는 점에서 자장면과 피자는 특별한 의미를 갖는다.'를 통해 알 수 있다.

③ 3문단의 첫째~둘째 문장의 '싸게 먹을 수 있는 ~ 서민에게 안성맞춤이다.'를 통해 알 수 있다.

20 ③ 내용 일치/불일치

③ 디디티(DDT)의 악영향과 금지된 사례를 예로 들어 사실적으로 설명하고 있을 뿐, 디디티(DDT)의 사용 금지를 직접적으로 주장하고 있는 부분은 찾기 어렵다.

|오답해설| ① '디디티(DDT)'라는 핵심어를 제시하며 지속성 농약이 자연 생태계에 악영향을 미칠 수 있음을 언급하고 있다.

② 디디티(DDT)의 농축 과정과 그 후유증을 인과 분석의 방법으로 설명하고 있다.

④ '경각심을 갖자' 등의 직접적 표현을 사용하지 않고, 상황 설명을 통해 경각심을 암시적으로 드러내고 있다.

|정답| 18 ① 19 ④ 20 ③

21
2019 지방직 9급

다음 글쓴이의 입장에 부합하는 것은?

효(孝)가 개인과 가족, 곧 일차적인 인간관계에서 일어나는 행위를 규정한 것이라면, 충(忠)은 가족이 아닌 사람들과의 관계, 곧 이차적인 인간관계에서 일어나는 사회적 행위를 규정한 것이었다. 그런데 언제부터인가 우리는 효를 순응적 가치관을 주입하는 봉건 가부장제 사회의 유습이라고 오해하는가 하면, 충과 효를 동일시하는 오류를 저지르는 경향이 많아졌다. 다음을 보자.

"부모에게 효도하고 형제를 사랑하는 사람은 윗사람의 명령을 거역하는 경우가 드물다. 또 윗사람의 명령을 어기지 않는 사람은 난동을 일으키는 경우도 드물다. 군자는 근본에 힘쓴다. 근본이 확립되면 도가 생기기 때문이다. 효도와 우애는 인(仁)의 근본이다."

위 구절에 담긴 입장을 기준으로 보면 효는 윗사람에 대한 절대 복종으로 연결된다. 곧 종족 윤리의 기본이 되는 연장자에 대한 예우는 물론이고 신분 사회의 엄격한 상하 관계까지 포괄적으로 인정하는 것이다. 하지만 이 구절만을 근거로 효를 복종의 윤리라고 보는 것은 성급한 판단이다. 왜냐하면 원래부터 효란 가족 윤리 또는 종족 윤리로서 사회 윤리였던 충보다 우선시되었을 뿐만 아니라, 유교의 기본 입장은 설사 부모의 명령이라 하더라도 옳고 그름을 가리지 않는 맹목적인 복종은 그 자체가 불효라고 보았기 때문이다. 유교에서는 부모와 자식의 관계가 자연에 의해서 결정된다고 한다. 이 때문에 부모와 자식의 관계는 인위적으로 끊을 수 없다고 본다. 이에 비해 임금과 신하의 관계는 공동의 목표를 위한 관계로서 의리에 의해서 맺어진 관계로 본다. 의리가 맞지 않는다면 언제라도 끊을 수 있다고 생각하는 것이다.

① 효는 봉건 가부장제 사회에서 비롯한 일차적 인간관계이다.
② 효는 부모와 자식 간의 관계이므로 조건 없는 신뢰에 기초한 덕목이다.
③ 윗사람에 대한 복종을 절대시하지 않는 것이 유교적 윤리의 한 바탕이다.
④ 충의 도리를 다함으로써 효의 도리에 도달할 수 있다는 것이 인의 이치다.

22
2019 국가직 7급

다음 글에서 알 수 <u>없는</u> 것은?

팰림시스트(palimpsest)란 원래 양피지 위에 글자가 여러 겹 겹쳐서 보이는 것을 일컫는다. 종이가 발명되기 전에는 양피지에 글을 썼는데 양피지는 귀했기 때문에 이를 재활용하기 위해 이미 쓰여 있는 글자를 지우고 그 위에 다시 글자를 쓰는 일이 빈번했다. 이로 인해 이전에 쓴 글자 위로 새로 쓴 글자가 중첩되어 보이는 현상이 벌어졌다. 건축에서는 이러한 팰림시스트를 오래된 역사적 흔적이 현재의 공간에 영향을 미칠 때 그것을 은유적으로 설명하기 위해 원용하고 있다.

가장 손쉬운 예로 서울 강북의 복잡한 도로망을 들 수 있다. 조선 시대 한양에는 상하수도 시설이 부재하였다. 하지만 물은 인간 생활에 가장 필요한 기본 요건인 바, 물을 효율적으로 사용하기 위해 이 당시 주거들은 한강의 지류 하천을 따라서 형성될 수밖에 없었다. 실개천 주변으로 주거들이 들어서게 되고 그 옆으로 사람과 말들이 지나다니면서 자연 발생적으로 도로가 만들어지게 되었다. 수변(水邊) 공간에서 일상생활을 영위하고 하천을 상하수도 시설처럼 사용하는 커뮤니티가 자연스럽게 형성되었다고 볼 수 있다.

그러나 이후 인구 밀도가 높아지면서 위생 문제가 심각해지고, 동시에 자동차가 급증하여 자동차 도로를 확보하는 것이 도시 형성의 필수 조건으로 부각되면서 하천 주변은 상당 부분 자동차 도로로 바뀌었다. 강북의 도로망 가운데 많은 부분이 구불구불한 자연 하천과도 같은 모습을 갖게 된 것은 이러한 연유에서이다. 산업화 이후 대형 간선 도로의 등장이 본격화되면서 하천을 중심으로 형성되었던 기존 커뮤니티는 간선 도로에 의해 나눠지게 된 것이다.

① 팰림시스트는 종이가 발명되기 이전, 양피지를 재활용하면서 빚어진 현상을 말한다.
② 하천이 커뮤니티의 중심이었던 과거와 달리 지금은 간선 도로가 커뮤니티를 나누고 있다.
③ 도시 주거의 기본 요건 중 하나가 상하수도 시설이기 때문에 하천 주변이 자동차 도로가 된 것은 필연적이다.
④ 강북의 복잡한 도로망은 상하수도 시설이 없었던 시절의 흔적이 현재의 공간에 영향을 미친 팰림시스트의 예이다.

23

2018 국가직 9급

다음 글의 내용과 부합하는 것은?

농양의 음식 중에는 특별한 의미가 담긴 것들이 있다. 우리나라 대표적인 명절 음식 중 하나인 송편은 반달의 모습을 본뜬 음식으로 풍년과 발전을 상징한다. 『삼국사기』에 따르면, 백제 의자왕 때 궁궐 땅속에서 파낸 거북이 등에 쓰여 있는 '백제는 만월(滿月) 신라는 반달'이라는 글귀를 두고 점술사가 백제는 만월이라서 다음 날부터 쇠퇴하고 신라는 앞으로 크게 발전할 징조라고 해석했다고 한다. 결과적으로 점술가의 예언이 적중했다. 이때부터 반달은 더 나은 미래를 기원하는 뜻으로 쓰이며, 그러한 뜻을 담아 송편도 반달 모양의 떡으로 빚었다고 한다.

중국에서는 반달이 아닌 보름달 모양의 월병을 빚어 즐겨 먹었다. 옛날에 월병은 송편과 마찬가지로 제수 용품이었다. 점차 제례 음식으로서 위상을 잃었지만 모든 가족이 모여 보름달을 바라보면서 함께 나눠 먹는 음식으로 자리 잡았다. 이 때문에 보름달 모양의 월병은 둥근 원탁에 온가족이 모인 것을 상징한다. 한국에서 지역의 단합을 위해 수천 명분의 비빔밥을 만들듯이 중국에서는 수천 명이 먹을 수 있는 월병을 만들 정도로 이는 의미 있는 음식으로 대접받고 있다.

① 중국의 월병은 제수 음식으로서의 명맥을 유지하고 있다.
② 신라인들은 더 나은 미래를 기원하는 마음을 담아 송편을 빚었다.
③ 중국의 월병은 한국에서 비빔밥을 만들어 먹는 것을 본떠 만든 음식이다.
④ 『삼국사기』에 따르면 점술가의 예언 덕분에 신라가 크게 발전할 수 있었다.

정답&해설

21 ③ 내용 일치/불일치

③ 3문단의 '유교의 기본 입장은 설사 부모의 명령이라 하더라도 옳고 그름을 가리지 않는 맹목적인 복종은 그 자체가 불효라고 보았기 때문이다.'를 통하여 윗사람에 대한 복종을 절대시하지 않는 것이 유교적 윤리의 한 바탕임을 확인할 수 있다.

|오답해설| ① 1문단의 '그런데 언제부터인가 우리는 효를 ~ 오해하는가 하면'이라는 부분을 통해 글쓴이의 입장에 부합하지 않음을 알 수 있다.
② 3문단의 '옳고 그름을 가리지 않는 맹목적인 복종은 그 자체가 불효라고 보았기 때문이다.'를 통해 효가 조건 없는 신뢰에 기초하지 않는다는 것을 추론할 수 있다.
④ 제시문에서 확인할 수 없는 내용이다.

22 ③ 내용 일치/불일치

도시 주거의 기본 요건 중 하나가 상하수도 시설이기 때문에 예전 주거들은 한강의 지류 하천을 따라서 형성될 수밖에 없었다. 이후 도시 형성의 필수 조건 중 하나가 자동차 도로를 확보하는 것이었고, 이러한 상황이 부각되면서 기존의 하천 주변이 자동차 도로로 바뀌게 된 것이다. 따라서 ③ '도시 주거의 기본 요건 중 하나가 상하수도 시설이기 때문에 하천 주변이 자동차 도로가 된 것은 필연적'이라는 설명은 옳지 않다.

|오답해설| ① 1문단에서 알 수 있는 내용이다.
② 3문단에서 알 수 있는 내용이다.
④ 3문단에서 알 수 있는 내용이다.

23 ② 내용 일치/불일치

② 1문단의 마지막 문장을 통해 신라인들은 더 나은 미래를 기원하는 마음을 담아 송편을 빚었음을 알 수 있다.

|오답해설| ① 2문단의 '(월병은) 점차 제례 음식으로서 위상을 잃었지만'을 통해 잘못된 내용임을 알 수 있다.
③ 2문단 마지막 부분에서 한국의 비빔밥과 중국의 월병을 서로 비교하고 있지만 ③의 내용은 찾을 수 없다.
④ 1문단을 보면 점술가의 예언이 적중한 것이지 점술가의 예언 덕분에 신라가 크게 발전한 것은 아니다.

| 정답 | 21 ③ 22 ③ 23 ②

24

2021 법원직 9급

다음 글을 읽고 이해한 내용으로 가장 적절한 것은?

미생물은 오늘날 흔히 질병과 연관된 것으로 여겨진다. 1762년 마르쿠스 플렌치즈는 미생물이 체내에서 증식함으로써 질병을 일으키고, 이는 공기를 통해 전염될 수 있다고 주장했으며, 모든 질병은 각자 고유의 미생물을 갖고 있다고 말했다. 그러나 유감스럽게도 그 주장에 대한 증거가 없었으므로 플렌치즈는 외견상 하찮아 보이는 미생물들도 사실은 중요하다는 점을 다른 사람들에게 납득시킬 수가 없었다. 심지어 한 비평가는 그처럼 어처구니없는 가설에 반박하느라 시간을 허비할 생각이 없다며 대꾸했다.

그런데 19세기 중반 들어 프랑스의 화학자 루이 파스퇴르에 의해 상황이 바뀌기 시작했다. 파스퇴르는 세균이 술을 식초로 만들고 고기를 썩게 한다는 사실을 연달아 증명한 뒤 만약 세균이 발효와 부패의 주범이라면 질병도 일으킬 수 있을 것이라고 주장했다. 이러한 배종설은 오랫동안 이어져 내려온 자연발생설에 반박하는 이론으로서 플렌치즈 등에 의해 옹호되었지만 아직 논란이 많았다. 사람들은 흔히 썩어가는 물질이 내뿜는 나쁜 공기, 즉 독기가 질병을 일으킨다고 생각했다. 1865년 파스퇴르는 이런 생각이 틀렸음을 증명했다. 그는 미생물이 누에에게 두 가지 질병을 일으킨다는 사실을 입증한 뒤, 감염된 알을 분리하여 질병이 전염되는 것을 막음으로써 프랑스의 잠사업을 위기에서 구했다.

한편 독일에서는 로베르트 코흐라는 내과 의사가 지역농장의 사육동물을 휩쓸던 탄저병을 연구하고 있었다. 때마침 다른 과학자들이 동물의 시체에서 탄저균을 발견하자, 1876년 코흐는 이 미생물을 쥐에게 주입한 뒤 쥐가 죽은 것을 확인했다. 그는 이 암울한 과정을 스무 세대에 걸쳐 집요하게 반복하여 번번이 똑같은 현상이 반복되는 것을 확인했고, 마침내 세균이 탄저병을 일으킨다는 결론을 내렸다. 배종설이 옳았던 것이다.

파스퇴르와 코흐가 미생물을 효과적으로 재발견하자 미생물은 곧 죽음의 아바타로 캐스팅되어 전염병을 옮기는 주범으로 여겨지기 시작했다. 탄저병이 연구된 뒤 20년에 걸쳐 코흐를 비롯한 과학자들은 한센병, 임질, 장티푸스, 결핵 등의 질병 뒤에 도사리고 있는 세균들을 속속 발견했다. 이러한 발견을 견인한 것은 새로운 도구였다. 이전에 있었던 렌즈를 능가하는 렌즈가 나왔고, 젤리 비슷한 배양액이 깔린 접시에서 순수한 미생물을 배양하는 방법이 개발되었으며, 새로운 염색제가 등장하여 세균의 발견과 확인을 도왔다.

세균을 확인하자 과학자들은 거두절미하고 세균을 제거하는 작업에 착수했다. 조지프 리스터는 파스퇴르에게서 영감을 얻어 소독 기법을 실무에 도입했다. 그는 자신의 스태프들에게 손과 의료 장비와 수술실을 화학적으로 소독하라고 지시함으로써 수많은 환자들을 극심한 감염으로부터 구해냈다. 또, 다른 과학자들은 질병 치료, 위생 개선, 식품 보존이라는 명분으로 세균 차단 방법을 궁리했다. 그리고 세균학은 응용과학이 되어 미생물을 쫓아내거나 파괴하는 데 동원되었다. 과학자들은 미생물과의 전쟁을 선포하고, 병든 개인과 사회에서 미생물을 몰아내는 것을 목표로 삼은 것이다. 이렇게 미생물에 대한 인식이 형성되었으며 그 부정적 태도는 오늘날에도 지속되고 있다.

① 미생물이 질병을 일으킨다는 플렌치즈의 주장은 당시 모든 사람들의 긍정적 반응을 이끌었다.

② 플렌치즈는 썩어가는 물질이 내뿜는 독기가 질병을 일으킨다는 주장이 틀렸음을 증명하였다.

③ 코흐는 동물의 시체에서 탄저균을 발견한 후 미생물을 쥐에게 주입하는 실험을 실시하였다.

④ 파스퇴르는 프랑스의 잠사업과 환자들을 감염으로부터 보호하는 일에 긍정적인 영향을 미쳤다.

25

2021 국가직 9급

하버마스의 주장에 부합하는 사례로 가장 적절한 것은?

하버마스는 18세기부터 현대까지 미디어의 등장 배경과 발전 과정을 분석하면서, 공공 영역의 부상과 쇠퇴를 추적했다. 하버마스에게 공공 영역은 일반적 쟁점에 대한 토론과 의견을 형성하는 공공 토론의 민주적 장으로서 역할을 한다.

하버마스는 17세기와 18세기 유럽 도시의 살롱에서 당시의 공공 영역을 찾았다. 비록 소수의 사람들만이 살롱 토론 문화에 참여했으나, 공공 토론을 통해 정치적 문제를 해결하는 논리를 도입할 수 있었기 때문에 살롱이 초기 민주주의 발전에 중요한 역할을 했다고 그는 주장한다. 적어도 살롱 문화의 원칙에서 공개적 토론을 위한 공공 영역은 각각의 참석자들에게 동등한 자격을 부여했다.

그러나 하버마스에 따르면, 현대 사회에서 민주적 토론은 문화 산업의 발달과 함께 퇴보했다. 대중매체와 대중오락의 보급은 공공 영역이 공허해지는 원인으로 작용했다. 상업적 이해관계는 공공의 이해관계에 우선하게 되었다. 공공 여론은 개방적이고 합리적 토론을 통해서가 아니라 광고에서처럼 조작과 통제를 통해 형성되고 있다.

미디어가 점차 상업화되면서 하버마스가 주장한 대로 공공 영역이 침식당하고 있다. 상업화된 미디어는 광고 수입에 기대어 높은 시청률과 수익을 보장하는 콘텐츠 제작만을 선호하게 되었다. 그 결과 공적 주제에 대한 시민들의 논의와 소통의 장이 줄어들어 결과적으로 공공 영역이 축소되었다. 많은 것을 약속한 미디어는 이제 민주주의 문제의 일부로 변해 버린 것이다.

① 살롱 문화에서 특정 사회 계층에 대한 비판적인 토론은 허용되지 않았다.
② 인터넷의 발달과 보급은 상업적 광고뿐만 아니라 공익 광고도 증가시켰다.
③ 글로벌 미디어가 발달하더라도 국제 사회의 공공 영역은 공허해지지 않는다.
④ 수익성 위주의 미디어 플랫폼과 콘텐츠가 더 많아지면서 민주적 토론이 감소되었다.

정답&해설

24 ④ 내용 일치/불일치

④ 2문단의 "1865년 파스퇴르는 이런 생각이 틀렸음을 ~ 프랑스의 잠사업을 위기에서 구했다."를 통해 근거를 찾을 수 있다.

| 오답해설 | ① 1문단에서 플렌치즈의 주장은 증거가 없었으므로 다른 사람들에게 납득시킬 수 없었다고 설명하고 있다.
② 2문단을 보면 썩어가는 물질이 내뿜는 독기가 질병을 일으킨다는 주장이 틀렸음을 증명한 사람은 플렌치즈가 아닌 파스퇴르이다.
③ 3문단을 보면 코흐는 다른 과학자들이 동물 시체에서 발견한 탄저균을 쥐에게 주입하는 실험을 하였다.

25 ④ 내용 일치/불일치

④ 3문단 첫 번째 문장인 "현대 사회에서 민주적 토론은 문화 산업의 발달과 함께 퇴보했다"와 4문단의 전반적인 내용을 통해 확인할 수 있다.

| 오답해설 | ① 1문단 "공공 영역은 일반적 쟁점에 대한 ~ 역할을 한다."와 2문단 "17세기와 18세기 유럽 도시의 살롱에서 당시의 공공 영역을 찾았다."를 통해 살롱 문화에서 비판적 토론이 허용되었음을 알 수 있다.
②③ 4문단 첫 번째~두 번째 문장인 '미디어가 점차 상업화되면서 ~ 선호하게 되었다'를 통해 공익 광고의 영역, 공공 영역이 오히려 '침식당하고 있음'을 알 수 있다.

| 정답 | 24 ④ 25 ④

26

2021 국가직 9급

다음 글에서 추론한 내용으로 적절하지 않은 것은?

과학의 개념은 분류 개념, 비교 개념, 정량 개념으로 구분할 수 있다. 식물학과 동물학의 종, 속, 목처럼 분명한 경계를 가지고 대상들을 분류하는 개념들이 분류 개념이다. 어린이들이 맨 처음에 배우는 단어인 '사과', '개', '나무' 같은 것 역시 분류 개념인데, 하위 개념으로 분류할수록 그 대상에 대한 정보가 더 많이 전달된다. 또한, 현실 세계에 적용 대상이 하나도 없는 분류 개념도 있을 수 있다. 예를 들어 '유니콘'이라는 개념은 '이마에 뿔이 달린 말의 일종임' 같은 분명한 정의가 있기에 '유니콘'은 분류 개념으로 인정되는 것이다.

'더 무거움', '더 짧음' 등과 같은 비교 개념은 분류 개념보다 설명에 있어서 정보 전달에 더 효과적이다. 이것은 분류 개념처럼 자연의 사실에 적용되어야 하지만, 분류 개념과 달리 논리적 관계도 반드시 성립해야 한다. 예를 들면, 대상 A의 무게가 대상 B의 무게보다 더 무겁다면, 대상 B의 무게가 대상 A의 무게보다 더 무겁다고 말할 수 없는 것처럼 '더 무거움' 같은 비교 개념은 논리적 관계를 반드시 따라야 한다.

마지막으로 정량 개념은 비교 개념으로부터 발전된 것인데, 이것은 자연의 사실로부터 파악할 수 있는 물리량을 측정함으로써 만들어진다. 물리량을 측정하기 위해서는 몇 가지 규칙이 필요한데, 그 규칙에는 두 물리량의 크기를 비교하는 경험적 규칙과 물리량의 측정 단위를 정하는 규칙 등이 포함된다. 이러한 정량 개념은 자연에 의해서 주어지는 것이 아니라 우리가 자연현상에 수를 적용하는 과정에서 생겨나는 것이다. 정량 개념은 과학의 언어를 수많은 비교 개념 대신 수를 사용할 수 있게 하여 과학 발전의 기초가 되었다.

① '호랑나비'는 '나비'와 동일한 종에 속하지만, 나비에 비해 정보량이 적다.
② '용(龍)'은 현실 세계에 적용할 수 있는 지시물이 없더라도 분류 개념으로 인정된다.
③ '꽃'이나 '고양이'와 같은 개념은 논리적 관계를 따라야 하는 것은 아니기 때문에 비교 개념에 포함되지 않는다.
④ 물리량을 측정할 수 있는 'cm'나 'kg'과 같은 측정 단위는 자연현상에 수를 적용할 수 있게 해 주었다.

27

2014 국가직 7급

다음 글을 읽은 독자의 반응으로 적절하지 않은 것은?

인간의 변화는 단지 성숙의 산물만은 아니다. 성숙에 의한 변화는 대체로 신체적, 성적 발달에 국한되는 경우가 많다. 인간은 자기가 속한 환경 속에서 여러 가지를 경험하고 배우며 살아간다. 이러한 경험과 배움을 학습이라고 하는데, 인간의 지적, 정의적 특성은 특히 그와 같은 후천적 학습의 영향이 크다 할 수 있다.

그런데 학습이라 할 때는 경험한 것 모두를 다 지칭하지는 않는다. 학습이란 경험의 결과 상당히 지속적으로 변화가 일어나는 경우를 두고 말한다. 약을 복용한 후나 우리 몸이 피로할 때 일어나는 일시적 변화는 학습이라 하지 않는다.

학습을 개념화하는 데는 어떤 측면을 강조하여 보느냐에 따라 약간 차이가 있을 수 있다. 행동에 초점을 맞추어 행동의 변화를 학습이라 하기도 하고, 지식에 초점을 두어 지식의 획득을 학습으로 보기도 하며, 정의적 측면을 강조하여 유의미한 인간적 경험, 예를 들면 무엇을 배운 결과 삶의 보람을 느낀 것을 학습이라 보기도 한다.

따라서 좀 더 넓은 뜻으로 학습을 정의하자면, 학습은 경험에 의한 비교적 지속적인 지적, 정서적, 행동적 변화를 의미한다고 볼 수 있다.

① 인간의 변화에는 성숙만이 아니라 학습도 있는 거야.
② 아이가 자라서 키가 커지는 것은 성숙에 의한 변화겠네.
③ 학습의 개념이 성립되려면 비교적 지속적인 변화라는 성격을 지녀야 해.
④ 과학을 배워서 보람을 느꼈다면, 이는 지적 변화에 초점을 둔 학습 개념이지.

28

2014 국가직 9급

다음 글을 통해 알 수 있는 내용으로 적절하지 않은 것은?

우리나라를 찾는 외국인들이 가장 즐겨 찾는 곳은 이태원이다. 여기서 '원(院)'이란 이곳이 과거에 여행자들을 위한 휴게소였다는 것을 말해 준다. 사리원, 조치원 등의 '원'도 마찬가지이다. 조선 전기에는 여행자가 먹고 자고 쉴 수 있는 휴게소를 '원'이라고 불렀다. 1530년에 발간된 『신증동국여지승람』에 따르면 원은 당시 전국에 무려 1,210개나 있었다고 한다.

조선 전기에도 여행자를 위한 편의 시설은 잘 갖추어져 있었다. 주요 도로에는 이정표와 역(驛), 원(院)이 일정한 원칙에 따라 세워졌다. 10리마다 지명과 거리를 새긴 작은 장승을 세우고, 30리마다 큰 장승을 세워 길을 표시했다. 그리고 큰 장승이 있는 곳에는 역과 원을 설치했다. 주요 도로마다 30리에 하나씩 원이 설치되다 보니, 전국적으로 1,210개나 될 정도로 많아진 것이다.

역이 국가의 명령이나 공문서, 중요한 군사 정보의 전달, 사신 왕래에 따른 영송(迎送)과 접대 등을 위해 마련된 교통 통신 기관이었다면, 원은 그런 일과 관련된 사람들을 위해 마련된 일종의 공공 여관이었다. 원은 주로 공공 업무를 위한 여관이었지만 민간인들에게 숙식을 제공하기도 했다.

원은 정부에서 운영했기 때문에 재원도 정부에서 마련했는데, 주요 도로인 대로와 중로, 소로 등에 설치된 원에는 각각 원위전(院位田)이라는 땅을 주어 운영 경비를 마련하도록 했다. 그렇다면 누가 원을 운영했을까? 역에는 종육품 관리인 찰방(察訪)이 파견되어 여러 개의 역을 관리하며 역리와 역노비를 감독했지만, 원에는 정부가 일일이 관리를 파견할 수 없었다. 그래서 대로변에 위치한 원에는 다섯 가구, 중로에는 세 가구, 소로에는 두 가구를 원주(院主)로 임명했다. 원주는 승려, 향리, 지방 관리 등이었는데 원을 운영하는 대신 각종 잡역에서 제외시켜 주었다.

조선 전기에는 원 이외에 여행자를 위한 휴게 시설이 따로 없었으므로 원을 이용하지 못하는 민간인 여행자들은 여염집 대문 앞에서 "지나가는 나그네인데, 하룻밤 묵어 갈 수 있겠습니까?"라고 물어 숙식을 해결할 수밖에 없었다. 그러나 임진왜란과 병자호란을 거치면서 점사(店舍)라는 민간 주막이나 여관이 생기고, 관리들도 지방 관리의 대접을 받아 원의 이용이 줄어들게 되면서 원의 역할은 점차 사라지고 지명에 그 흔적만 남게 되었다.

① 여행자는 작은 장승 두 개를 지나 10리만 더 가면 '역(驛)'이 나온다는 것을 알았을 것이다.
② '원(院)'을 운영하는 승려는 나라에서 요구하는 각종 잡역에서 빠졌을 것이다.
③ 외국에서 사신이 오면 관리들은 '역(驛)'에서 그들을 맞이하거나 보냈을 것이다.
④ 민간인 여행자들도 자유롭게 '원(院)'에서 숙식을 해결했을 것이다.

정답&해설

26 ① 내용 일치/불일치

① 1문단 '하위 개념으로 분류할수록 그 대상에 대한 정보가 더 많이 전달된다'를 통해 나비의 하위 개념인 호랑나비가 나비보다 정보량이 많다는 것을 알 수 있다.

|오답해설| ② 1문단 '현실 세계에 적용 대상이 하나도 없는 분류 개념도 있을 수 있다' 부분을 통해 알 수 있다.
③ 2문단에서 '비교 개념'은 '논리적 관계를 반드시 따라야 한다'고 설명하고 있다. 하지만 '꽃'이나 '고양이'는 논리적 관계를 따라야 하는 것이 아니다. 따라서 비교 개념에 포함되지 않는다.
④ 3문단의 내용을 통해 확인할 수 있다.

27 ④ 내용 일치/불일치

인간의 변화는 신체적, 성적 발달인 성숙에 국한되는 것이 아니며 후천적 학습의 영향이 크다면서, 학습이란 일시적 변화를 제외한 지속적인 지적, 정서적, 행동적 변화를 의미한다고 하였다.
④ 과학을 배워 보람을 느끼는 것은 지적 변화가 아닌 정서적 변화에 초점을 둔 학습 개념이다. 이 내용은 3문단에서 확인할 수 있다.

|오답해설| ① 1문단에서 인간의 변화에는 '성숙과 학습'이 모두 요인으로 작용함을 언급하고 있다.
② 1문단에서 신체적, 성적 발달은 '성숙'이라고 했다. 키가 크는 것은 신체적 변화이므로 '성숙'이다.
③ 4문단에서 '학습'이 비교적 지속적인 변화임을 언급하고 있다.

28 ④ 내용 일치/불일치

④ '원'은 주로 공공 업무를 위한 여관이었지만 민간인들에게 숙식을 제공하기도 했다는 것이지, 애초에 민간인들이 자유롭게 숙식을 해결할 수 있었다는 의미는 아니다.

|오답해설| ① 2문단에서 10리마다 작은 장승을 세우고 30리마다 역과 원을 설치했다는 내용을 통해 작은 장승 2개를 지나고(20리) 10리를 더 가면 '역'이 나온다는 것을 알 수 있다.
② 4문단의 마지막 문장 "원주는 승려, 향리, 지방 관리 ~ 제외시켜 주었다."를 통해 알 수 있다.
③ 3문단에 '역'이 사신 왕래에 따른 영송과 접대를 위한 기관이었음이 제시되어 있다.

|정답| 26 ① 27 ④ 28 ④

29

2021 지방직(=서울시) 9급

다음 글의 내용과 부합하는 것은?

미국의 어머니들은 자녀와 함께 놀이를 할 때 특정 사물에 초점을 맞추고 그 사물의 속성을 아이들에게 가르친다. 사물의 속성 자체에 관심을 기울이도록 훈련받은 아이들은 스스로 독립적인 행동을 하도록 교육받는다. 미국에서는 아이들에게 의사소통을 가르칠 때 자신의 생각을 분명하게 표현하고 말하는 사람의 입장에서 대화에 임해야 하며, 대화 과정에서 오해가 발생하면 그것은 말하는 사람의 잘못이라고 강조한다.

반면에 일본의 어머니들은 대상의 '감정'에 특별히 신경을 써서 가르친다. 특히 자녀가 말을 안 들을 때에 그러하다. 예를 들어 "네가 밥을 안 먹으면, 고생한 농부 아저씨가 얼마나 슬프겠니?", "인형을 그렇게 던져 버리다니, 저 인형이 울잖아. 담장도 아파하잖아." 같은 말들로 꾸중하는 모습을 자주 볼 수 있다. 다른 사람과의 관계에 초점을 맞춘 훈련을 받은 아이들은 자신의 생각을 드러내기보다는 행동에 영향을 받는 다른 사람들의 감정을 미리 예측하도록 교육받는다. 곧 일본에서는 아이들에게 듣는 사람의 입장에서 말할 것을 강조한다.

① 미국의 어머니는 듣는 사람의 입장, 일본의 어머니는 말하는 사람의 입장을 강조한다.
② 일본의 어머니는 사물의 속성을 아는 것이 관계를 아는 것보다 더 중요하다고 생각한다.
③ 미국의 어머니는 어떤 일을 있는 그대로 보지 말고 이면에 있는 감정을 읽어야 한다고 생각한다.
④ 미국의 어머니는 자녀가 독립적인 행동을 하도록 교육하며, 일본의 어머니는 자녀가 타인의 감정을 예측하도록 교육한다.

30

2021 지방직(= 서울시) 9급

다음 글의 결론으로 가장 적절한 것은?

인공지능(AI)은 비즈니스 패러다임을 획기적으로 바꾸고 있다. 인공지능은 생물학 분야에도 광범위하게 영향을 미칠 것이며, 애완동물이 인공지능(AI)으로 대체될 수도 있을 것이다. 인공지능(AI)은 스스로 수학도 풀고 글도 쓰고 바둑을 두며 사람을 이길 수도 있다. 어느 영화에서처럼 실제로 인간관계를 대신할 수도 있다. 인공지능(AI)은 배우면서 성장할 수도 있다. 인공지능(AI)이 사람보다 똑똑해질 수 있을지도 모른다.

인공지능(AI)이 사람보다 똑똑해질 수 있는지는 차치하고, 인공지능(AI)이 사람을 게으르게 만들 수도 있지 않을까? 이 게으름은 우리의 건강과 행복, 그리고 일상생활의 패턴을 바꿔 놓을 수도 있다.

인공지능(AI)이 앱을 통해 좀 더 편리한 삶을 제공하여 사람의 뇌를 어떻게 바꾸는지를 일상에서 보여 주는 대표적 사례가 바로 GPS다. 불과 몇 년 전만 해도 지도를 보고 스스로 거리를 가늠하고 도착 시간을 계산했던 운전자들은 이 내비게이션의 등장으로 어디에서 어떻게 가라는 기계 속 음성에 전적으로 의존하기 시작했다. 예전의 방식으로도 충분히 잘 찾아가던 길에서조차 습관적으로 내비게이션을 켠다. 이것이 없으면 자주 다니던 길도 제대로 찾지 못하고 멀쩡한 어른도 길을 잃는다.

이와 같이 기계에 의존해서 인간이 살아가는 사례는 오늘날 우리의 두뇌가 게을러진 것을 보여 주는 여러 사례 가운데 하나일 뿐이다. 삶을 더 편하게 해 준다며 지름길을 제시하는 도구들이 도리어 우리의 기억력과 창조력을 퇴보시키고 있다. 인간을 태만하고 나태하게 만들어 뇌의 가장 뛰어난 영역인 상상력을 활용하지 않도록 만드는 것이다.

① 인간의 인공지능(AI)에 대한 독립성은 지속적으로 증가하게 될 것이다.
② 인공지능(AI)으로 인해 인간의 두뇌가 게을러지는 부작용이 발생하게 될 것이다.
③ 인공지능(AI)은 인간을 능가하는 사고력을 가질 것이다.
④ 인공지능(AI)은 궁극적으로 상상력을 가지게 될 것이다.

31

2020 국가직 9급

다음 글에 대한 이해로 적절하지 않은 것은?

희극의 발생 조건에 대하여 베르그송은 집단, 지성, 한 개인의 존재 등을 꼽았다. 즉 집단으로 모인 사람들이 자신들의 감성을 침묵하게 하고 지성만을 행사하는 가운데 그들 중 한 개인에게 그들의 모든 주의가 집중되도록 할 때 희극이 발생한다고 보았다. 그러나 그가 말하는 세 가지 사항은 웃음을 유발하는 것이 아니라 그러한 것을 가능케 하는 조건들이다. 웃음을 유발하는 단순한 형태의 직접적인 장치는 대상의 신체적인 결함이나 성격적인 결함을 들 수 있다. 관객은 이러한 결함을 지닌 인물을 통하여 스스로 자기 우월성을 인식하고 즐거워질 수 있게 된다. 이와 관련해 "한 인물이 우리에게 희극적으로 보이는 것은 우리 자신과 비교해서 그 인물이 육체의 활동에는 많은 힘을 소비하면서 정신의 활동에는 힘을 쓰지 않는 경우이다. 어느 경우에나 우리의 웃음이 그 인물에 대하여 우리가 지니는 기분 좋은 우월감을 나타내는 것임은 부정할 수 없다."라는 프로이트의 말은 시사적이다.

① 베르그송에 의하면 희극은 관객의 감성이 집단적으로 표출된 결과이다.
② 베르그송에 의하면 집단, 지성, 한 개인의 존재는 희극 발생의 조건이다.
③ 한 개인의 신체적·성격적 결함은 집단의 웃음을 유발하는 직접적인 장치이다.
④ 프로이트에 의하면 상대적으로 정신 활동보다 육체 활동에 힘을 쓰는 상대가 희극적인 존재이다.

정답&해설

29 ④ 내용 일치/불일치

④ 1문단의 "독립적인 행동을 하도록 교육받는다."를 통해 미국의 어머니는 자녀가 독립적인 행동을 하도록 교육함을 알 수 있다. 또한 2문단의 "다른 사람들의 감정을 미리 예측하도록 교육받는다."를 통해 일본의 어머니는 자녀가 타인의 감정을 예측하도록 교육함을 알 수 있다.

|오답해설| ① 1문단의 "말하는 사람의 입장에서 대화에 임해야 하며"를 통해 미국의 어머니는 말하는 사람의 입장을, 둘째 단락의 "일본에서는 아이들에게 ~ 강조한다."를 통해 일본의 어머니는 듣는 사람의 입장을 강조한다는 것을 알 수 있다.
② 2문단의 "다른 사람과의 관계에 초점을 맞춘 훈련을 받은 아이들은"을 통해 일본의 어머니는 관계에 초점을 맞추고 있다는 것을 알 수 있다.
③ 2문단의 "일본의 어머니들은 대상의 감정에 특별히 신경을 써서 가르친다."를 통해 '이면에 있는 감정'에 초점을 둔 것은 일본의 어머니들이라는 것을 알 수 있다.

30 ② 내용 일치/불일치

② 마지막 문단의 "이와 같이 ~ 하나일 뿐이다."에서 인공지능으로 인해 인간의 두뇌가 게을러지는 부작용을 언급하고 있다. 따라서 ②가 글의 결론으로 가장 적절하다.

|오답해설| ① 내비게이션의 사례를 통해 인간은 인공지능에 매우 의존적이라는 것을 알 수 있다.
③ 1문단의 "인공지능(AI)이 사람보다 똑똑해질 수 있을지도 모른다."를 통해 추측할 수 있지만 글의 결론으로는 적절하지 않다.
④ 이 글에서 알 수 없는 내용이다.

31 ① 내용 일치/불일치

① "집단으로 모인 사람들이 자신들의 감성을 침묵하게 하고 ~ 희극이 발생한다고 보았다."를 통해 희극은 관객의 감성 표출이 지양된다는 것을 알 수 있다.

|오답해설| ② "희극의 발생 조건에 대하여 베그르송은 집단, 지성, 한 개인의 존재 등을 꼽았다."에서 확인할 수 있다.
③ "웃음을 유발하는 단순한 형태의 직접적인 장치는 대상의 신체적 결함이나 성격적인 결함을 들 수 있다."를 통해 확인할 수 있다.
④ "한 인물이 우리에게 희극적으로 보이는 것은 ~ 육체의 활동에는 많은 힘을 소비하면서 정신의 활동에는 힘을 쓰지 않는 경우이다."를 통해 확인할 수 있다.

|정답| 29 ④ 30 ② 31 ①

32

2020 지방직(= 서울시) 9급

다음 글을 통해 추론할 수 없는 것은?

자신의 신념과 일치하는 정보는 받아들이고 그렇지 않은 정보는 무시하는 경향을 확증 편향(confirmation bias)이라 한다. 자신의 믿음이나 견해와 일치하는 정보는 수용하고 그에 반대되는 정보는 무시하거나 부정하는 심리 경향이다. 사회 심리학자인 로버트 치알디니는 자신이 가진 기존의 견해와 일치하는 정보는 두 가지 이점을 가지고 있다고 한다. 첫째, 그러한 정보는 어떤 문제에 대해 더 이상 고민하지 않고 마음의 휴식을 취할 수 있게 해 준다. 둘째, 그러한 정보는 우리를 추론의 결과에서 자유롭게 해 준다. 즉 추론의 결과 때문에 행동을 바꿔야 할 필요가 없다. 첫째는 생각하지 않게 하고, 둘째는 행동하지 않게 함을 말한다.

일례로 특정 정치 성향을 가진 사람들을 대상으로 조사했을 때, 사람들은 반대당 후보의 주장에서는 모순을 거의 완벽하게 찾은 반면, 지지하는 당 후보의 주장에서는 모순을 절반 정도만 찾아냈다. 이 판단의 과정을 자기 공명 영상 장치로도 촬영했다. 그 결과, 자신이 동의하지 않는 정보를 접했을 때는 뇌 회로가 활성화되지 않았고, 자신이 동의하는 주장을 접했을 때는 긍정적인 반응을 보이면서 뇌 회로가 활성화되는 것을 확인할 수 있었다.

① 사람에게는 자신의 신념이나 행동을 바꾸려 하지 않는 경향이 있다.

② 사람에게는 정보를 객관적으로 판단하지 못하는 심리적 특성이 있다.

③ 사람에게는 지지자들의 말만을 듣고 자기 신념을 강화하는 경향이 있다.

④ 사람에게는 새로운 정보를 접했을 때 심리적 불안을 느끼는 특성이 있다.

33

2021 지방직(= 서울시) 9급

다음 글에서 추론할 수 있는 것은?

포도주는 유럽 문명을 대표하는 술이자 동시에 음료수다. 우리는 대개 포도주를 취하기 위해 마시는 술로만 생각하기 쉬우나 유럽에서는 물 대신 마시는 '음료수'로서의 역할이 크다. 유럽의 많은 지역에서는 물이 워낙 안 좋아서 맨 물을 그냥 마시면 위험하기 때문에 제조 과정에서 안전성이 보장된 포도주나 맥주를 마시는 것이다. 이런 용도로 일상적으로 마시는 식사용 포도주로는 당연히 고급 포도주와는 다른 저렴한 포도주가 쓰이며, 술이 약한 사람들은 여기에 물을 섞어서 마시기도 한다.

소비의 확대와 함께, 포도주의 생산을 다른 지역으로 확산시키려는 노력도 계속되어 왔다. 포도주 생산의 확산에서 가장 큰 문제는 포도 재배가 추운 북쪽 지역으로 확대되기 힘들다는 점이다. 자연 상태에서는 포도가 자라는 북방 한계가 이탈리아 정도에서 멈춰야 했지만, 중세 유럽에서 수도원마다 온갖 노력을 기울인 결과 포도 재배가 상당히 북쪽까지 올라갔다. 대체로 대서양의 루아르강 하구로부터 크림반도와 조지아를 잇는 선이 상업적으로 포도를 재배할 수 있는 북방한계선이다.

적정한 기온은 포도주 생산 가능 여부뿐 아니라 생산된 포도주의 질을 결정하는 중요한 요인이다. 너무 추운 지역이나 너무 더운 지역에서는 포도주의 품질이 떨어질 수밖에 없다. 추운 지역에서는 포도에 당분이 너무 적어서 그것으로 포도주를 담그면 신맛이 강하게 된다. 반면 너무 더운 지역에서는 섬세한 맛이 부족해서 '흐물거리는' 포도주가 생산된다(그 대신 이를 잘 활용하면 포르토나 셰리처럼 도수를 높인 고급 포도주를 만들 수 있다). 그러므로 고급 포도주 주요 생산지는 보르도나 부르고뉴처럼 너무 덥지도 않고 너무 춥지도 않은 곳이다. 다만 달콤한 백포도주의 경우는 샤토 디켐(Chateau d'Yquem)처럼 뜨거운 여름 날씨가 지속하는 곳에서 명품이 만들어진다.

포도주의 수요는 전 유럽적인 데 비해 생산은 이처럼 지리적으로 제한됐기 때문에 포도주는 일찍부터 원거리 무역 품목이 됐고, 언제나 고가품 취급을 받았다. 그런데 한 가지 기억해야 할 점은 이렇게 수출되는 고급 포도주는 오래된 포도주가 아니라 바로 그해에 만든 술이라는 점이다. 우리는 포도주는 오래될수록 좋아진다고 믿는 경향이 있지만, 대부분의 백포도주 혹은 중급 이하 적포도주는 시간이 지날수록 오히려 품질이 떨어진다. 시간이 흐를수록 품질이 개선되는 것은 일부 고급 적포도주에만 한정된 이야기이며, 그나마 포도주를 병에 담아 코르크 마개를 끼워 보관한 이후의 일이다.

① 고급 포도주는 모두 너무 덥지도 춥지도 않은 곳에서 재배된 포도로 만들어졌다.

② 루아르강 하구로부터 크림반도와 조지아를 잇는 선은 이탈리아보다 남쪽에 있을 것이다.

③ 유럽에서 일상적으로 마시는 식사용 포도주는 저렴한 포도주거나 고급 포도주에 물을 섞은 것이다.

④ 병에 담겨 코르크 마개를 끼운 고급 백포도주는 보관 기간에 비례하여 품질이 개선되지는 않을 것이다.

정답&해설

32 ④ 내용 일치/불일치

④ 새로운 정보를 접했을 때 심리적 불안을 느끼는 것이 아니라 자신의 신념과 일치하지 않는 정보를 접했을 때 그 정보를 받아들이지 않는 것이다.

| 오답해설 | ① 1문단 첫 번째 문장인 "자신의 신념과 ~ 확증 편향이라 한다."를 통해 알 수 있다.

② 1문단 두 번째 문장인 "자신의 믿음이나 견해와 ~ 반대되는 정보는 무시하거나 부정하는 심리 경향이다."와 2문단 마지막 문장인 "그 결과, ~ 확인할 수 있었다."를 통해 확인할 수 있다.

③ 2문단 첫 번째 문장인 "사람들은 반대당 후보의 주장에서는 ~ 절반 정도만 찾아냈다."를 통해 확인할 수 있다.

33 ④ 내용 일치/불일치

④ 4문단의 "일부 고급 적포도주에만 한정된 이야기이며"를 통해 '백포도주'와는 관련이 없음을 알 수 있다.

| 오답해설 | ① 3문단의 "그 대신 이를 잘 활용하면 ~ 만들 수 있다.", "달콤한 백포도주의 ~ 명품이 만들어진다."를 통해 모든 고급 포도주가 너무 덥지도 춥지도 않은 곳에서 재배된 포도로만 만들어지는 것은 아님을 알 수 있다.

② 2문단의 "이탈리아 정도에서 ~ 북방한계선이다."를 통해 이탈리아보다 '남쪽'이 아닌 '북쪽'임을 알 수 있다.

③ 1문단의 "이런 용도로 일상적으로 ~ 마시기도 한다."를 통해 '고급 포도주와는 다른 저렴한 포도주'가 일상적으로 마시는 용도임을 알 수 있다.

| 정답 | 32 ④ 33 ④

밑줄/괄호

34

2022 국가직 9급

다음 문장이 들어가기에 가장 적절한 곳을 ㉠~㉣에서 고르면?

신분에 따라 문체를 고착화하는 것을 인정하지 않았던 것이다.

유럽이 교회로부터 정신적으로 해방된 것은 그리스와 로마의 고대 작가들에 대한 재발견을 통해서였다. (㉠) 그 이후 고대 작가들의 문체는 귀족 중심의 유럽 문화에서 모범으로 여겨졌다. (㉡) 이러한 상황은 대략 1770년대에 시작되는 낭만주의에서부터 변화하기 시작했다. (㉢) 이 낭만주의 시기에 평등과 민주주의를 꿈꿨던 신흥 시민계급은 문학에서 운문과 영웅적 운명을 귀족에게만 전속시키고 하층민에게는 산문과 우스꽝스러운 상황을 배정하는 전통 시학을 거부했다. (㉣) 고전 문학은 더 이상 문학의 규범이 아니었으며, 문학을 현실의 모방으로 인식하는 태도도 포기되었다.

① ㉠　② ㉡　③ ㉢　④ ㉣

35

2019 국가직 9급

다음 글에서 〈보기〉가 들어가기에 가장 적절한 곳은?

보기

아침 기도는 간략한 아침 뉴스로, 저녁 기도는 저녁 종합 뉴스로 바뀌었다.

철학자 헤겔이 주장했듯이, 삶을 인도하는 원천이자 권위의 시금석으로서의 종교를 뉴스가 대체할 때 사회는 근대화된다. 선진 경제에서 뉴스는 이제 최소한 예전에 신앙이 누리던 것과 동등한 권력의 지위를 차지한다. 뉴스 타전은 소름이 돋을 정도로 정확하게 교회의 시간 규범을 따른다. (㉠) 뉴스는 우리가 한때 신앙심을 품었을 때와 똑같은 공손한 마음을 간직하고 접근하기를 요구하기도 한다. (㉡) 우리 역시 뉴스에서 계시를 얻기 바란다. (㉢) 누가 착하고 누가 악한지 알기를 바라고, 고통을 헤아려 볼 수 있기를 바라며, 존재의 이치가 펼쳐지는 광경을 이해하길 희망한다. (㉣) 그리고 이 의식에 참여하길 거부하는 경우 이단이라는 비난을 받기도 한다.

① ㉠　② ㉡　③ ㉢　④ ㉣

36

2021 지방직(= 서울시) 9급

(가)~(라)에 들어갈 말로 가장 적절한 것은?

정철, 윤선도, 황진이, 이황, 이조년 그리고 무명씨. 우리말로 시조나 가사를 썼던 이들이다. 황진이는 말할 것도 없고 무명씨도 대부분 양반이 아니었겠지만 정철, 윤선도, 이황은 양반 중에 양반이었다. ((가)) 그들이 우리말로 작품을 썼던 걸 보면 양반들도 한글 쓰는 것을 즐겨 했다는 것을 부정할 수는 없다. ((나)) 허균이나 김만중은 한글로 소설까지 쓰지 않았던가. ((다)) 이들이 특별한 취향을 가진 소수의 양반이었다면 이야기는 달라진다. 우리말로 된 문학 작품을 만들겠다는 생각을 가진 특별한 양반들을 제외하고 대다수 양반들은 한문을 썼기 때문에 한글을 모를 수도 있었기 때문이다. 실학자 박지원이 당시 양반 사회를 풍자한 작품 『호질』은 한문으로 쓰여 있다. ((라)) 한 가지 분명한 것은 양반 대부분이 한글을 이해하지 못하는 상황이었다면 정철도 이황도 윤선도도 한글로 작품을 쓰지는 않았을 것이란 사실이다.

	(가)	(나)	(다)	(다)
①	그런데	게다가	그렇지만	그러나
②	그런데	그리고	그래서	또는
③	그리고	그러나	하지만	즉
④	그래서	더구나	따라서	하지만

37

2019 국가직 7급

밑줄 친 곳에 들어갈 말로 가장 적절한 것은?

> 기자: ________________
>
> 작가: 내가 작품을 쓰면서 취재에 상당한 시간을 할애했던 것은 작품이 가지고 있는 리얼리티를 살려 놓아야 독자들의 공감대를 넓힐 수 있다고 생각했기 때문이에요. 소설이 아무리 허구적 장르라 해도 사실성에 근거해야 비로소 생동감과 개연성을 확보하기에 습작 시절부터 취재를 우선시했지요. 전집에 실린 「○○기행」, 「○○를 찾아서」 같은 단편들도 거의 취재를 통해서 얻어 낸 자료를 가지고 쓴 작품들이에요. 그렇게 하고 나니 리얼리티가 살아나는 것을 느낄 수 있었고 작품이 힘을 얻을 수 있었지요. 그것은 분명 작가 수업에도 보탬이 됐고 공감을 얻는 데도 기여를 했다고 봐요.

① 선생님은 작품을 쓰면서 언제부터 취재를 하시는지요?
② 선생님의 이번 신작에서 리얼리티가 강조된 이유는 무엇인지요?
③ 선생님의 작품 중 독자들의 공감을 얻은 작품은 어떤 것들인지요?
④ 선생님이 작품 활동에서 취재에 주력하시는 이유가 무엇인지요?

38

2020 국가직 9급

㉠에 들어갈 주장으로 가장 적절한 것은?

> 경상 지역 방언을 쓰는 사람들은 대체로 'ㅓ'와 'ㅡ'를 구별하지 못한다. 이들은 '증표(證票)'나 '정표(情表)'를 구별하여 듣지 못할 뿐만 아니라 구별하여 발음하지 못하기 십상이다. 또 이들은 'ㅅ'과 'ㅆ'을 구별하지 못하는 경우가 많다. 따라서 이들은 '살밥을 많이 먹어서 쌀이 많이 쪘다'고 말하든 '쌀밥을 많이 먹어서 살이 많이 쪘다'고 말하든 쉽게 그 차이를 알지 못한다. 한편 평안도 및 전라도와 경상도의 일부에서는 'ㅗ'와 'ㅓ'를 제대로 분별해서 발음하지 않는 경우가 종종 있다. 평안도 사람들의 'ㅈ' 발음은 다른 지역의 'ㄷ' 발음과 매우 비슷하다. 이처럼 (㉠   )

① 우리말에는 지역마다 다양한 소리가 있다.
② 우리말은 지역에 따라 다양한 표준 발음법이 있다.
③ 우리말에는 지역에 따라 구별되지 않는 소리가 있다.
④ 자음보다 모음을 변별하지 못하는 지역이 더 많이 있다.

정답&해설

34 ④ 밑줄/괄호

④ ㉣의 앞 문장 '이 낭만주의 시기에~전통 시학을 거부했다.'는 주어진 문장 '신분에 따라 문체를 고착화하는 것을 인정하지 않았던 것이다'의 구체적인 진술(상술) 부분이므로 그 뒤에 일반화된 진술인 주어진 문장이 오는 것이 자연스럽다. 따라서 ㉣이 정답이다.

35 ① 밑줄/괄호

① ㉠ 앞부분을 보면 뉴스 타전은 교회의 시간 규범을 따른다고 했으므로 뉴스와 시간 규범을 언급한 〈보기〉가 들어가기에 가장 적당한 곳은 ㉠이라는 것을 알 수 있다.

36 ① 밑줄/괄호

(가) 앞에서 정철, 윤선도는 양반이었음에도 우리말로 작품을 썼던 것을 알 수 있다. 따라서 (가)에는 '그런데'가 적절한 표현이 된다. 그리고 (나)의 뒷문장 "소설까지 쓰지 않았던가."를 통해 '게다가'가 (나)에 들어갈 적절한 표현임을 알 수 있다. 또한 '달라진다' 부분을 통해 (다)에는 '그렇지만'이 적절한 표현임을 알 수 있다. 마지막으로 (라) 앞부분 '한문으로 쓰여 있다'와 (라) 뒷부분 '양반 대부분이 한글을 이해하지 ~ 사실이다'를 통해 (라)에는 '그러나'가 적절한 표현임을 알 수 있다.

37 ④ 밑줄/괄호

'작가'는 허구적 장르인 소설도 사실성에 근거해야 한다고 생각하고 있고, 이를 위해 취재를 우선시하고 있다고 말하고 있다. 따라서 기자는 작가에게 ④ '취재에 주력하는 이유가 무엇인지'를 물었을 것이다.

38 ③ 밑줄/괄호

③ 경상 지역 방언을 쓰는 사람들이 대체로 'ㅓ'와 'ㅡ'를 구별하지 못하는 경우와, 평안도 및 전라도와 경상도의 일부에서 'ㅗ'와 'ㅓ'를 제대로 분별해서 발음하지 않는 경우, 평안도 사람들의 'ㅈ' 발음이 다른 지역의 'ㄷ' 발음과 매우 비슷한 사례를 제시하며 지역에 따라 특정 자음과 모음의 소리가 구별되지 않는 경우가 있음을 말하고 있다.

| 정답 | 34 ④ 35 ① 36 ① 37 ④ 38 ③

39
2016 지방직 9급

밑줄 친 부분과 가장 유사한 속성을 지닌 현대인의 삶의 태도는?

> 근대 이후 인간들은 불안감과 고독감에서 벗어나기 위해 <u>자신에게 주어진 자유로부터 도피하려는 경향</u>을 보인다. 그 중 하나가 복종을 전제로 하는 권위주의적 양태이다. 이는 개인적 자아의 독립을 포기하고 자기 이외의 어떤 존재에 종속되고자 하는 것으로, 사라진 제1차적 속박 대신에 새로운 제2차적 속박을 추구하는 양상을 띤다. 이것은 때로 상대방을 자신에게 복종시킴으로써 심리적 안정과 만족을 얻으려는 형태로 나타나기도 한다. 일견 대립적으로 보이는 이 두 형태는 불안감과 고독감으로부터 벗어나기 위한 권위주의적 양상이라는 점에서는 동일한 것이다.

① 소속된 집단의 이익이나 정의보다는 개인의 이익이나 행복만을 추구하는 태도
② 집안에서 어떤 일을 결정할 때 부모나 어른의 의견보다는 아이들의 요구를 먼저 고려하는 태도
③ 어떤 상황에 대해 자신의 견해를 가지기보다는 언론 매체의 의견을 무비판적으로 수용하는 태도
④ 직업을 통해서 얻는 삶의 만족보다는 취미 활동을 통해서 얻는 삶의 즐거움을 더 중시하는 태도

40
2014 지방직 9급

다음 글의 괄호 안에 들어갈 말로 가장 적절한 것은?

> 베이징이나 시안 등지에서 볼 수 있는 중국의 유적들은 왜 그리도 클까? 이들 유적들은 크기만 한 것이 아니라 비인간적이라 할 만큼 권위적이다. 왜 그런가? 중국은 광대한 나라였다. 그러므로 그 넓은 나라를 효과적으로 통치하기 위해서는 천자로 대표되는 정치적 권위가 절실하게 요구되었다. 이 넓은 나라의 통일성을 유지하기 위해서는 예상되는 지방의 반란에 대비하고 중앙의 권위에 복종하지 않는 지방 세력가들을 다스릴 수 있는 무자비한 권력이 절대로 필요하였다. 그래서 중국의 황제는 천자로 불리었으며, 그 권위에는 누구든지 절대 복종할 것을 요구하였다. 그러므로 중국의 황제는 단순한 세속인이 아니라 일종의 신적인 존재이기도 하였다. 중국 황제의 절대 권위, 이것을 온 천하에 확실하게 보여 주지 않는다면 중국의 중심이 어디에 있는지 모를 것이며, 그러면 그 나라는 다시 분열된 여러 왕국으로 나뉘게 될 것이었다. 이런 이념으로 만들어진 중국의 정치적 유물들은 그 규모가 장대할 뿐 아니라 고도로 권위적인 것이 될 수밖에 없었다.
>
> 반면에 우리나라는 그렇게 광대한 나라는 아니었다. 그렇다고 해서 우리나라가 권위를 강조하지 않은 것은 아니었다. 그러한 사실은 조선 시대를 통해서도 잘 드러난다. 그러나 조선 시대의 왕들은 중국의 황제와 같은 권위를 (㉠)할 수는 없었다. 두 나라의 사회 구조, 정치 이념, 자연 환경 등 모든 것이 다르기 때문이었다. 그로 인해 조선의 왕들은 주변의 정치 세력에 대하여 훨씬 더 (㉡)이어야만 하였다. 더욱이 중국은 황토로 이루어진 광대한 평원 위에 도시를 만들 수밖에 없었지만, 우리는 높고 낮은 수많은 산으로 이루어진 지형을 이용하여 왕성을 건설할 수밖에 없었다. 이러한 차이점들이 복합적으로 어울려 양국의 역사와 문화의 성격을 서로 다르게 만들었다. 큰 것이 선천적으로 잘나서도 아니며, 그렇다고 작은 것이 못나서도 아닌 것이다. 한중 양국은 각자의 (㉢)에 따라 오랜 세월에 걸쳐 이처럼 서로 다른 문화를 발전시켜 온 것이다.

	㉠	㉡	㉢
①	강조(强調)	위압적(威壓的)	전망(展望)
②	향유(享有)	정략적(政略的)	능력(能力)
③	구축(構築)	타협적(妥協的)	필요(必要)
④	행사(行使)	당파적(黨派的)	권고(勸告)

41

2014 서울시 9급

다음 글에 이어질 내용으로 부적합한 것은?

> 인간은 흔히 자기 뇌의 10%도 쓰지 못하고 죽는다고 한다. 또 사람들은 천재 과학자인 아인슈타인조차 자기 뇌의 15% 이상을 쓰지 못했다는 말을 덧붙임으로써 이 말에 신빙성을 더한다. 이 주장을 처음 제기한 사람은 19세기 심리학자인 윌리암 제임스로 추정된다. 그는 "보통 사람은 뇌의 10%를 사용하는데 천재는 15~20%를 사용한다."라고 말한 바 있다. 인류학자 마가렛 미드는 한발 더 나아가 그 비율이 10%가 아니라 6%라고 수정했다. 그러던 것이 1990년대에 와서는 인간이 두뇌를 단지 1% 이하로 활용하고 있다고 했다. 최근에는 인간의 두뇌 활용도가 단지 0.1%에 불과해서 자신의 재능을 사장시키고 있다는 연구 결과도 제기됐다.

① 인간의 두뇌가 가진 능력을 제대로 발휘하지 못하도록 하는 요소가 무엇인지 연구해야 한다.
② 어른들도 계속적인 연구와 노력을 통하여 자신의 능력을 충분히 발휘할 수 있도록 해야 한다.
③ 학교는 자라나는 학생이 재능을 발휘할 수 있도록 여건을 조성해 주어야 한다.
④ 인간의 두뇌 개발을 촉진시킬 수 있는 프로그램을 개발해야 한다.
⑤ 어린 시절부터 개성적인 인간으로 성장할 수 있도록 조기 교육을 실시해야 한다.

정답&해설

39 ③ 밑줄/괄호

③ 제시된 글에서 '사신에게 주어진 사유로부터 도피하려는 경향'이란 개인적 자아의 독립을 포기하고 자기 이외의 존재에게 종속되고자 하는 것이라고 하였다. 언론 매체의 의견을 무비판적으로 수용하는 것은 개인의 생각을 포기하고 언론 매체의 의견에 종속되는 것이므로, 밑줄 친 예에 해당한다고 볼 수 있다.

40 ③ 밑줄/괄호

제시된 글의 맥락을 요약해 보면, '중국은 지방의 반란에 대비하고 중앙의 권위에 복종하지 않는 지방 세력가들을 다스릴 수 있는 무자비한 권력이 절대적으로 필요하였다'이다. 그러나 조선 시대의 왕들은 중국의 황제와 같은 권위를 ㉠구축(어떤 시설물을 쌓아 올려 만듦. 체제·체계 따위의 기초를 닦아 세움)할 수 없었다. 따라서 지방 세력가들을 무자비한 권력으로 복종시킬 수 없기 때문에 주변의 정치 세력에 대하여 훨씬 더 ㉡타협적(어떤 일을 서로 양보하는 마음으로 협의해서 하거나 협의하려는 태도를 보이는. 또는 그런 것)이어야만 하였다. 이는 누가 더 잘나고 못나고의 문제가 아니라 각자의 문화와 환경에서 각자의 ㉢필요(반드시 요구되는 바가 있음)에 따라서 발전시켜 온 것이다.
따라서 빈칸에 들어갈 말은 ③ '㉠ – 구축, ㉡ – 타협적, ㉢ – 필요'이다.

41 ⑤ 밑줄/괄호

제시된 글은 인간이 뇌의 능력 중 아주 일부분만을 사용하고 있다는 내용을 담고 있다.
⑤ '개성적인 인간'으로의 성장은 두뇌 개발과 직접 관련이 없으며, 조기 교육이라는 진술 역시 개성적인 인간 성장과는 상충되는 측면이 있다.

|오답해설| ①과 같이 인간의 두뇌가 제 능력을 발휘하지 못하도록 하는 요소나, ④와 같이 두뇌 개발 프로그램의 개발 필요성 등을 언급할 수 있다.
②③ 두뇌 개발의 가능성 측면에서 어른들과 학생들의 능력 개발의 필요성도 언급할 수 있다.

|정답| 39 ③ 40 ③ 41 ⑤

42

2013 서울시 9급

다음 중 (A)가 들어갈 위치로 가장 적절한 것은?

(A) 일어난 일에 대한 묘사는 본 사람이 무엇을 중요하게 판단하고, 무엇에 흥미를 가졌느냐에 따라 크게 다르다.

기억이 착오를 일으키는 프로세스는 인상적인 사물을 받아들이는 단계부터 이미 시작된다. (가) 감각적인 지각의 대부분은 무의식중에 기록되고 오래 유지되지 않는다. (나) 대개는 수 시간 안에 사라져 버리며, 약간의 본질만이 남아 장기기억이 된다. 무엇이 남을지는 선택에 의해서이기도 하고, 그 사람의 견해에 따라서도 달라진다. (다) 분주하고 정신이 없는 장면을 보여 주고, 나중에 그 모습에 대해서 이야기하게 해 보자. (라) 어느 부분에 주목하고, 또 어떻게 그것을 해석했는지에 따라 즐겁기도 하고 무섭기도 하다. (마) 단순히 정신 사나운 장면으로만 보이는 경우도 있다. 기억이란 원래 일어난 일을 단순하게 기록하는 것이 아니다.

① (가) ② (나) ③ (다) ④ (라) ⑤ (마)

43

2013 지방직 7급

논지 전개상 괄호 안에 들어갈 말로 가장 적절한 것은?

전통문화는 근대화의 과정에서 해체되는 것인가, 아니면 급격한 사회 변동의 과정에서도 유지될 수 있는 것인가? 전통문화의 연속성과 재창조는 왜 필요하며, 어떻게 이루어지는가? 외래문화의 토착화(土着化), 한국화(韓國化)는 사회 변동과 문화 변화의 과정에서 무엇을 의미하는가? 이상과 같은 의문들은 오늘날 한국 사회에서 논란의 대상이 되고 있으며, 입장에 따라 상당한 견해 차이도 드러내고 있다. 전통의 유지와 변화에 대한 견해 차이는 오늘날 한국 사회에서 단순하게 보수주의와 진보주의의 차이로 이해될 성질의 것이 아니다. 한국 사회의 근대화는 이미 한 세기의 역사를 가지고 있으며, 앞으로도 계속되어야 할 광범하고 심대(深大)한 사회 구조적 변동이다. 그렇기 때문에, 보수주의적 성향을 가진 사람들도 전통문화의 변질을 어느 정도 수긍하지 않을 수 없는가 하면, 사회 변동의 강력한 추진 세력 또한 문화적 전통의 확립을 주장하지 않을 수 없다. 또, 한국 사회에서 전통문화의 변화에 관한 논의는 단순히 외래문화이냐 전통문화이냐의 양자택일적인 문제가 될 수 없다는 것도 명백하다. 근대화는 전통문화의 연속성과 변화를 다 같이 필요로 하며, 외래문화의 수용과 그 토착화 등을 다 같이 요구하는 것이기 때문이다. 그러므로 전통을 계승하고 외래문화를 수용할 때에 무엇을 취하고 무엇을 버릴 것이냐 하는 문제도 단순히 문화의 보편성(普遍性)과 특수성(特殊性)이라고 하는 기준에서만 다룰 수 없다. 근대화라고 하는 사회 구조적 변동이 문화 변화를 결정지을 것이기 때문에, 전통문화의 변화 문제를 (   )에서 다루어 보는 분석이 매우 중요하리라고 생각한다.

① 보수주의의 시각
② 진보주의의 시각
③ 사회 변동의 시각
④ 보편성과 특수성의 시각

44

2013 서울시 7급

( ) 안에 들어갈 표현으로 가장 적절한 것은?

> 서양인들은 동양인들에 비해 세상을 '덜 복잡한 곳'으로 파악하기 때문에 적은 수의 요인들만으로도 세상을 이해할 수 있다고 믿는다. 연구팀은 미국과 한국의 대학생들에게 어떤 사건을 간단히 요약하여 기술하고, 총 100여 개에 달하는 요인들을 제시해 준 다음 각 요인이 그 사건과 관련이 있는지 없는지 선택하게 했다. 그 결과, 한국 대학생들은 약 37%의 요인들만 그 사건과 관계없는 요인으로 판단했으나, 미국 대학생들은 55%에 이르는 요인들이 그 사건과 관계없다고 판단했다. 동양계 미국인 참가자들은 한국인과 미국인의 중간 정도에 해당하는 반응을 보였다. 연구팀은 '어떤 요인이 어떤 사건과 관계없다고 판단 내리기를 꺼리는 경향', 다시 말해 '( )'이 종합주의적 사고와 관련이 있음을 발견했다.

① 무수히 많은 요인들이 어떤 사건에 관련되어 있다고 믿는 경향
② 인과론적으로 사건을 파악하려고 하는 경향
③ 세상을 덜 복잡한 곳으로 파악하고 관계를 판단하는 경향
④ 발생한 결과를 요인들로 미리 예측할 수 없다고 믿는 경향
⑤ 맥락이 중시되는 상황에서 맥락을 무시하려는 경향

정답&해설

42 ④ 밑줄/괄호

④ (다) 뒤에서 '분주하고 정신이 없는 장면을 보여 주고, 나중에 그 모습에 대해서 이야기하게 해 보자.'라고 했으므로 그 모습을 설명하는 문장이 와야 한다. (A)의 '일어난 일에 대한 묘사는'에 본 모습을 설명한다는 표현이 나온다. 따라서 맥락상 (A)는 (라)의 자리에 와야 자연스럽다.

43 ③ 밑줄/괄호

③ '보수주의와 진보주의의 차이로 이해될 성질의 것이 아니다', '보편성과 특수성이라고 하는 기준에서만 다룰 수 없다', '사회 구조적 변동이 문화 변화를 결정지을 것이기 때문에' 등을 통해 빈칸에는 '사회 변동의 시각'이 들어가는 것이 적절한 표현임을 알 수 있다.

44 ① 밑줄/괄호

제시된 글에서는 동양인들이 세상을 복잡한 곳으로 생각하고 각 요인들이 사건과 관련이 있다고 생각하며, '어떤 요인이 어떤 사건과 관계없다고 판단 내리기를 꺼리는 경향'이 있다고 말하고 있다. 따라서 맥락상 ① '무수히 많은 요인들이 어떤 사건에 관련되어 있다고 믿는 경향'이 동양인의 '종합주의적 사고'와 관련 있다고 할 수 있다.

| 정답 | 42 ④ 43 ③ 44 ①

45

2020 국가직 9급

다음 글을 바탕으로 ㉠을 이해할 때 가장 적절한 것은?

> 나는 ㉠'연극에서의 관객의 공감'에 대해 강연한 일이 있다. 나는 관객이 공감하는 것을 직접 보여 주려고 시도했다. 먼저 나는 자원자가 있으면 나와서 배우처럼 읽어 주기를 청했다. 그리고 청중에게는 연극의 관객이 되어 들어 달라고 했다. 한 사람이 앞으로 나왔다. 나는 그에게 아우슈비츠를 소재로 한 드라마의 한 장면이 적힌 종이를 건네주었다. 자원자가 종이를 받아들고 그것을 훑어볼 때 청중들은 어수선했다. 그런데 자원자의 입에서 떨어진 첫 대사는 끔찍한 내용이었다. 아우슈비츠에 관한 적나라한 증언은 너무나 충격적이어서 청중들은 완전히 압도되었다. 자원자는 청중들의 얼어붙은 듯한 침묵 속에서 낭독을 계속했다. 자원자의 낭독은 세련되지도 능숙하지도 않았다. 그러나 관객들의 열렬한 공감을 이끌어 냈다. 과거 역사가 현재의 관객들에게 생생하게 공감되었다.
>
> 이것이 끝나고 이번에는 강연장에 함께 갔던 전문 배우에게 셰익스피어의 희곡 「헨리 5세」에서 발췌한 대사를 낭독해 달라고 부탁했다. 그 대본은 400년 전 아쟁쿠르 전투(백년 전쟁 당시 벌어졌던 영국과 프랑스의 치열한 전투)에서 처참하게 사망한 자들의 명단과 그 숫자를 나열한 것이었다. 그는 셰익스피어의 위대한 희곡임을 알아보자 품위 있고 고풍스럽게 큰 목소리로 낭독했다. 그는 유려한 어조로 전쟁에서 희생된 이들의 이름을 읽어 내려 갔다. 그러나 청중들은 듣는 둥 마는 둥 했다. 갈수록 청중들은 낭독자 따위는 안중에도 없다는 듯이 행동했다. 그들에게 아쟁쿠르 전투는 공감할 수 없는 것으로 분리된 것 같아 보였다. 앞서의 경우와는 전혀 다른 반응이었다

① 배우의 연기력이 관객의 공감을 좌우한다.
② 비참한 죽음을 다룬 비극적인 소재는 관객의 공감을 일으킨다.
③ 훌륭한 고전이라고 해서 항상 청중의 공감을 불러일으킬 수 있는 것은 아니다.
④ 현재와 가까운 역사적 사실을 극화했다고 해서 관객의 공감 가능성이 커지지는 않는다.

전개 순서(배열)

46

2022 국가직 9급

다음 글의 전개 순서로 가장 자연스러운 것은?

> (가) 이 기관을 잘 수리하여 정련하면 그 작동도 원활하게 될 것이요, 수리하지 아니하여 노둔해지면 그 작동도 막혀 버릴 것이니 이런 기관을 다스리지 아니하고야 어찌 그 사회를 고취하여 발달케 하리오.
> (나) 이러므로 말과 글은 한 사회가 조직되는 근본이요, 사회 경영의 목표와 지향을 발표하여 그 인민을 통합시키고 작동하게 하는 기관과 같다.
> (다) 말과 글이 없으면 어찌 그 뜻을 서로 통할 수 있으며, 그 뜻을 서로 통하지 못하면 어찌 그 인민들이 서로 이어져 번듯한 사회의 모습을 갖출 수 있으리오.
> (라) 그뿐 아니라 그 기관은 점점 녹슬고 상하여 필경은 쓸 수 없는 지경에 이를 것이니 그 사회가 어찌 유지될 수 있으리오. 반드시 패망을 면하지 못할지라.
> (마) 사회는 여러 사람이 그 뜻을 서로 통하고 그 힘을 서로 이어서 개인의 생활을 경영하고 보존하는 데에 서로 의지하는 인연의 한 단체라.
>
> – 주시경, 「대한국어문법 발문」에서 –

① (마) – (가) – (다) – (나) – (라)
② (마) – (가) – (라) – (다) – (나)
③ (마) – (다) – (가) – (라) – (나)
④ (마) – (다) – (나) – (가) – (라)

47

2021 국가직 9급

㉠~㉤의 전개 순서로 가장 자연스러운 것은?

> 폭설, 즉 대설이란 많은 눈이 시간적, 공간적으로 집중되어 내리는 현상을 말한다.
> ㉠ 그런데 눈은 한 시간 안에 5cm 이상 쌓일 수 있어 순식간에 도심 교통을 마비시키는 위력을 가지고 있다.
> ㉡ 또한, 경보는 24시간 신적설이 20cm 이상 예상될 때이다.
> ㉢ 다만, 산지는 24시간 신적설이 30cm 이상 예상될 때 발령된다.
> ㉣ 이때 대설의 기준으로 주의보는 24시간 새로 쌓인 눈이 5cm 이상이 예상될 때이다.
> ㉤ 이뿐만 아니라 운송, 유통, 관광, 보험을 비롯한 서비스 업종과 사회 전반에 영향을 미친다.

① ㉠-㉤-㉡-㉢-㉣
② ㉠-㉣-㉤-㉢-㉡
③ ㉣-㉡-㉢-㉠-㉤
④ ㉣-㉠-㉤-㉢-㉡

정답&해설

45 ③ 밑줄/괄호

1문단에서 자원자가 아우슈비츠 소재 드라마를 낭독한 것은 관객들의 공감을 이끌어냈지만, 2문단에서 전문 배우의 셰익스피어 희곡 낭독은 관객들의 공감을 이끌어 내지 못했다. 여기에서 알 수 있는 것은 관객의 공감과 감동은 훌륭한 고전이냐 아니냐 또는 화법에 전문성이 있느냐 없느냐와는 크게 관련이 없다는 것이다.

46 ④ 전개 순서(배열)

(마)에서 사회는 여러 사람이 그 뜻을 통하고 의지하는 단체라고 설명하고 있다.
(다)에서 그런 통합, 즉 뜻의 통함이 있으려면 말과 글이 필수적이라고 설명하고 있다.
(나)에서 이런 말과 글은 인민을 통합시키고 작동하게 하는 기관과 같다고 말하고 있다.
(가)에서 이 기관을 잘 수리하고 정리하여야 작동도 원활하게 되며 사회도 발달하게 된다고 언급하고 있다.
(라)에서 그 기관을 잘 정리하지 못하면 필경 쓸 수 없는 지경에 이르게 되고 사회는 패망하게 된다고 언급하고 있다.

47 ③ 전개 순서(배열)

첫 문장에서 폭설(대설)의 현상을 언급했으므로 그 다음 문장에는 대설의 기준을 설명하는 ㉣이 와야 하고 대등적으로 경보, 산지의 기준을 설명한 ㉡, ㉢이 차례로 이어져야 자연스럽다. '㉣-㉡-㉢'에서 대설주의보와 경보에 대해 설명하였으므로 그 이후로는 눈이 많이 내렸을 때 일어날 수 있는 일을 설명하고 있는 ㉠, ㉤이 순서대로 이어지는 것이 자연스럽다.

| 정답 | 45 ③ 46 ④ 47 ③

48

2020 지방직(= 서울시) 9급

다음 글의 전개 순서로 가장 자연스러운 것은?

ㄱ. 1700년대 중반에 이미 미국 이주민들의 평균 소득은 영국인들의 평균 소득을 넘어섰다.
ㄴ. 그러나 미국은 사실 그러한 분야에서는 다른 산업 국가들에 비해 특별한 우위를 갖고 있지 않았다.
ㄷ. 미국 이주민들의 평균 소득이 높아지게 된 배경에는 좋은 환경으로부터 비롯된 낙관성과 자신감이 있었다. 이후로도 다소 불안정하기는 했지만 미국인들의 소득은 계속해서 크게 증가했다.
ㄹ. 대부분의 미국인들은 남북 전쟁 이후 급속히 경제가 성장한 이유를 농업적 환경뿐만 아니라 19세기의 과학적, 기술적 대전환, 기업가 정신과 규제가 없는 시장 경제 때문이라고 단순하게 생각하는 경향이 있다.
ㅁ. 미국인들이 이처럼 초기 정착기에 풍요로움을 누릴 수 있었던 것은 비옥한 토지, 풍부한 천연자원, 흑인 노동력에 힘입은 농산물 수출 덕분이었다.

① ㄱ－ㄷ－ㅁ－ㄹ－ㄴ
② ㄱ－ㄹ－ㄷ－ㄴ－ㅁ
③ ㄹ－ㄴ－ㅁ－ㄱ－ㄷ
④ ㄹ－ㅁ－ㄴ－ㄷ－ㄱ

49

2014 지방직 9급

다음 글의 전개 순서로 가장 자연스러운 것은?

(가) 상품 생산자, 즉 판매자는 화폐를 얻기 위해 자신의 상품을 시장에 내놓는다. 하지만 생산자가 만들어 낸 상품이 시장에 들어서서 다른 상품이나 화폐와 관계를 맺게 되면, 이제 그 상품은 주인에게 복종하기를 멈추고 자립적인 삶을 살아가게 된다.
(나) 이처럼 상품이나 시장 법칙은 인간에 의해 산출된 것이지만, 이제 거꾸로 상품이나 시장 법칙이 인간을 지배하게 된다. 이때 인간 및 인간들 간의 관계가 소외되는 현상이 나타난다.
(다) 상품은 그것을 만들어 낸 생산자의 분신이지만, 시장 안에서는 상품이 곧 독자적인 인격체가 된다. 사람이 주체가 아니라 상품이 주체가 된다.
(라) 또한 사람들이 상품들을 생산하여 교환하는 과정에서 시장의 경제 법칙을 만들어 냈지만, 이제 거꾸로 상품들은 인간의 손을 떠나 시장 법칙에 따라 교환된다. 이런 시장 법칙의 지배 아래에서는 사람과 사람 간의 관계가 상품과 상품, 상품과 화폐 등 사물과 사물 간의 관계에 가려 보이지 않게 된다.

① (가) – (다) – (나) – (라)
② (가) – (다) – (라) – (나)
③ (다) – (라) – (가) – (나)
④ (다) – (라) – (나) – (가)

50

2014 지방직 7급

(가)의 내용에 이어지는 순서로 가장 자연스러운 것은?

(가) 근대 자유 민주주의는 역사적으로 민주주의의 특정한 형태로서 아테네에서 민주주의가 사라진 후 거의 2,000년이 지나서 역사의 무대에 등장하였다. 전체 서구 역사에서 볼 때 민주주의가 자유주의보다 먼저 출현했지만, 근대에 들어와서는 자유주의가 민주주의에 비해 200년이나 앞서 등장해서 그 후에 등장한 민주주의가 적응해야 하는 세계의 틀을 창조하였다. 곧 자유 민주주의는 기본적으로 자유주의가 설정한 한계 내에서 규정되고 구조화된 민주주의라고 말할 수 있다.

(나) 나아가 거의 모든 고전적 자유주의자들은, 여성은 남편이나 부친을 통해 정치적으로 대표됨으로써 그들의 이익을 보호할 수 있다는 논거하에 여성의 참정권을 부정하였다. 이처럼 자유주의자들은 참정권의 부여를 일정한 기준, 곧 재산 소유, 가장으로서의 지위 또는 공식적인 교육의 수준에 따라 제한하고자 했다.

(다) 따라서 로크는 묵시적 동의가 아니라 명시적 동의를 할 수 있는 유산 계급에게만 참정권을 인정했다. 또 프랑스 대혁명 기간 중에 제1차 국민 의회의 헌법 제정자들은 능동적 시민권과 수동적 시민권을 구분하고, 정치적 권리를 납세자에게만 인정하였다.

(라) 그러나 자유주의자들은 다음과 같은 이유에서 오랫동안 대중에게 참정권을 부여하는 보통 선거권을 도입하자는 민주주의자들의 요구에 대해 부정적이었다. 첫째, 그들은 대중이 대부분 가난한 사람들로 구성되어 있으며 부자와 사유재산제도 일반에 적대적이기 때문에 보통 선거권의 도입을 통해 대중의 지지를 받은 정치가가 정권을 잡게 되면, 부자의 재산을 몰수하여 가난한 자에게 분배하는 등 급진적인 경제 개혁을 실시하는 것을 두려워했다. 둘째로 그들은 대중이란 삶의 모든 영역에서 평등을 추구하기 때문에 그들이 권력을 잡게 되면 문화적 획일성·다양성에 대한 불관용 및 여론에 의한 전제 정치로 귀결될 것이라고 주장했다. 셋째, 자유주의자들은 투표권이란 합리성, 성찰 능력, 사회 정치적 사안에 대한 지식 등을 전제하며 따라서 그러한 자질들을 가진 자들에게 부여되어야 하는데, 대중은 그러한 자질을 결여하고 있기 때문에 그들에게 공공사를 맡길 수 없다고 주장했다.

① (나) − (다) − (라)　　② (나) − (라) − (다)
③ (다) − (라) − (나)　　④ (라) − (다) − (나)

정답&해설

48 ① 전개 순서(배열)

① ㄱ은 1700년대에 대한 설명이고, ㄹ은 19세기 이후에 대한 설명이므로, 시기로 보면 ㄱ이 앞서는 것이 자연스럽다. ㄱ의 "미국 이주민들의 평균 소득은 영국인들의 평균 소득을 넘어섰다."와 ㄷ의 "미국 이주민들의 평균 소득이 높아지게 된 배경에는"이 내용적으로 연결되므로 ㄱ 다음에는 ㄷ이 연결되어야 하는 것을 알 수 있다. ㄷ에서 평균 소득 증가 배경을 언급했으므로, 이에 대한 원인을 제시하는 ㅁ이 나오고, 남북전쟁 이후 미국 경제 성장에 대한 내용인 ㄹ－ㄴ 순으로 이어지는 것이 자연스럽다. 따라서 정답은 'ㄱ－ㄷ－ㅁ－ㄹ－ㄴ'이다.

49 ② 전개 순서(배열)

(나)의 '이처럼'과 (라)의 '또한'이라는 용어를 통해 (나)와 (라)가 첫 번째 순서에 위치하기 어렵다는 것을 알 수 있다. (가)의 경우 상품 생산자가 상품을 시장에 내어놓는 상황이 나와 있고, (다)의 경우 그것이 시장에서 어떤 성격을 갖는지를 말하고 있으므로 맥락상 (가)가 처음에 와야 한다. (라)는 앞에 언급한 내용들과 다르지 않고 (나)는 인간 소외라는 새로운 이야기를 하고 있으므로 (나)가 (라) 뒤에 와야 한다. 따라서 ② '(가) − (다) − (라) − (나)'의 순서로 배열해야 한다.

50 ④ 전개 순서(배열)

(나)는 '나아가 거의 모든 고전적 자유주의자들은'으로 내용을 시작함으로써 (가)에서 언급되지 않은 '고전적 자유주의자들'을 언급하고 있어 (가) 뒤에 오기 어색하다. (다) 또한 '참정권'을 이야기하므로 (가)의 바로 뒤에 이어지기 힘들다는 것을 알 수 있다. 따라서 두 번째 문단에는 (라)가 와야 하고, (라) 뒤에 (다), (나) 순으로 이어져야 한다. 즉, ④ '(라) − (다) − (나)'가 적절하다.

| 정답 | 48 ① 49 ② 50 ④

51

2013 국가직 9급

다음 글의 전개 순서로 가장 적절한 것은?

ㄱ. 도구의 발달은 기술의 발전으로 이어져 인간은 자연환경의 제약으로부터 벗어날 수 있게 되었다.
ㄴ. 그리하여 인간은 자연이 주는 혜택과 고난 속에서 자신의 의지에 따라 선택적으로 자연을 이용하고 극복하게 되었다.
ㄷ. 인류는 지혜가 발달하면서 점차 자연의 원리를 깨닫고 새로운 도구를 만들 줄 알게 되었다.
ㄹ. 필리핀의 고산 지대에서 농지가 부족한 자연환경을 극복하기 위해 계단처럼 논을 만들어 벼농사를 지은 것이 그 좋은 예이다.

① ㄱ－ㄷ－ㄴ－ㄹ ② ㄱ－ㄹ－ㄷ－ㄴ
③ ㄷ－ㄱ－ㄴ－ㄹ ④ ㄷ－ㄴ－ㄱ－ㄹ

52

2013 서울시 7급

다음 글을 문맥에 맞게 배열한 것은?

(가) 탈세, 특히 재계 거물들의 탈세는 국가 권력의 기초를 허무는 것으로, 심각한 반국가 행위로 다스리는 것이 옳다.
(나) 우리가 세금에 대해 일반적으로 갖는 인식은 '억울하게 뜯기는 돈'인 경우가 많고 그래서 탈세자들에게도 굉장히 관대하다.
(다) 특히 재계 인사들이 탈세를 했다는 소식에는 '고래가 물을 뿜었나보다' 정도로 무덤덤하게 받아들일 때가 많다. 이러한 인식은 크게 잘못된 것이다.
(라) 병역을 기피한 자들과 똑같은 의미에서 '조세도피자'라고 부르는 것이 옳다.
(마) 그런 의미에서 이들을 '조세피난자'라고 불러서는 안 된다.

① (가) – (나) – (다) – (마) – (라)
② (나) – (다) – (가) – (마) – (라)
③ (나) – (가) – (다) – (라) – (마)
④ (나) – (가) – (마) – (다) – (라)
⑤ (가) – (나) – (다) – (라) – (마)

기타

53

2022 국가직 9급

다음 글의 '동기화 단계 조직'에 따라 (가)~(마)를 배열한 것으로 가장 적절한 것은?

설득하는 말하기의 메시지를 조직하는 방법으로 '동기화 단계 조직'이 있다. 이 방법의 세부 단계는 다음과 같다.
1단계: 주제에 대한 청자의 주의나 관심을 환기한다.
2단계: 특정 문제를 청자와 관련지어 설명함으로써 청자의 요구나 기대를 자극한다.
3단계: 해결 방안을 제시하여 청자의 이해와 만족을 유도한다.
4단계: 해결 방안이 청자에게 어떤 도움이 되는지 구체화한다.
5단계: 구체적인 행동의 내용과 방법을 제시하여 특정 행동을 요구한다.

(가) 지난주 제 친구는 일을 마친 후 자전거를 타고 집으로 돌아오다가 사고를 당해 머리를 다쳤습니다.
(나) 여러분이 자전거를 탈 때 헬멧을 착용하면 머리를 보호할 수 있습니다.
(다) 아마 여러분도 가끔 자전거를 타는 경우가 있을 것입니다. 그런데 매년 2천여 명이 자전거를 타다가 머리를 다쳐 고생한다고 합니다.
(라) 만약 자전거를 타는 모든 사람이 헬멧을 착용한다면 자전거 사고를 당해도 뇌손상을 비롯한 신체 피해를 75% 줄일 수 있습니다. 또 자전거 타기가 주는 즐거움과 편리함을 안전하게 누릴 수 있습니다.
(마) 자전거를 탈 때는 안전을 위해서 반드시 헬멧을 착용하시기 바랍니다.

① (가) – (나) – (다) – (라) – (마)
② (가) – (다) – (나) – (라) – (마)
③ (가) – (다) – (라) – (나) – (마)
④ (가) – (라) – (다) – (나) – (마)

54

2022 국가직 9급

㉠~㉣의 사례로 적절하지 않은 것은?

> 단어의 의미가 변화하는 양상은 다양하다. 첫째, "아침 먹고 또 공부하자."에서 '아침'은 본래의 의미인 '하루 중의 이른 시간'을 가리키지 않고 '아침에 먹는 밥'이라는 의미로 쓰인다. '밥'의 의미가 '아침'에 포함되어서 '아침'만으로도 '아침밥'의 의미를 표현하게 된 것으로, ㉠ 두 개의 단어가 긴밀한 관계여서 한쪽이 다른 한쪽의 의미까지 포함하는 의미로 변화하게 된 경우이다. 둘째, '바가지'는 원래 박의 껍데기를 반으로 갈라 썼던 물건을 가리켰는데, 오늘날에는 흔히 플라스틱 바가지를 가리킨다. 이것은 ㉡ 언어 표현은 그대로인데 시대의 변화에 따라 지시 대상 자체가 바뀌어서 의미 변화가 발생한 경우이다. 셋째, '묘수'는 본래 바둑에서 만들어진 용어이지만 일상적인 언어생활에서도 '쉽게 생각해 내기 어려운 좋은 방안'이라는 의미로 사용된다. ㉢ 이는 특수한 영역에서 사용되던 말이 일반화되면서 단어의 의미가 변화한 경우에 해당한다. 넷째, 호랑이를 두려워하던 시절에 사람들은 '호랑이'라는 이름을 직접 부르기 꺼려서 '산신령'이라고 부르기도 했는데, 이는 ㉣ 심리적인 이유로 특정 표현을 피하려다 보니 그것을 대신하는 단어의 의미에 변화가 생긴 경우이다.

① ㉠: '아이들의 코 묻은 돈'에서 '코'는 '콧물'의 의미로 쓰인다.

② ㉡: '수세미'는 원래 식물의 이름이었지만 오늘날에는 '그릇을 씻는 데 쓰는 물건'이라는 의미로 쓰인다.

③ ㉢: '배꼽'은 일반적으로 '탯줄이 떨어지면서 배의 한가운데에 생긴 자리'를 가리키지만 바둑에서는 '바둑판의 한가운데'라는 의미로 쓰인다.

④ ㉣: 무서운 전염병인 '천연두'를 꺼려서 '손님'이라고 불렀다.

정답&해설

51 ③ 전개 순서(배열)

ㄱ의 중심 내용은 '도구의 발달은 기술의 발전으로 이어졌다'이고, ㄷ의 중심 내용은 '인간은 도구를 만들 줄 알게 되었다'이다. 따라서 '도구를 만듦 – 도구의 발달 – 기술의 발전'의 순서가 성립하므로 ㄷ이 첫 번째 문장이고 ㄱ이 그 뒤에 이어지는 문장임을 알 수 있다. ㄴ과 ㄹ은 인간의 기술이 발전하여 자연을 이용하고 극복한다는 내용과 그 예이므로 ㄱ 뒤에 와야 될 문장들이다. 따라서 글의 전개 순서는 ③ 'ㄷ – ㄱ – ㄴ – ㄹ'이 된다.

52 ② 전개 순서(배열)

(다)의 '특히', (마)의 '그런 의미에서'라는 용어를 통해 (다)와 (마)는 첫 번째 문장에 위치하기 어려움을 알 수 있다. 그리고 (라)는 문장의 내용으로 보아 (마)의 뒤에 위치해야 한다. (나)의 경우 우리 국민이 세금에 대해 갖는 일반적 인식을 얘기하고 있고, (가)의 경우 재계 거물들의 탈세를 심각한 반국가 행위로 규정하고 있다. 따라서 맥락상 (나)가 먼저 와야 한다. 두 번째 문장의 경우 탈세에 관대한 일반적 인식에 이어서 재계 인사들의 탈세에 대해 무덤덤한 자세를 보이는 우리들의 잘못된 인식이 나오는 (다)가 와야 한다. 세 번째 문장의 경우 재계 인사들의 탈세 문제를 이어받아 재계 인사의 탈세는 심각한 반국가 행위라는 말이 와야 하므로 (가)가 오는 것이 적절하다. 따라서 순서는 ② '(나) – (다) – (가) – (마) – (라)'가 적절하다.

53 ② 기타(예시 찾기)

(가): 자기 친구의 일을 언급하며 '자전거 사고로 인한 머리 부상'이라는 주제에 대한 청자의 관심을 유발하고 주의를 환기하고 있다.
(다): 청자가 자전거를 타는 경우를 언급하며 청자와 관련지어 설명하고 있다.
(나): '헬멧 착용'이라는 해결 방안을 청자와 관련하여 제시하고 있다.
(라): 헬멧 착용으로 뇌손상과 신체 피해를 75% 줄일 수 있다는 구체적 수치를 언급하며 청자에게 어떤 도움이 되는지를 구체화하고 있다.
(마): 자전거 탈 때는 꼭 헬멧을 쓰라는 특정 행동을 요구하고 있다.

54 ③ 기타(예시 찾기)

③ ㉢은 '특수한 영역에서 사용되던 말 → 일반화'를 의미한다. 하지만 '배꼽'은 일상적으로 사용되는 표현이 바둑에서 특수하게 사용되는 경우로 ㉢과 반대되는 예로 볼 수 있다.

|오답해설| ① '코'와 '콧물'은 긴밀한 관계의 단어이기 때문에 '코'가 '콧물'의 의미까지 포함하는 의미로 변화하게 된 경우로 볼 수 있다.
② '수세미'라는 언어 표현은 그대로인데 시대의 변화에 따라 식물 수세미에서 다양한 재료의 수세미로 쓰이며 의미 변화가 일어난 경우로 볼 수 있다.
④ 무서운 전염병인 '천연두'를 꺼리는 심리적인 이유로, '천연두'를 대신하는 단어 '손님'의 의미에 변화가 생긴 경우로 볼 수 있다.

|정답| 51 ③ 52 ② 53 ② 54 ③

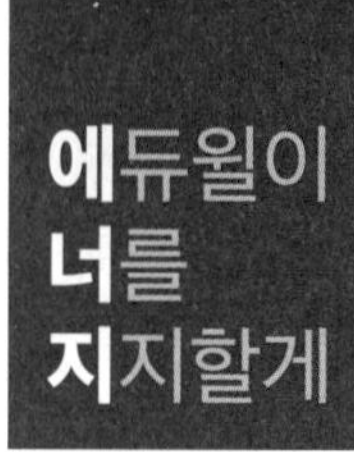

ENERGY

우리가 두려워해야 할 것은
바로 두려움 그 자체다.

– 프랭클린 루스벨트(Franklin Roosevelt)

Ⅱ 독해 비문학

공무원 vs. 수능 비교분석▶ 최근 공무원 국어의 가장 큰 변화의 방향은 비문학 비중의 증가와, 단문 독해에서 장문 독해로의 변화라고 할 수 있다. 따라서 공무원 비문학 독해 기출문제뿐만 아니라 심화된 수능형 독해 문제를 풀어 보고 장문 독해에 최대한 익숙해질 필요가 있다. 앞에서도 언급한 것처럼 요즘 공무원 국어 장문 독해에 가장 적합한 수능형 기출은 2000년~2010년 사이 고3 수능, 모의고사 비문학 문제들이다. 이 기간의 지문과 문제로 꾸준히 독해 연습을 해야 한다.

STEP 1 가볍게 읽고 문제 풀어보기

단권화 MEMO

● 다음 글의 취지로 가장 적절한 것은? 2010 수능

둘 이상의 기업이 자본과 조직 등을 합하여 경제적으로 단일한 지배 체제를 형성하는 것을 '기업 결합'이라고 한다. 기업은 이를 통해 효율성 증대나 비용 절감, 국제 경쟁력 강화와 같은 긍정적 효과들을 기대할 수 있다. 하지만 기업이 속한 사회에는 간혹 역기능이 나타나기도 하는데, 시장의 경쟁을 제한하거나 소비자의 이익을 침해하는 경우가 그러하다. 가령, 시장 점유율이 각각 30%와 40%인 경쟁 기업들이 결합하여 70%의 점유율을 갖게 될 경우, 경쟁이 제한되어 지위를 남용하거나 부당하게 가격을 인상할 수 있는 것이다. 이 때문에 정부는 기업 결합의 취지와 순기능을 보호하는 한편, 시장과 소비자에게 끼칠 폐해를 가려내어 이를 차단하기 위한 법적 조치들을 강구하고 있다. 하지만 기업 결합의 위법성을 섣불리 판단해서는 안 되므로 여러 단계의 심사 과정을 거치도록 하고 있다.

이 심사는 기업 결합의 성립 여부를 확인하는 것부터 시작한다. 여기서는 해당 기업 간에 단일 지배 관계가 형성되었는지가 관건이다. 예컨대 주식 취득을 통한 결합의 경우, 취득 기업이 피취득 기업을 경제적으로 지배할 정도의 지분을 확보하지 못하면, 결합의 성립이 인정되지 않고 심사도 종료된다.

반면에 결합이 성립된다면 정부는 그것이 영향을 줄 시장의 범위를 획정함으로써, 그 결합이 동일 시장 내 경쟁자 간에 이루어진 수평 결합인지, 거래 단계를 달리하는 기업 간의 수직 결합인지, 이 두 결합 형태가 아니면서 특별한 관련이 없는 기업 간의 혼합 결합인지를 규명하게 된다. 문제는 어떻게 시장을 획정할 것인지인데, 대개는 한 상품의 가격이 오른다고 가정할 때 소비자들이 이에 얼마나 민감하게 반응하여 다른 상품으로 옮겨 가는지를 기준으로 한다. 그 민감도가 높을수록 그 상품들은 서로에 대해 대체재, 즉 소비자에게 같은 효용을 줄 수 있는 상품에 가까워진다. 이 경우 생산자들이 동일 시장 내의 경쟁자일 가능성도 커진다.

이런 분석에 따라 시장의 범위가 정해지면, 그 결합이 시장의 경쟁을 제한하는지를 판단하게 된다. 하지만 설령 그럴 우려가 있는 것으로 판명되더라도 곧바로 위법으로 보지는 않는다. 정부가 당사자들에게 결합의 장점이나 불가피성에 관해 항변할 기회를 부여하여 그 타당성을 검토한 후에, 비로소 시정 조치 부과 여부를 최종 결정하게 된다.

① 기업 결합의 성립 여부는 기업 스스로의 판단에 맡겨야 한다.
② 기업 결합으로 얻은 이익은 사회에 환원하는 것이 바람직하다.
③ 기업 결합을 통한 기업의 확장은 경제 발전에 도움이 되지 않는다.
④ 기업 활동에 대한 위법성 판단에는 소비자의 평가가 가장 중요하다.
⑤ 기업 결합의 순기능을 살리되 그에 따른 부정적 측면을 신중히 가려내야 한다.

단권화 MEMO

*내재적 독해법
배경지식 없이 글에서 주어지는 정보만으로 글을 세밀하게 분석하며 읽어 나가는 방법을 말한다.

STEP 2 채점&해설을 통해 정답의 근거 확인하기

정답: ⑤

해설: 기업 결합은 순기능과 부정적 기능을 모두 갖고 있다. 정부는 심사 과정을 통해 기업 결합의 순기능과 부정적 기능을 신중히 가려내야 한다.

STEP 3 지문을 내재적 독해법*으로 다시 읽어보기

● **다음 글의 취지로 가장 적절한 것은?** 2010 수능

둘 이상의 기업이 자본과 조직 등을 합하여 경제적으로 단일한 지배 체제를 형성하는 것을 '기업 결합'이라고 한다.

⇨ 보통 글의 1문단에는 글의 '화제'가 제시된다. 즉 무엇에 관하여 설명하는 글인가가 1문단에 제시된다. 따라서 1문단은 이 글의 화제가 무엇일까 생각해 보며 읽는 것이 중요하다. 이 글은 '기업 결합'에 대해 이야기할 것으로 보인다.

기업은 이를 통해

⇨ 기업 결합을 가리키는 표현이다. 이처럼 비문학을 독해할 때에는 지시하고 가리키는 표현의 의미를 명확히 파악하며 읽는 것이 중요하다.

효율성 증대나 비용 절감, 국제 경쟁력 강화와 같은 긍정적 효과들을 기대할 수 있다.

⇨ 기업 결합의 긍정적 부분을 언급하고 있다.

하지만

⇨ 접속사는 필히 주의하며 읽어야 한다. 특히 역접은 앞의 내용보다는 뒤의 내용이 강조된다는 것을 예고하는 것이므로 각별히 신경 쓰며 읽어야 한다.

기업이 속한 사회에는 간혹 역기능이 나타나기도 하는데, 시장의 경쟁을 제한하거나 소비자의 이익을 침해하는 경우가 그러하다. 가령,

⇨ 앞서 설명한 내용에 대하여 예를 들어 설명하겠다는 표지이다. 비문학 지문은 시험 문제를 출제하기 위해 의도적으로 고안된 지문이다. 따라서 불필요한 예를 들지 않는다. 이 말은 이 예가 이 글에서 꼭 필요한 것이며, 예를 통해서 개념을 분명히 제시하고 싶은 출제자의 의도가 반영된 부분이라는 것이다. 따라서 예를 통해 부연 설명하는 부분은 문제에서 중요한 부분이므로 신경 써서 읽어야 한다.

시장 점유율이 각각 30%와 40%인 경쟁 기업들이 결합하여 70%의 점유율을 갖게 될 경우, 경쟁이 제한되어 지위를 남용하거나 부당하게 가격을 인상할 수 있는 것이다.

⇨ 숫자에 약해 이 부분이 정확히 어떤 말인지 잘 이해가 가지 않는다면, 세부적인 숫자는 신경 쓰지 말고 기업 결합의 부정적인 면을 언급하는 부분이며 '지위를 남용하거나 부당하게 가격을 인상할 수 있다' 정도로 이해해도 된다.

이 때문에

⇨ 기업 결합의 부정적인 면 때문에

정부는 기업 결합의 취지와 순기능을 보호하는 한편, 시장과 소비자에게 끼칠 폐해를 가려내어 이를 차단하기 위한 법적 조치들을 강구하고 있다.

⇨ 기업 결합은 분명히 장점과 단점을 갖고 있기 때문에 순기능을 보호하고, 폐혜를 막기 위해 조치를 마련한다는 것이다.

하지만 기업 결합의 위법성을 섣불리 판단해서는 안 되므로 여러 단계의 심사 과정을 거치도록 하고 있다.

⇨ 1문단은 글의 전체적인 것을 파악할 수 있는 지도와 같다. 따라서 뒤에 나올 내용을 어느 정도 짐작할 수 있다. 2문단부터 기업 결합의 위법성 판단을 위한 심사 과정이 나올 것으로 예상된다. 이처럼 글을 읽을 때는 글에서 제시하는 예고들을 통해 다음 부분의 내용을 예상하면서 읽는 연습이 필요하다.

단권화 MEMO

이 심사는 기업 결합의 성립 여부를 확인하는 것부터 시작한다.
⇨ 단계를 밟아 가며 글을 진행할 것이라는 것을 예상할 수 있다.
여기서는 해당 기업 간에 단일 지배 관계가 형성되었는지가 관건이다.
⇨ 말 그대로 중요하다는 뜻이므로 특별히 주목해야 할 부분이다. 밑줄 등으로 표시해 두면 좋다.
예컨대
⇨ 앞에서 말한 것처럼 절대 불필요하게 예를 드는 경우는 없다. 주의해서 읽어 나가야 한다.
주식 취득을 통한 결합의 경우, 취득 기업이 피취득 기업을 경제적으로 지배할 정도의 지분을 확보하지 못하면, 결합의 성립이 인정되지 않고 심사도 종료된다.
반면에
⇨ 역접은 앞에서 말한 것처럼 뒤의 내용이 강조된다는 것을 예고하므로 주의해서 읽어 나가야 한다.
결합이 성립된다면 정부는 그것이 영향을 줄 시장의 범위를 획정함으로써, 그 결합이 동일 시장 내 경쟁자 간에 이루어진 수평 결합인지, 거래 단계를 달리하는 기업 간의 수직 결합인지, 이 두 결합 형태가 아니면서 특별한 관련이 없는 기업 간의 혼합 결합인지를 규명하게 된다.
⇨ 복잡한 개념이 3개나 연달아 나오고 있다. 만약 읽으면서 머릿속에 구조화되어 정리되지 않는다면 일단 '수평 결합', '수직 결합', '혼합 결합'에 밑줄을 긋거나 표시해 두고, 나중에 문제에서 이 부분이 언급된다면 밑줄을 확인하면서 각각의 개념이 무엇인지 눈으로 확인해야 한다.
문제는 어떻게 시장을 획정할 것인지인데,
⇨ 심사 단계에서 중요한 부분이며 기준점이라는 것을 알 수 있다.
대개는 한 상품의 가격이 오른다고 가정할 때 소비자들이 이에 얼마나 민감하게 반응하여 다른 상품으로 옮겨 가는지를 기준으로 한다.
⇨ 기준점이 제시되고 있다.
그 민감도가 높을수록 그 상품들은 서로에 대해 대체재, 즉
⇨ 부연 설명하는 부분이다. 불필요한 부연은 없으므로, 집중해서 읽어 나가야 한다.
소비자에게 같은 효용을 줄 수 있는 상품에 가까워진다. 이 경우
⇨ 민감도가 높은 경우
생산자들이 동일 시장 내의 경쟁자일 가능성도 커진다.
이런 분석에 따라 시장의 범위가 정해지면, 그 결합이 시장의 경쟁을 제한하는지를 판단하게 된다.
⇨ 심사 기준의 다음 단계가 제시되고 있다.
하지만 설령 그럴 우려가 있는 것으로 판명되더라도 곧바로 위법으로 보지는 않는다.
⇨ 위법인지 판단하는 과정이 까다롭다는 것을 알 수 있다.
정부가 당사자들에게 결합의 장점이나 불가피성에 관해 항변할 기회를 부여하여 그 타당성을 검토한 후에, 비로소 시정 조치 부과 여부를 최종 결정하게 된다.

처음부터 내재적 독해법에 따라 글을 읽기는 쉽지 않을 것이다. 따라서 한 지문, 한 지문 읽을 때마다 먼저 문제를 풀고, 채점 후에 바로 다음 지문으로 넘어가는 것이 아니라, 풀어 본 지문을 차분히 분석해 보는 습관이 필요하다. 여기서 말하는 '분석'이란 단순히 내용을 이해하는 것이 아니라 글의 '구조와 흐름', 상대적으로 '중요한 부분과 중요하지 않은 부분을 구분'하면서 읽어 가는 것을 말한다. 이렇게 분석한 지문의 개수가 늘어 갈수록 독해 습관도 글의 내적 구조와 중요도를 파악하며 읽는 방향으로 발전할 것이다.

[01~05] 다음 글을 읽고 물음에 답하시오.

사회적 관계에 있어서 상호주의란 "행위자 갑이 을에게 베푼 바와 같이 을도 갑에게 똑같이 행하라."라는 행위 준칙을 의미한다. 상호주의의 원형은 '눈에는 눈, 이에는 이'로 표현되는 탈리오의 법칙에서 발견된다. 그것은 일견 피해자의 손실에 상응하는 가해자의 처벌을 정당화한다는 점에서 가혹하고 엄격한 성격을 드러낸다. 만약 상대방의 밥그릇을 빼앗았다면 자신의 밥그릇도 미련 없이 내주어야 하는 것이다. 그러나 탈리오 법칙은 온건하고도 합리적인 속성을 동시에 함축하고 있다. 왜냐하면 누가 자신의 밥그릇을 발로 찼을 경우 보복의 대상은 밥그릇으로 제한되어야지 밥상 전체를 뒤엎는 것으로 확대될 수 없기 때문이다. 이러한 일대일 방식의 상호주의를 '대칭적' 상호주의라 부른다.

하지만 엄밀한 의미의 대칭적 상호주의는 우리의 실제 일상생활에서 별로 흔하지 않다. 오히려 '되로 주고 말고 받거나, 말로 주고 되로 받는' 교환 관계가 더 일반적이다. 이를 대칭적 상호주의와 대비하여 '비대칭적' 상호주의라 일컫는다. 그렇다면 교환되는 내용이 양과 질의 측면에서 정확한 대등성을 결여하고 있음에도 불구하고, 교환에 참여하는 당사자들 사이에 비대칭적 상호주의가 성행하는 이유는 무엇인가? 그것은 ㉠ 셈에 밝은 이른바 '경제적 인간(Homo economicus)'들에게 있어서 선호나 기호 및 자원(資源)이 다양하기 때문이다. 말하자면 교환에 임하는 행위자들이 각인각색(各人各色)인 까닭에 비대칭적 상호주의가 현실적으로 통용될 수밖에 없으며, 어떤 의미에서는 그것만이 그들에게 상호 이익을 보장할 수 있는 것이다.

이처럼 ㉡ 비대칭적 상호주의에 의거한 호혜적(互惠的) 교환 관계가 가장 현저하게 이루어지는 사회적 공간이 바로 시장이다. 어떠한 행위자도 공짜로 재화를 얻을 수 없다고 가정하는 시장 상황에서 실제로 이루어지는 교환의 내용은 결코 등량(等量)·등가(等價)의 것들이 아니다. 행위자 갑은 을이 소유하고 있는 쌀을 원하고 을은 갑이 갖고 있는 설탕을 바랄 경우, 갑은 쌀에 대하여 그리고 을은 설탕에 대해 각각 더 높은 가치를 부여하면서 양자를 서로 바꾸는 것이다. 이와 같이 시장은 각자의 선호와 자원의 범위 내에서 '줄 것은 주고, 받을 것은 받는' 장군 멍군 식의 관계가 성립되는 사회적 영역이다.

그런데 시장이 본연의 기능을 효율적으로 수행하기 위해서는 일정한 전제 조건이 요구된다. 교환에 참여하는 행위자의 자발성(自發性)과 교환 과정의 공정성(公正性)이 바로 그것이다. 이때 자발성은 행위자의 자율적 의사 결정을 의미하는 것이며, 공정성은 그들 간의 절차적 합리주의를 뜻한다. 예를 들어 강매나 사기, 도둑질 같은 행위는 선택의 자발성을 제한하고 절차의 공정성을 침해한다는 점에서 반(反)시장적인 것이다. 이러한 반시장적 행위들은 시장의 논리만으로 통제되기 어렵다. 따라서 ㉢ 시장에는 자발성과 공정성의 원칙을 견지하는 윤리적 규범이나 사회적 규칙을 행위자들이 신뢰하고 준수하는 것이 필요하다. 그것은 시장 속에 내재해 있는 것이 아니라는 점에서 '시장의 비(非)시장적 요소'라 말할 수 있다.

01

2001 수능

위 글의 내용과 일치하지 않는 것은?

① 대칭적 상호주의는 우리의 일상생활에 보편화되어 있다.
② 사람들의 기호 및 자원에는 차이가 있다.
③ 비대칭적 상호주의는 쌍방에게 이익을 준다.
④ 행위자의 자발성과 절차적 공정성은 호혜적 교환 관계의 전제 조건이다.
⑤ 반시장적 요소와 비시장적 요소는 서로 다른 의미이다.

02

2001 수능

위 글의 논지 전개 방식을 가장 잘 설명한 것은?

① 가설을 먼저 설정한 후, 그것을 구체적 현상에 적용하였다.
② 다양한 학설들을 소개한 다음, 그 공통점과 차이점을 열거하였다.
③ 정의, 비교·대조, 예시의 방법을 활용하여 현상에 대해 설명하였다.
④ 여러 가지 특수한 사례로부터 현상에 대한 보편적 이론을 도출하였다.
⑤ 현상을 바라보는 상반된 주장을 제시한 다음, 절충적 관점을 제시하였다.

03

2001 수능

㉠과 같은 의미로 쓰인 것은?

① 내가 무슨 셈을 따져서 그들을 사랑했던 것이 아니었나.
　　　　　　　　　　　　　　　　　– 정비석, 「비석과 금강산의 대화」 –

② 그로서는 만세를 불렀다는 말이 마지막 방패였던 셈이다.
　　　　　　　　　　　　　　　　　– 박경리, 「토지」 –

③ 나는 처음에 어떻게 되는 셈인지 몰라서 멀거니 천장만 한참 쳐다보았다.
　　　　　　　　　　　　　　　　　– 김유정, 「안해」 –

④ 조금만 셈이 피면 공부를 시켜서 제 손으로 벌어라도 먹게 만들어 주고 싶지만……
　　　　　　　　　　　　　　　　　– 염상섭, 「삼대」 –

⑤ 윤태는 벌써 한 달이 넘게 오르내린 층계건만 발을 옮길 때마다 번번이 그 숫자를 셈하게 되는 것이 싫었다.
　　　　　　　　　　　　　　　　　– 유주현, 「하오의 연가」 –

04

2001 수능

㉡의 예로 적절하지 않은 것은?

① 모내기 철에 품앗이를 하였다.
② 사재기를 통해 폭리를 취했다.
③ 직장 동료끼리 교대로 점심을 샀다.
④ 할인 매장에서 싼값으로 물건을 샀다.
⑤ 알뜰 시장에서 중고 물건을 맞바꾸었다.

05

2001 수능

㉢에 대해 반론을 제기하려 할 때, 그 논거로 가장 타당한 것은?

① 반시장적 행위는 상호주의의 산물이다.
② 비시장적 요소는 시장의 기능을 보완한다.
③ 시장에서는 비대칭적 상호주의가 통용된다.
④ 시장에는 탈리오의 법칙이 적용되지 않는다.
⑤ 반시장적 요소는 시장 스스로도 해결할 수 있다.

정답&해설

01 ①

2문단에 '엄밀한 의미의 대칭적 상호주의는 우리의 실제 일상생활에서 별로 흔하지 않다.'라는 내용이 나오므로, ①은 제시된 글의 내용과 일치하지 않는다.

02 ③

③ 제시된 글은 먼저 상호주의의 일반적인 개념을 설명(정의)하고 있다. 이어 대칭적 상호주의와 비대칭적 상호주의의 개념을 '정의'하고, 이 두 개념을 '비교, 대조'하고 있다. 그리고 선택적 자발성과 공정성에 대한 '예'를 들고 있다.

03 ①

㉠ '셈'의 의미는 앞뒤 문맥을 볼 때, '이해관계를 따져 밝히는 일', 즉 '이해타산'의 의미이다. ①에서도 이와 같은 의미로 쓰였다.

04 ②

㉡의 의미는 2문단의 마지막 부분에 나와 있는 '그들에게 상호 이익을 보장할 수 있는 것'이라는 데서 그 의미를 파악할 수 있다. 그런데 ②는 자발성과 공정성을 훼손하고 한쪽에 일방적인 이익을 주기 때문에 호혜적 교환 관계의 예가 될 수 없다.

05 ⑤

윤리적 규범이나 사회적 규칙 등 비시장적 요소는 반시장적 행위들을 시장의 논리만으로 통제하기 어렵기에 필요한 것이다. 이에 대해 반론을 편다면 반시장적 요소는 시장이 비시장적 요소의 개입 없이 자율적으로 해결할 수 있다는 ⑤가 가장 적절하다. 나머지는 제시된 글과 관련이 없거나 필자의 주장에 대한 근거이다.

| 정답 | 01 ① 02 ③ 03 ① 04 ② 05 ⑤

[06~08] 다음 글을 읽고 물음에 답하시오.

문자 발달의 역사를 살펴보면, 문자의 모양과 필서 방법은 당시에 쓰였던 필기도구에서 영향을 받는다는 점을 알 수 있다. 양피지에 긁어 썼을 때의 글자 모양과 파피루스에 그려 넣었을 때의 모양, 그리고 돌기둥에 새겨 넣었을 때의 모양, 종이 위에 붓으로 썼을 때의 모양이 각각 달랐던 것은 필기도구의 변화가 글자의 형태에 영향을 주었기 때문이다.

오늘에 이르러서는 종이와 연필 같은 전통적인 필기도구가 컴퓨터라는 새로운 매체로 대체되고 있다. 컴퓨터는 종래의 필기도구와는 확연히 구분되는 특징을 가지고 있다. 컴퓨터 자체가 필기도구인 동시에 필기의 공간이 되는 것이다. 이처럼 과거의 종이와 연필, 혹은 양피지와 펜으로 나뉘었던, 문자가 쓰이는 공간과 문자를 쓰는 도구와의 구분이 컴퓨터에 이르면 모호해진다. 결국 무엇을 가지고 어디에 쓴다는 식으로 필기 수단을 두 부류로 나누어 인식하는 것은 이제 의미가 없어진 것이다.

그렇다면 의식이 도구를 변화시킨 것인가, 아니면 도구가 의식을 변화시킨 것인가? 필기도구의 변화는 단지 글자의 모양에만 영향을 준 것이 아니다. 때로는 그 변화가 표기법이나 글쓰기의 사회적인 규범 자체를 흔들기도 한다. 지금 우리가 접하고 있는 ㉠인터넷 글쓰기에서 나타나는 규범의 혼란도 이를 사용하는 사람들의 의식 변화로 나타난 현상이라기보다는, 새로운 매체로 등장한 컴퓨터의 강력한 영향으로 생겨난 현상이라고 할 수 있다.

특히 인터넷 채팅 글쓰기에서 자주 볼 수 있는, 겹받침을 생략하거나 발음대로 쓰려는 표기 방식은 특별한 의식의 반영이기보다는 컴퓨터라는 매체를 이용한 표기 방식의 한 형태이다. 쉽게 말하면, 소리 나는 대로 적어도 의미를 전달할 수 있다면 굳이 쉬프트(shift) 키를 누르는 번거로운 수고를 하지 않겠다는 의도의 반영이다. 어쨌든 빨리 입력해야 하니까 될 수 있는 대로 소리 나는 대로 적으면서 축약의 형태를 즐겨 쓸 수밖에 없는 것이다. 더욱이 자신이 쓴 내용은 바로 바로 상대방에게 전달되고 또 바로 회신이 오는 즉각적인 상황이므로 컴퓨터 글쓰기에서는 머뭇거릴 여유를 가질 수가 없다. 현대의 또 다른 문화인 휴대 전화 문자 메시지의 경우도 비슷한 사례이다. 한정된 액정 화면 안에 의미를 담아내야 하는 휴대 전화의 특성은 우리로 하여금 자신의 의사를 되도록 짧게 표현하는 방법에 익숙해지게 하였고, 그 결과 과감하게 축약하거나 띄어쓰기에 구속되지 않는 등 자유롭게 문장을 작성하는 표기 문화를 만들어 내었다.

새로운 문화적 현상을 창출하고 있는 이 현대의 언어 표기가 문제가 되는 것은 편리함을 추구하기 위해 소리 나는 대로 적다 보니 맞춤법 규범에서 벗어나기 때문이다. 사실 우리말을 적는 가장 자연스럽고 편안한 표기 형태는 소리 나는 대로 적거나 이어적기 형태를 취하는 것이다. 어간과 어미, 체언과 조사를 엄격하게 구별하여 적는 원칙은 음소주의나 이어적기 표기보다는 매우 의식적인 표기법이다. 그러나 ㉡근대가 시작되면서 우리는 줄곧 끊어적기 표기를 주된 표기 원칙으로 고수하여 왔다. 현재 모든 교과서와 공식적인 출판물은 엄격한 형태주의를 반영하고 있다. 그런 전통적인 규범이 현대 사회에서 새로운 필기 매체를 만나 옷을 갈아입고 있는 셈이다. 결국 표기법도 그 사회의 문화적 특성과 유리될 수 없다는 것을 확인하게 된다.

06

2005 7월 고3 모의고사

위 글의 서술상의 특징으로 적절한 것은?

① 여러 관점의 이론을 비교하며 주제를 강조하고 있다.
② 현상을 제시한 뒤 그 원인을 분석하며 이해를 돕고 있다.
③ 가설을 제시하고 구체적 자료를 통하여 이를 검증하고 있다.
④ 대립되는 주장을 소개한 다음 이를 절충하여 마무리하고 있다.
⑤ 추상적인 내용을 익숙한 경험에 비유하며 논의를 전개하고 있다.

07
2005 7월 고3 모의고사

〈보기〉의 글쓴이가 비유를 활용하여 ㉠에 대해 비판적 의문을 제기한 것으로 가장 적절한 것은?

보기
말을 하거나 글을 쓴 것을 보면 그 사람을 알 수 있을 정도로, 말과 글은 그 안에 중요한 가치와 의미를 지니고 있다. 따라서 말과 글의 사용법은 그것을 쓰는 사람의 인식 수준이나 인격에 대한 하나의 척도가 될 수 있다. 우리가 규범에 맞는 언어생활을 해야 하는 까닭이 바로 여기에 있다.

① 조금 빨리 가자고 신호를 위반하거나 과속으로 운전하는 것은 지양해야 하지 않겠습니까?
② 생계를 유지할 수 없는 노부모를 부양하는 청년에게 국방의 의무를 강요할 수 있겠습니까?
③ 범죄를 방지하기 위한 법률적 장치는 필요하지만 사형제도가 과연 그 기능을 할 수 있겠습니까?
④ 직업을 선택할 때 경제적 이익을 최우선시한다면 과연 보람 있는 삶의 가치를 느낄 수 있겠습니까?
⑤ 사람을 평가할 때 외모를 판단 기준으로 삼는 사회적 분위기가 성형 수술을 부추기고 있다는 것을 아십니까?

08
2005 7월 고3 모의고사

㉡의 이유를 설명하기 위한 예로 가장 적절한 것은?

① 'ㄲㅗㅊ'이라고 쓰는 것보다는 '꽃'이라고 쓰는 것이 시각적인 집중성을 높인다.
② '반드시'와 '반듯이'는 구별해서 표기해야만 그 의미를 정확하게 변별할 수 있다.
③ 'ㅅㅏㄹㅏㅇ'이라고 쓰는 것보다 '사랑'이라고 쓰는 것이 공간 활용에 훨씬 유리하다.
④ '띄어쓰기'를 통해 낱말의 경계를 명확히 할 수 있기 때문에 의미 전달이 효과적이다.
⑤ '읽기'보다는 '쓰기'의 속도를 높임으로써 정보 전달의 측면에서 경쟁력을 확보할 수 있다.

정답&해설

06 ②

② 제시된 글은 현대의 인어 표기 혼란의 원인을 인터넷 글쓰기에서 찾고 있다. 즉, 빨리 입력하고 바로바로 전달하고자 하는 인터넷 글쓰기의 특징을 원인으로 분석하면서 이해를 돕고 있다.

07 ①

제시된 글은 오늘날의 표기 문화를 매체의 변화로 인한 하나의 사회적 현상으로 이해하고 있지만, 〈보기〉에서는 규범에 맞는 언어생활을 강조하고 있다. 그러므로 〈보기〉의 글쓴이는 ㉠에 대해 '편리함을 위해서 규범을 어기는 행위'라고 비판할 수 있다. 이와 관련되는 것은 ①이다.

08 ②

끊어적기를 하지 않고 이어적기를 택했다면, '반드시'와 '반듯이'는 같은 표기 형태를 지니게 된다. 그러므로 ②는 끊어적기의 필요성을 설명할 수 있는 예가 된다.

| 정답 | 06 ② 07 ① 08 ②

[09~11] 다음 글을 읽고 물음에 답하시오.

전통 수사학에서는 환유(換喩)를 비유법의 한 종류로 기술하고 있다. 그런데 최근에는 환유와 같은 다양한 비유법을 사용할 줄 아는 능력이 인간이 지닌 인지(認知)의 기본적 특성의 하나로 밝혀지면서 비유법은 여러 언어 현상을 설명하는 데에도 이용되고 있다. 우리에게는 비유법을 활용할 줄 아는 인지 기제(機制)가 있기 때문에 일상생활에서 환유적 표현을 무리 없이 이해하거나 우리의 경험이나 생각을 자연스럽게 표현할 수 있다.

환유는 인접성(隣接性)을 바탕으로 사물이나 관념을 지칭하는 특성을 갖고 있다. 가령 '주전자가 끓고 있다'는 표현에서 실제 끓고 있는 것은 주전자의 물이지만, '주전자'라는 용기(容器)의 이름이 그 내용물을 지칭한다. 이러한 지칭 기능은 지시물 사이의 인접성에서 비롯된다. 우리가 '주전자가 끓고 있다'는 표현을 '물이 끓고 있다'로 이해하는 것은 '주전자'와 '물' 사이에 밀접한 인접성이 있어서 의미 연상을 통한 의미 전이(意味轉移)가 신속하고도 자연스럽게 이루어지기 때문이다.

인접성에 의한 의미 전이로 인해서 환유는 일상 언어에서 다양한 방식으로 나타나는데, 대체적으로 '확대 지칭'과 '축소 지칭'으로 구별된다. 확대 지칭은 부분으로 전체를 지칭하는 것이며, 축소 지칭은 전체로 부분을 지칭하는 것을 말한다. 가령 '손이 모자라다'에서는 신체의 부분인 '손'으로 '일꾼'을 확대 지칭하며, '온 동네가 기뻐했다'에서는 전체인 '동네'로 '동네 사람'을 축소 지칭한다.

[A] 그런데 왜 우리는 일상생활에서 직설적인 표현 대신 이러한 환유 표현을 사용할까? 언어를 더욱 효율적으로 사용하기 위해서이다. 만일 우리가 전체로 부분의 의미를 전달할 수 있다면 시간과 노력을 적게 들이고 정보를 효율적으로 전달할 수 있을 것이다. 그리고 부분으로 전체의 의미를 나타낼 수 있다면 표현하고자 하는 대상의 의미가 훨씬 쉽게 지각될 수 있을 것이다.

환유가 사용된 표현을 살펴보면 의미가 불충분하거나 표현이 생략된 것처럼 느껴지기도 한다. 그럼에도 불구하고 이런 표현이 의사소통에 크게 지장을 주지 않는 이유는 전체로 부분을 지칭하거나 부분으로 전체를 지칭하는 인간 인지의 융통성 때문이다. '차를 열다' 또는 '차를 수리하다'의 경우, 이를 차의 문이나 트렁크를 열거나 차의 부품을 수리하는 것으로 받아들인다. 실제의 사물을 구성하는 여러 다른 면을 자유자재로 부각시킬 수 있기 때문에 '차'라는 전체로 부분을 이해하는 것이다.

그러나 환유의 지칭 기능이 모든 조건에서 성립되는 것은 아니다. 환유의 지칭 기능은 다분히 상황 의존적이다. 동일한 낱말이 환유적으로 쓰일 수도 있고 그렇지 않을 수도 있으며, 환유적으로 쓰인다고 해도 상황에 따라 그 의미가 달라질 수 있다. 따라서 환유 표현이 자연스럽게 쓰일 수 있으려면 화자와 청자 사이에 상황에 대한 공유(共有)된 지식이 있어야 한다.

09

2004 9월 고3 모의고사

위 글의 서술상 특징으로 가장 적절한 것은?

① 예를 들어 중심 화제에 대해 설명하고 있다.
② 화제를 나열하면서 최종적인 결론을 맺고 있다.
③ 상반된 견해를 절충하는 방식으로 전개하고 있다.
④ 핵심 개념을 제시하고 이에 비추어 문제점을 도출하고 있다.
⑤ 문답 형식을 통해 통념을 부정하는 방식으로 서술하고 있다.

10

2004 9월 고3 모의고사

위 글을 올바르게 이해하지 못한 사람은?

① 영희: 환유의 예는 일상 언어 표현에서 흔히 찾아볼 수 있어.
② 병근: 환유와 같은 비유적 표현은 인지적 융통성 때문에 가능한 거구나.
③ 철수: '아침을 먹다'나 '새 얼굴이 등장했다'는 표현에도 환유가 사용됐구나.
④ 민정: 특정 사물이나 구체적 상황을 상세히 설명해야 환유의 효과가 클 거야.
⑤ 명현: 환유를 사용할 때는 화자와 청자 사이에 상황에 대한 공통된 이해가 있어야 의사소통에 무리가 없겠군.

11

2004 9월 고3 모의고사

[A]의 내용을 가장 잘 설명하고 있는 것은?

① 언어의 형태와 의미는 자의적 관계로 이루어진다.
② 언어는 소리의 체계와 의미의 체계로 분리되어 있다.
③ 인간은 연속적인 세계를 분절적으로 인식하여 표현한다.
④ 인간은 언어를 좀 더 경제적으로 사용하려는 성향이 있다.
⑤ 언어는 그 언어가 쓰이는 사회 현상을 잘 반영해 주고 있다.

정답&해설

09 ①

① 제시된 글은 환유 표현에 대해 환유법이 쓰인 여러 가지 상황들을 '예'로 들어 가며 설명하고 있다. '예'는 2, 3, 5문단에서 확인할 수 있다.

|오답해설| ② 화제의 나열이라기보다는 하나의 중심 화제에 대한 설명이 주를 이루고 있다.
③ 상반된 견해는 드러나지 않는다.
④ 핵심 개념인 '환유'에 대한 설명은 있으나 이를 바탕으로 어떠한 문제점을 도출하고 있지는 않다.
⑤ [A] 부분에 문답 형식이 드러나 있지만, 이를 통해 통념을 부정하는 것은 아니다.

10 ④

환유는 시간과 노력을 적게 들이고 정보를 효율적으로 전달하는 것이 목적이다. 따라서 ④와 같이 특정 사물이나 구체적 상황을 상세히 설명해야 환유의 효과가 크다는 것은 제시된 글을 제대로 이해하지 못한 반응이다.

11 ④

[A]에서 환유 표현을 사용하는 이유는 시간과 노력을 적게 들이기 위해서라고 설명하고 있다. 따라서 이를 선택지와 연결 지어 보면, ④와 같이 표현할 수 있다.

| 정답 | 09 ① 10 ④ 11 ④

[12~14] 다음 글을 읽고 물음에 답하시오.

영화의 역사는 신기한 눈요깃거리라는 출발점을 지나 예술적 가능성을 실험하며 고유의 표현 수단을 발굴해 온 과정이었다. 그 과정에서 미학적 차원의 논쟁과 실천이 거듭되었다. 그중 리얼리즘 미학의 확립에 큰 역할을 한 인물로 프랑스 영화 비평가 바쟁이 있다.

바쟁은 '미라 콤플렉스'와 관련하여 조형 예술의 역사를 설명한다. 고대 이집트인이 만든 미라에는 죽음을 넘어서 생명을 길이 보존하고자 하는 욕망이 깃들어 있거니와, 그러한 '복제의 욕망'은 회화를 비롯한 조형 예술에도 강력한 힘으로 작용해 왔다고 한다. 그 욕망은 르네상스 시대 이전까지 작가의 자기표현 의지와 일정한 균형을 이루어 왔다. 하지만 원근법이 등장하여 대상의 사실적 재현에 성큼 다가서면서 회화의 관심은 복제의 욕망 쪽으로 기울게 되었다. 그 상황은 사진이 발명되면서 다시 한번 크게 바뀌었다. 인간의 주관성을 배제한 채 대상을 기계적으로 재현하는 사진이 발휘하는 모사의 신뢰도는 회화에 비할 바가 아니었다. 사진으로 인해 조형 예술은 비로소 복제의 욕망으로부터 자유롭게 되었다.

영화의 등장은 대상의 재현에 또 다른 획을 그었다. 바쟁은 영화를, 사진의 기술적 객관성을 시간 속에서 완성함으로써 대상의 ㉠살아 숨 쉬는 재현을 가능케 한 진일보한 예술로 본다. 시간의 흐름에 따른 재현이 가능해진 결과, ㉡더욱 닮은 지문(指紋) 같은 현실을 제공하게 되었다. 바쟁에 의하면 영화와 현실은 본질적으로 친화력을 지닌다. 영화는 현실을 시간적으로 구현한다는 점에서 ㉢현실의 연장이며, 현실의 숨은 의미를 드러내고 현실에 밀도를 제공한다는 점에서 현실의 정수이다. 영화의 이러한 리얼리즘적 본질은 그 자체로 심리적, 기술적, 미학적으로 완전하다는 것이 그의 시각이다.

바쟁은 형식주의적 기교가 현실의 복잡성과 모호성을 침해하여 현실을 왜곡할 수 있다고 본다. 그는 ㉣현실의 참모습을 변조하는 과도한 편집 기법보다는 단일한 숏*을 길게 촬영하는 롱 테이크 기법을 지지한다. 그것이 사건의 공간적 단일성을 존중하고 ㉤현실적 사건으로서의 가치를 보장하기 때문이다. 그는 또한 전경에서 배경에 이르기까지 공간적 깊이를 제공하는 촬영을 지지한다. 화면 속에 여러 층을 형성하여 모든 요소를 균등하게 드러냄으로써 현실을 진실하게 반영할 수 있으며 관객의 시선에도 자유를 부여할 수 있다는 것이다.

영화는 현실을 겸손한 자세로 따라가면서 해석의 개방성을 담보해야 한다는 믿음, 이것이 바쟁이 내건 영화관의 핵심에 놓여 있다. 그 관점은 수많은 형식적 기교가 발달한 오늘날에도 많은 지지를 얻으며 영화적 실천의 한 축을 이루고 있다.

* 숏: 카메라가 한 번 촬영하기 시작해서 끝날 때까지의 연속된 한 화면 단위

12

2009 9월 고3 모의고사

위 글에 나타난 '바쟁'의 생각과 거리가 먼 것은?

① 바쟁은 '미라 콤플렉스'와 관련하여 조형 예술의 역사를 설명한다.
② 영화는 사진의 기술적 객관성을 시간 속에서 완성하였다.
③ 영화는 현실을 재구성하고 의도적으로 변형한다.
④ 형식주의적 기교가 현실의 복잡성과 모호성을 침해하여 현실을 왜곡할 수 있다.
⑤ 사진으로 인해 조형 예술은 복제의 욕망으로부터 자유롭게 되었다.

13

2009 9월 고3 모의고사

㉠~㉤ 중 문맥상 지시하는 대상이 다른 하나는?

① ㉠ ② ㉡ ③ ㉢
④ ㉣ ⑤ ㉤

14

2009 9월 고3 모의고사

위 글에 동조하는 감독이 영화를 제작하였다. 이 영화에 대한 반응으로 적절하지 않은 것은?

① 편집을 최대한 자제하고 있구나.
② 현실을 대하는 것 같은 공간적 느낌을 주는구나.
③ 현실을 왜곡할 수 있는 기교를 되도록 배제하고 있구나.
④ 롱 테이크 기법을 사용하여 현실의 시간과 유사한 느낌을 주는구나.
⑤ 화면 속의 특정 요소에 주목하여 관객의 시선을 고정하고 있구나.

[15~16] 다음 글을 읽고 물음에 답하시오.

우리나라의 전통 음악은 대체로 크게 정악과 속악으로 나뉜다. 정악은 왕실이나 귀족들이 즐기던 음악이고, 속악은 일반 민중들이 가까이 하던 음악이다.

개성을 중시하고 자유분방한 감정을 표출하는 한국인의 예술 정신은 정악보다는 속악에 잘 드러나 있다. 우리 속악의 특징은 한마디로 즉흥성이라는 개념으로 집약될 수 있다. 판소리나 산조에 '유파(流派)'가 자꾸 형성되는 것은 모두 즉흥성이 강하기 때문이다. 즉흥으로 나왔던 것이 정형화되면 그 사람의 대표 가락이 되는 것이고, 그것이 독특한 것이면 새로운 유파가 형성되기도 하는 것이다.

물론 즉흥이라고 해서 음악가가 제멋대로 하는 것은 아니다. 곡의 일정한 틀은 유지하면서 그 안에서 변화를 주는 것이 즉흥 음악의 특색이다. 가령 판소리 명창이 무대에 나가기 전에 "오늘 공연은 몇 분으로 할까요?" 하고 묻는 것이 그런 예다. 이때 창자는 상황에 맞추어 얼마든지 곡의 길이를 조절할 수 있는 것이다. 이것은 서양 음악에서는 어림없는 일이다. 그나마 서양 음악에서 융통성을 발휘할 수 있다면 가령 4악장 가운데 한 악장만 연주하는 것 정도이지 각 악장에서 조금씩 뽑아 한 곡을 만들어 연주할 수는 없다. 그러나 한국 음악에서는, 특히 속악에서는 연주 장소나 주문자의 요구 혹은 연주자의 상태에 따라 악기도 하나면 하나로만, 둘이면 둘로 연주해도 별문제가 없다. 거문고나 대금 하나만으로도 얼마든지 연주할 수 있다. 전혀 이상하지도 않다. 그렇지만 베토벤의 운명 교향곡을 바이올린이나 피아노만으로 연주하는 경우는 거의 없을 뿐만 아니라, 설령 연주를 하더라도 어색하게 들릴 수밖에 없다.

즉흥과 개성을 중시하는 한국의 속악 가운데 대표적인 것이 시나위다. 현재의 시나위는 19세기 말에 완성되었으나 원형은 19세기 훨씬 이전부터 연주되었을 것으로 추정된다. 시나위의 가장 큰 특징은 악보 없는 즉흥곡이라는 것이다. 연주자들이 모여 아무 사전 약속도 없이 "시작해 볼까" 하고 연주하기 시작한다. 그러니 처음에는 서로가 맞지 않는다. 불협음 일색이다. 그렇게 진행되다가 중간에 호흡이 맞아 떨어지면 협음을 낸다. 그러다가 또 각각 제 갈 길로 가서 혼자인 것처럼 연주한다. 이게 시나위의 묘미다. 불협음과 협음이 오묘하게 서로 들어맞는 것이다.

그런데 이런 음악은 아무나 하는 게 아니다. 즉흥곡이라고 하지만 '초보자(初步者)'들은 꿈도 못 꾸는 음악이다. 기량이 뛰어난 경지에 이르러야 가능한 음악이다. 그래서 요즈음은 시나위를 잘 할 수 있는 사람들이 별로 없다고 한다. 요즘에는 악보로 정리된 시나위를 연주하는 경우가 대부분인데, 이것은 시나위 본래의 취지에 어긋난다. 악보로 연주하면 박제된 음악이 되기 때문이다.

정답&해설

12 ③

③ 바쟁은 형식주의적 기교가 현실의 복잡성과 모호성을 침해하여 현실을 왜곡할 수 있다고 생각한다. 그러므로 영화가 현실을 재구성하고 의도적으로 변형하는 예술이라는 것은 바쟁의 생각과 거리가 멀다.

13 ④

㉠㉡㉢㉤은 모두 '영화'를 지시하고 있고, ④ ㉣의 '현실의 참모습'은 '현실 그 자체'를 지시하고 있다.

14 ⑤

바쟁의 영화관에 동조하는 감독이 영화를 제작한다고 할 때, 그는 영화의 리얼리즘적인 특성을 살리면서 영화를 제작하게 될 것이다. 즉, 최대한 현실을 있는 그대로 재현하고자 할 것이다. 이런 점과 관련지어 볼 때, ⑤ '화면 속 특정 요소에 주목하여 관객의 시선을 고정하는 것'은 바쟁의 영화관에 위배되는 것이므로 적절하지 않다.

| 정답 | 12 ③ 13 ④ 14 ⑤

요즘 음악인들은 시나위 가락을 보통 '허튼 가락'이라고 한다. 이 말은 그대로 '즉흥 음악'으로 이해된다. 미리 짜 놓은 일정한 형식이 없이 주어진 장단과 연주 분위기에 몰입해 그때그때의 감흥을 자신의 음악성과 기량을 발휘해 연주하는 것이다. 이럴 때 즉흥이 튀어 나온다. 시나위는 이렇듯 즉흥적으로 흐드러져야 맛이 난다. 능청거림, 이것이 시나위의 음악적 모습이다.

15

2005 7월 고3 모의고사

위 글의 내용을 토대로 알 수 있는 사실은?

① 판소리나 산조는 유파를 형성하기 위하여 즉흥적인 감정을 표출하기도 한다.
② 오늘날 시나위를 잘 계승·보존하기 위해서는 악보를 체계적으로 정리해야 한다.
③ 속악과 마찬가지로 정악도 악보대로 연주하는 것보다 자연발생적인 변주를 중시한다.
④ 불협음과 협음이 조화를 이루는 시나위를 연주하기 위해서는 연주자의 기량이 출중해야 한다.
⑤ 교향곡을 서양 악기 하나로 연주하는 것이 어색하듯, 시나위를 전통 악기 하나로 연주하는 것도 어색하다.

16

2005 7월 고3 모의고사

위 글에서 설명한 '즉흥성'과 관련 있는 내용을 〈보기〉에서 모두 고른 것은?

보기

ㄱ. 주어진 상황에 따라 임의로 곡의 길이를 조절하여 연주한다.
ㄴ. 장단과 연주 분위기에 몰입해 새로운 가락으로 연주한다.
ㄷ. 연주자들 간에 사전 약속 없이 연주하지만 악보의 지시는 따른다.
ㄹ. 감흥을 자유롭게 표현하기 위해 일정한 틀을 철저히 무시한 채 연주한다.

① ㄱ, ㄴ　② ㄱ, ㄷ
③ ㄴ, ㄷ　④ ㄴ, ㄹ
⑤ ㄷ, ㄹ

[17~18] 다음 글을 읽고 물음에 답하시오.

음악은 비물질성을 가지고 있다. 이러한 비물질성은 음악을 만드는 소리가 물질이 아니며 외부에 존재하는 구체적 대상도 아니라는 점에 기인한다. 소리는 물건처럼 눈에 보이는 곳에 있지 않고 냄새나 맛처럼 그 근원이 분명하게 외부에 있지도 않다. 소리는 어떤 물체의 진동 상태이고 그 진동이 공기를 통해 귀에 전달됨으로써만 성립한다. 음악의 재료인 음 역시 소리이기 때문에 음악은 소리의 이러한 속성에 묶여 있다.

소리의 비물질성은 인간의 삶과 문화에 많은 영향을 남기게 된다. 악기가 발명될 무렵을 상상해 보자. 원시인은 줄을 튕기거나 서로 비빔으로써, 나뭇잎을 접어 불거나, 가죽을 빈 통에 씌워 두드림으로써 소리를 만들었다. 이때 그들은 공명되어 울려 나오는 소리에 당황했을 것이다. 그 진원지에서 소리를 볼 수 없기 때문이다. 지금은 공명 장치의 울림을 음향학적으로 설명할 수 있지만, 당시에는 공명 장치 뒤에 영적인 다른 존재가 있다고 믿었을 것이다. 따라서 소리의 주술성은 소리의 진원이 감각으로 확인되지 않았기 때문에 시작된 것으로 보아야 한다. 음악 역시 주술적인 힘을 가진 것으로 믿었다. 고대 수메르 문명에서는 풀피리 소리가 곡식을 자라게 하고, 북소리가 가축을 건강하게 만든다고 믿었다. 풀피리는 풀로, 북은 동물의 가죽으로 만들어졌기 때문에 그런 힘을 가졌다고 생각한 것이다. 재료를 통한 질료적 상징이 생겨나게 된 것이다.

이러한 상상과 믿음은 발전하여 음악에 많은 상징적 흔적을 남기게 된다. 악기의 모양과 색깔, 문양뿐 아니라 시간과 공간에 이르기까지 상징적 사고가 투영되었다. 문묘와 종묘의 제사 때에 쓰이는 제례악의 연주는 악기의 위치와 방향 그리고 시간을 지키도록 규정되어 있으며, 중국이나 우리나라 전통 음악에서의 음의 이름[음명(音名)]과 체계는 음양오행의 논리적 체계와 연관되어 있다. 일반적으로 타악기는 성적 행위를 상징하는데, 이로 인해 중세의 기독교 문명권에서는 타악기의 연주가 금기시되기도 하였다.

소리와 음이 비물질적이라는 말은, 소리가 우리의 의식 안의 현상으로서만 존재한다는 뜻이기도 하다. 따라서 의식 안에만 있는 소리와 음은 현실의 굴레에서 벗어나 있다. 소리는 물질의 속박인 중력으로부터 자유로운 반면, 춤은 중력의 속박으로부터 벗어나고 싶어한다. 춤은 음악의 가벼움을 그리워하고 음악은 춤의 구체적 형상을 그리워한다. 따라서 음악은 춤과 만남으로써 시각적 표현을 얻고 춤은 음악에 얹힘으로써 가벼움의 환상을 성취한다.

음악의 비물질성은 그 자체로서 종교적 위력을 가진 큰 힘이기도 하였다. 악기를 다루는 사람은 정치와 제사가 일치되었던 시기에 권력을 장악했을 것이다. 소리 뒤에 영혼이 있고 그 영혼의 세계는 음악가들에 의해 지배될 수 있었기 때문이다. 제정일치의 정치 구조가 분열되어 정치와 제사가 분리되고 다시 제사와 음악이 분리되는 과정을 거쳤던 고대 이집트 문명에서 우리는 이를 확인할 수 있다.

17

2005 3월 고3 모의고사

위 글의 내용과 일치하지 않는 것은?

① 음악의 비물질성은 그 재료의 비물질성에서 비롯된다.
② 음악의 상징성은 음악의 비물질성에 그 근원을 두고 있다.
③ 음악에 대한 고대인들의 믿음은 논리적 체계를 이루고 있었다.
④ 장르적 속성으로 보아 음악과 춤은 상보적인 관계를 이루고 있다.
⑤ 제정일치 사회에서 음악가는 영혼의 세계를 지배하는 존재로 여겨졌다.

18

2005 3월 고3 모의고사

위 글의 서술 전략과 관련이 없는 것은?

① 개념의 변화 과정을 분석하여 특정 가설을 입증한다.
② 비유적 진술과 대조를 통해 표현의 효과를 살린다.
③ 다양한 사례를 제시하여 견해의 타당성을 제고한다.
④ 핵심 개념을 설명하고 그에 근거하여 논의를 전개한다.
⑤ 상상을 통해 추정하여 내린 결론을 사례를 통해 입증한다.

정답&해설

15 ④

④ 5문단에서 시나위는 즉흥곡이라고 하지만, 초보자는 감히 엄두를 내기 어려울 정도로 기량이 뛰어난 경지에 이르러야 가능하다고 하였다.

16 ①

① 5문단의 악보로 정리된 시나위를 연주하는 것은 시나위 본래 취지에 어긋난다는 내용과 3문단의 곡의 일정한 틀은 유지하면서 그 안에서 변화를 주는 것이 즉흥 음악의 특색이라는 내용에서 ㄷ과 ㄹ은 즉흥성을 잘못 이해한 것으로 볼 수 있다. 반면, ㄱ과 ㄴ은 각각 3문단과 6문단에서 확인할 수 있다.

17 ③

③ 2문단에서 고대인들은 음악 역시 주술적인 힘을 가진 것으로 믿었다고 하였다. 이것이 논리적인 체계를 이루고 있었다고 보기는 어렵다.

18 ①

① 주술성과 관련된 개념의 변화 과정을 부분적으로 확인할 수 있으나, 가설의 설정 혹은 그것의 입증 과정을 찾을 수는 없다.

| 정답 | 15 ④ 16 ① 17 ③ 18 ①

[19~21] 다음 글을 읽고 물음에 답하시오.

(가) 고자(告子) 말하기를, "성품은 웅덩이에 고인 물과 같아서 동쪽으로 터놓으면 동쪽으로 흐르고, 서쪽으로 터놓으면 서쪽으로 흐를 것이니, 사람의 성품이 착하냐 그렇지 않으냐를 구분할 수 없는 것은 마치 물의 동서(東西)를 구분할 수 없는 것과 같은 것이다." 이에 맹자(孟子) 말하기를, "물은 진실로 동서를 구분할 수 없지만 그렇다고 위와 아래의 구분도 없는가? 사람의 성품이 착하다는 것은 물이 아래로 흐름과 같으니, 착하지 않은 사람도 없고 아래로 흐르지 않는 물도 없는 것이다. 이제 물을 쳐 올리면 머리 위로 튈 수도 있고, 물길을 막아 거스르게 하면 산 위로 올라갈 수도 있지만, 이것이 어찌 물의 본성이겠는가? 그 형세에 따라 그렇게 된 것이다. 사람이 때로 나쁘게 될지라도 그 성품은 또한 이와 같은 것이다."

(나) 소크라테스: 자네 말은 이런 것이지. 재산, 권력, 건강, 영예, 그리고 용기를 가진 사람이 행복하다고. 그러나 한편 생각하면 무엇보다도 자기가 가지고 있는 이런 것들이 유용하게 쓰일 때 그 사람이 행복하지 않을까?

제 자: 그것도 그렇군요.

소크라테스: 그렇다면 만약 어떤 사람이 이와 같이 유용한 것을 가지고 있으면서도 그것을 쓰지 않는다면, 과연 그것을 유용하다고 말할 수 있을까?

제 자: 아니오, 아무 소용도 없겠지요.

소크라테스: 그러면 이렇게 말할 수 있겠지. 사람은 유용한 것을 가지는 데 그치지 말고, 그것을 사용해야만 한다고.

제 자: 그렇습니다. 저도 그렇게 생각합니다.

소크라테스: 그러나 그저 사용하면 되는 것은 아니지. 올바른 사용법과 그릇된 사용법이 있을 테니까. 만약 목수가 연장을 잘못 쓴다면 재료를 버리게 되니 쓰지 않는 것보다 더 나쁜 게 아닌가?

제 자: 그러면 목수가 연장을 올바로 쓰기 위해 필요한 것이 무엇일까요?

소크라테스: 목수가 톱이나 도끼를 올바로 사용하려면 무엇이 필요할까? 악사가 연주를 잘하고, 조각가가 조각을 잘하는 데는 무엇이 필요할까? 자기 일에 대한 올바른 지식이 아닐까?

제 자: 바로 그렇군요. 옳은 말씀입니다.

소크라테스: 그렇다면 먼저 말한 재산이라든가 권력, 건강, 영예, 용기 따위도 그것이 있기만 해서는 아무 소용이 없는 것이 아닌가? 그것이 참된 지식에 의해 올바르게 사용되어야만 선한 것이며, 만약 그것을 무지(無知)가 지배한다면 오히려 나쁘지 않겠는가?

19

2001 수능

(가)와 (나)의 공통적인 말하기 방식은?

① 상대방의 인품을 거론하고 있다.
② 상대방과의 논쟁을 회피하고 있다.
③ 비유를 통해 자신의 생각을 드러내고 있다.
④ 상황 논리를 들어 상대방을 설득하고 있다.
⑤ 상대방의 주장을 임의로 해석하여 말하고 있다.

20

2001 수능

(나)에서 소크라테스가 제자에게 가르치려는 것은?

① 현실 참여의 방법
② 바람직한 토론 자세
③ 무지가 지배하는 이유
④ 세속적 행복을 위한 덕목
⑤ 참된 지식의 올바른 사용

21

2001 수능

(나)의 소크라테스의 견해에 따라 음악을 감상한 태도로 가장 적절한 것은?

① 대중 음악은 스승과 함께 들어야 해.
② 대중 음악은 열린 마음으로 들어야 해.
③ 대중 음악은 이론을 알고 들을 때 더 좋아.
④ 대중 음악은 여럿이 같이 들을 때 흥이 나.
⑤ 대중 음악은 고전 음악과 늘 함께 들어야 해.

[22~25] 다음 글을 읽고 물음에 답하시오.

만장(萬章)이 물었다. "공자께서 진(陳)나라에 계실 적에 'ⓐ어찌 돌아가지 않겠는가? 우리 마을의 선비들은 광간(狂簡)하고 진취적이거나 초심을 잃지 않았다.'라고 하셨습니다. 그런데 공자께서는 진나라에 계시면서 어찌하여 노나라의 광견(狂獧)한 선비들을 생각하신 것입니까?"

맹자가 말했다. "공자께서는 '중도(中道)의 인물을 얻어 함께할 수 없다면 차라리 광견(狂獧)한 자와 함께하리라. 광(狂)한 자는 진취적이고, 견(獧)한 자는 [해서는 안 되는 행동을] 하지 않는 바가 있기 때문이다.'라고 하셨다. 공자께서 어찌 중도(中道)의 인물을 얻고 싶지 않으셨겠느냐마는, 반드시 그런 사람을 얻을 수 없기에 차선의 인물을 생각하신 것이다."

"어떤 사람이 광한 자인지 감히 여쭙겠습니다."

"공자께서는 금장과 증석 그리고 목피와 같은 사람들을 광한 자라고 하셨다."

"왜 광한 자라고 합니까?"

"뜻이 높고 커서 ⓑ'옛사람이여, 옛사람이여!' 하지만, 그의 평소 행실을 살펴보면 자신의 말을 그대로 실천하지 못하는 자들이기 때문이다. 그러나 [공자께서는] 이러한 광한 자를 얻지 못하면, 더러운 짓은 하지 않는 선비를 얻어 함께하고자 하셨다. 이것이 견한 자이니, 광한 자 다음가는 사람이다."

"공자께서는 '내 문 앞을 지나면서 내 집에 들어오지 않더라도 내가 유감스러워 하지 않을 자는 바로 향원(鄕原)이다. 향원은 덕(德)을 해치는 자이다.'라고 하셨는데, 어떤 사람을 향원이라 합니까?"

[A] "'[광한 자는] 왜 저렇게 잘난 척하는가? 말은 행실을 외면하고, 행실은 말을 외면하는데도 입을 열었다 하면 옛사람이여, 옛사람이여 하는가.' 하고 '[견한 자는] 어찌 혼자서만 도도하게 살아가는고? 이 세상에 태어났으면 세상과 어울려 사는 것이 좋은 것이지.' 하면서 자신은 음흉하게 세상에 아첨하는 자가 바로 향원이다."

만장이 말했다. "한 마을 사람들이 모두 그를 ⓒ'점잖은 사람'이라고 한다면 그는 어디서든 '점잖은 사람'이라고 인정받을 것입니다. 그런데도 공자께서 그를 일컬어 왜 '덕을 해치는 자'라고 하시는 겁니까?"

"비난하려 해도 비난할 것이 없고, 풍자하려 해도 풍자할 것이 없다. 유행하는 풍속에 동화하고 더러운 세상에 영합하면서도 충직하고 신뢰할 만한 사람인 것처럼 굴고 청렴결백한 듯이 행동하여 여러 사람에게 호감을 사고, 스스로는 옳다고 여기지만 ⓓ더불어 요순(堯舜)의 노에 들어서지 못한다. 그러므로 '덕을 해치는 자'라고 하신 것이다. 공자께서는 ⓔ'같은 듯하면서 아닌 것[사이비(似而非)]'을 싫어

정답&해설

19 ③

③ (가)에서 고자와 맹자는 성품을 '물'에 비유하여 말하고 있고, (나)에서 소크라테스와 제자는 참된 지식의 올바른 사용을 '목수'와 '연장' 등에 비유하여 말하고 있다.

20 ⑤

⑤ (나)의 중심 내용은 '올바로 사용하기 위해서는 참된 지식이 필요하다.'라는 것이다. 따라서 소크라테스가 제자에게 가르치려고 한 것은 '참된 지식의 올바른 사용'이라고 할 수 있다.

21 ③

③ 소크라테스는 목수가 연장을 올바로 쓰기 위해서는 '자기 일에 대한 올바른 지식'이 필요하다고 말하였다. 이를 음악의 감상에 적용하면, '음악에 대한 이론'을 알고 있다면 음악을 더 잘 감상할 수 있다고 할 수 있다.

| 정답 | 19 ③ 20 ⑤ 21 ③

하셨으니, 강아지풀을 싫어하는 것은 벼싹을 어지럽힐까 걱정해서요, 아첨하는 자를 싫어하는 것은 의(義)를 어지럽힐까 걱정해서다. 듣기 좋은 말을 잘하는 자를 싫어하는 것은 믿음을 어지럽힐까 걱정해서요, 정(鄭)나라 소리*를 싫어하는 것은 바른 음악을 어지럽힐까 걱정해서다. 자주색을 싫어하는 것은 붉은색을 어지럽힐까 걱정해서요, 향원을 싫어하는 것은 덕을 어지럽힐까 걱정해서다.'라고 하셨다. ㉠ 군자라면 떳떳한 도로 돌아갈 뿐이다. 떳떳한 도가 바르게 되면 뭇 백성이 흥기(興起)하고, 뭇 백성이 흥기하면 사특함이 없어질 것이다."

* 정(鄭)나라 소리: 음란하고 야비한 음률을 비유적으로 이르는 말

22

2004 9월 고3 모의고사

위 글의 인물에 대한 학생들의 반응으로 적절하지 않은 것은?

① 만수: '만장(萬章)'은 지적 호기심이 많은 사람이겠군.
② 은성: '중도(中道)의 인물'이란 자신의 소신이 뚜렷하지 않은 유형의 인물이겠군.
③ 철수: '향원(鄕原)'은 시류에 영합하는 인물을 가리키는 것 같아.
④ 영민: '광(狂)한 자'는 이상은 높지만 행동은 따르지 못하는 사람인가 봐.
⑤ 수민: '견(狷)한 자'는 깐깐해서 남과 잘 어울리지 못하는 사람일 수도 있겠어.

23

2004 9월 고3 모의고사

[A]에는 여러 층위의 화자가 존재한다. 대상에 대한 화자의 태도로 적절한 것은?

① 향원에 대해서 맹자는 비판적 자세를 취한다.
② 맹자는 광한 자를 비판하고 있다.
③ 향원은 광한 자를 존경하고 있다.
④ 향원은 견한 자를 칭찬하고 있다.
⑤ 광한 자는 맹자를 비난하고 있다.

24

2004 9월 고3 모의고사

㉠의 의미가 삶의 자세로 가장 잘 표현된 시조는?

① 이런들 어떠하며 저런들 어떠하리 / 만수산 드렁칡이 얽어진들 그 어떠하리 / 우리도 이같이 얽어져 백년까지 누리리라.
② 공명도 나는 몰라 부귀도 나는 몰라 / 허랑한 인생이 세상일도 나는 몰라 / 아마도 이 강산 아니면 내 몸 둘 데 없어라.
③ 홍로 가운데 타는 밭에서 종일 일하는 저 농부야 / 네 고생이 저러하거늘 내 놀고 먹음은 어인 일인가 / 우리도 군자를 길러 내는 노력을 하여 백성을 사랑하기 바라노라.
④ 북풍은 나무 끝에 불고 명월은 눈 속에 찬데 / 만리 변성에 일장검 짚고 서서 / 긴 휘파람 큰 한 소리에 거칠 것이 없어라.
⑤ 옛 성인도 날 못 보고 나도 옛 성인을 못 봐 / 옛 성인을 못 봐도 가던 길 앞에 있네 / 가던 길 앞에 있으니 아니 가고 어쩔꼬.

25

2004 9월 고3 모의고사

ⓐ~ⓔ에 대한 설명으로 가장 적절한 것은?

① ⓐ의 이유는 진나라에 광견한 이들만 있기 때문이다.
② ⓑ의 말버릇을 가진 사람은 과거에 얽매여 현실을 개혁하려는 마음을 잃은 자들이다.
③ ⓒ를 공자가 비판하는 이유는 원리 원칙을 지나치게 고집하기 때문이다.
④ ⓓ와 같은 사람들은 융통성이 없고 지나치게 비판적인 사람들이다.
⑤ ⓔ를 공자가 싫어하는 이유는 옳고 그름의 기준을 해치기 때문이다.

[26~29] 다음 글을 읽고 물음에 답하시오.

역사가는 믿을 만한 지도를 손에 들고 과거라는 큰 도시를 찾아드는 여행가와 같다. 그렇다면 역사가의 지도란 무엇인가? 그것은 많은 사실 속에서 역사적 의미를 가려 낼 수 있게 하는 문제 의식이다. 또한 그것은 어느 시대를 역사적 전후 관계에 따라서 전체를 파악할 수 있게 하는 하나의 관점이다. 역사가의 사명은 바로 이러한 문제 의식과 관점을 확실하게 세워서 사회와 인간 생활을 정확하게 이해하는 데 있다. 결국 역사가의 문제 의식은 궁극적으로 역사가의 사관과 밀접하게 관련되는 것이라 할 수 있다.

그러면 역사가의 사관(史觀)은 어떻게 형성되는가? 역사가의 사관 형성은 무엇보다도 정직한 마음을 가지는 데서 가능하다. 그것은 자신의 과거와 현재를 솔직하게 보아야 한다는 것이다. 누구나 자기가 아는 것이 남보다 많다 하거나, 자기 민족의 역사는 영광의 역사라 주장하고, 설사 그러한 역사가 영광 아닌 고난의 역사라 해도 그런 대로 소위 '주체성'이 우수했음을 강조하고 싶을 것이다. 하지만 미화(美化)는 과거를 바꾸어 놓을 수 없고 또 상태를 개선할 수 있는 것도 아니다. 랑케는 이러한 역사가의 정직을 강조하면서 '일어났던 그대로' 사실을 재구성하라고 말한 바 있다.

다음으로 역사가의 사관 형성에 도움이 되는 덕성은 금욕주의이다. 스토아 철학자들이 금욕 원리에서 정신의 평화를 찾았듯이 역사가는 현실적 욕망의 테두리를 벗어남으로써 대상을 관조할 수 있는 수준에 도달한다. 이러한 역사가의 관조의 위치는 잡다한 인간 사회의 모든 현상을 잘 관찰할 수 있도록 해 준다. 역사학의 이런 '몰실리성'은 역사학을 진정한 기초 학문, 즉 인간 교양의 학문으로 승격시킨다. 역사가는 알렉산더 대왕 앞에서 태양볕을 즐기던 통나무 속의 디오게네스와 같다. 그는 권력자의 눈치를 살피지도 않으며 출세를 걱정하느라 ㉠눈이 어두워지지도 않을 것이기에 역사학이 진정한 아카데미시즘으로 승화될 수 있는 것이다.

그러나 역사학이 현실적 욕망의 테두리를 벗어나 관조하는 '몰실리성'을 지닌다고 해서 이것이 '현실 불감증'과 동일시될 수는 없다. 왜냐하면 역사학은 가장 현실에 민감하고 미래에의 전망과 결부되고 있기 때문이다. 바꾸어 말해서 역사학의 출발점은 현재에 있으며, 과거는 단순한 '죽은 과거'로 취급되는 데 있지 않다. 역사에서의 객관성이란 과거 사실 그 자체를 정확하게 기술하는 것만을 일컫는 것이 아니라 현재와의 연관성 속에서 과거를 인식하는 것이다. ㉡일찍이 드로이젠이 랑케의 객관성을 가리켜 '환관(宦官)의 객관성'이라고 비난한 바 있다.

역사가의 사관 형성에 있어 덧붙일 것은 역사가의 지도 그 자체는 흠잡을 데 없는 완성품이 아니라는 사실이다. 역사학도들은 기성 역사가들이 만들어 놓은 지도에 따라 역사 연구를 시작하지만 점차로 그러한 지도에 부족한 점이 있음을 알

정답&해설

22 ②

② 광(狂)한 자는 '진취적'이고, 견(猥)한 자는 '해서는 안 되는 행동(더러운 짓)을 하지 않는 사람'이라고 하였다. 이로 미루어 볼 때, 중도(中道)의 인물이란 해야 할 바를 하고 해서는 안 되는 일은 하지 않는, 자신의 소신이 뚜렷한 유형의 인물이라고 할 수 있다.

23 ①

① 맹자는 향원이 광한 자와 견한 자를 비난하면서 자신은 음흉하게 세상에 아첨하기 때문에 향원을 '덕을 해치는 자'라고 말하며, '사이비'라고 한 공자의 말을 빌려 향원을 비판하고 있다.

24 ⑤

'군자의 떳떳한 도'란 세상에 아첨하지 않으며, 군자로서 행하는 바른길을 의미할 것이다. 옛 성인을 좇아서 가던 길(학문 수양의 길)에 힘쓰자는 내용의 ⑤(이황의 「도산십이곡」)가 ㉠의 삶의 자세와 통한다고 할 수 있다.

25 ⑤

⑤ 공자는 향원을 '덕을 해치는 자'라고 하면서 그를 싫어하는 이유로, 같은 듯하면서 아닌 것(사이비)이기 때문이라고 하였다. 즉, 공자는 향원이 덕을 어지럽히기 때문에 싫어한 것이다.

| 정답 | 22 ② 23 ① 24 ⑤ 25 ⑤

게 된다. 마치 능숙한 여행가가 지도 위에 적색 연필로 가필하듯이 역사학도들은 차츰 기성의 사관을 보완·수정하거나 아니면 다른 사관으로 대체할 생각을 품게 될 것이다. 이와 같은 사관의 수정 내지 그 새로운 설정은 한 역사가의 생애에 걸친 작업이므로 어느 역사가의 독자적인 사관이 항구적 가치를 갖는가 아닌가를 판단하는 것도 오랜 시일에 걸쳐 평가되어야 할 성질의 것이다.

26

2004 4월 고3 모의고사

위 글의 서술상의 특징으로 적절한 것은?

① 추상적 내용을 구체적 사물에 비유하여 설명하고 있다.
② 일상적 사례를 통해 문제 해결의 방안을 제시하고 있다.
③ 상반된 견해를 절충하여 새로운 결론을 이끌어낸다.
④ 다른 대상과의 대조를 통해 대상의 특징을 부각시키고 있다.
⑤ 대상을 다양한 관점에 따라 대상을 조명하여 객관성을 높이고 있다.

27

2004 4월 고3 모의고사

위 글은 궁극적으로 어떤 질문에 답하는 글인가?

① 역사가의 순수성은 무엇인가?
② 역사가의 연구 대상은 무엇인가?
③ 역사가의 사회적 역할은 무엇인가?
④ 역사가가 지녀야 할 태도는 무엇인가?
⑤ 역사의 사관은 어떻게 변해 왔는가?

28

2004 4월 고3 모의고사

㉠과 쓰임이 유사한 것은?

① 나는 그를 의심의 눈으로 바라보았다.
② 정치의 흐름을 읽어 내는 그의 눈은 늘 정확하다.
③ 우리는 사람들의 눈을 무서워할 줄 알아야 한다.
④ 그녀는 작은 것도 잘 볼 정도로 눈이 좋다.
⑤ 아이의 초롱초롱한 눈은 나의 마음을 기쁘게 한다.

29

2004 4월 고3 모의고사

㉡의 관점에서 〈보기〉를 해석한 것으로 가장 적절한 것은?

보기

역사가는 자신이 살고 있는 사회의 사고방식으로만 글을 쓸 수 있다. 100년 전의 역사가는 100년 전의 사고방식대로 역사책을 써서 남기고 오늘날의 역사가는 오늘날 사회의 사고방식대로 그 책을 읽고 판단한다.

① 역사는 현재의 관점에서 재해석된 사실이다.
② 역사는 주관적 생각을 객관화시키는 작업이다.
③ 역사가는 과거의 사실을 정확히 기록한다.
④ 역사는 현실을 관조하여 얻은 정직한 기록이다.
⑤ 역사는 역사가의 체험을 바탕으로 한 산물이다.

[30~31] 다음 글을 읽고 물음에 답하시오.

(가) 최근 들어 도시의 경쟁력 향상을 위한 새로운 전략의 하나로 창조 도시에 대한 논의가 활발하게 진행되고 있다. 창조 도시는 창조적 인재들이 창의성을 발휘할 수 있는 환경을 갖춘 도시이다. 즉 창조 도시는 인재들을 위한 문화 및 거주 환경의 창조성이 풍부하며, 혁신적이고도 유연한 경제 시스템을 구비하고 있는 도시인 것이다.

(나) 창조 도시의 주된 동력을 창조 산업으로 볼 것인가 창조 계층으로 볼 것인가에 대해서는 견해가 다소 엇갈리고 있다. 창조 산업을 중시하는 관점에서는, 창조 산업이 도시에 인적·사회적·문화적·경제적 다양성을 불어넣음으로써 도시의 재구조화를 가져오고 나아가 부가 가치와 고용을 창출한다고 주장한다. 창의적 기술과 재능을 소득과 고용의 원천으로 삼는 창조 산업의 예로는 광고, 디자인, 출판, 공연 예술, 컴퓨터 게임 등이 있다.

(다) 창조 계층을 중시하는 관점에서는, 개인의 창의력으로 부가 가치를 창출하는 창조 계층이 모여서 인재 네트워크인 창조 자본을 형성하고, 이를 통해 도시는 경제적 부를 축적할 수 있는 자생력을 갖게 된다고 본다. 따라서 창조 계층을 끌어들이고 유지하는 것이 도시의 경쟁력을 제고하는 관건이 된다. 창조 계층에는 과학자, 기술자, 예술가, 건축가, 프로그래머, 영화 제작자 등이 포함된다.

(라) 창조성의 근본 동력을 무엇으로 보든, 한 도시가 창조 도시로 성장하려면 창조 산업과 창조 계층을 유인하는 창조 환경이 먼저 마련되어야 한다. 창조 도시에 대한 논의를 주도한 랜드리는, 창조성이 도시의 유전자 코드로 바뀌기 위해서는 다음과 같은 환경적 요소들이 필요하다고 보았다. 개인의 자질, 의지와 리더십, 다양한 재능을 가진 사람들과의 접근성, 조직 문화, 지역 정체성, 도시의 공공 공간과 시설, 역동적 네트워크의 구축 등이 그것이다.

(마) 창조 도시는 하루아침에 인위적으로 만들어지지 않으며 추진 과정에서 위험이 수반되기도 한다. 창조 산업의 산출물은 그것에 대한 소비자의 수요와 가치 평가를 예측하기 어렵다. 또한 창조 계층의 창의력은 표준화되기 어렵고 그들의 전문화된 노동력은 대체하기가 쉽지 않다. 따라서 창조 도시를 만들기 위해서는 도시 고유의 특성을 면밀히 고찰하여 창조 산업, 창조 계층, 창조 환경의 역동성을 최대화할 수 있는 조건이 무엇인지 밝혀낼 필요가 있다.

정답&해설

26 ①

① 제시된 글은 '역사가의 사관'이라는 추상적 문제를 '지도'와 '여행가', '통나무 속의 디오게네스', '환관의 객관성', '흠 잡을 데 없는 완성품' 등과 같은 다양한 비유적 표현을 활용하여 이해를 돕고 있다.

27 ④

④ 제시된 글은 사관 형성의 요건으로 정직성과 금욕주의, 현실의 관점에서 과거를 해석할 수 있는 안목 등을 소개하고 있으므로, 결국 제시된 글의 핵심 내용은 '올바른 사관을 갖기 위한 역사가의 태도'라고 볼 수 있다.

28 ②

㉠의 '눈'은 '사물을 보고 판단하는 힘'이라는 의미로 쓰였다. ②의 '눈'도 이러한 의미로 쓰였다.

| 오답해설 | ① '무엇을 보는 표정이나 태도'의 의미로 쓰였다.
③ '사람들의 눈길'의 의미로 쓰였다.
④ '시력'의 의미로 쓰였다.
⑤ '물체를 볼 수 있는 감각 기관'의 의미로 쓰였다.

29 ①

① ㉡은 랑케의 사관을 비판하는 부분으로, 과거의 역사적 사실은 현재의 관점에서 재해석될 수 있다고 보는 관점이다. 〈보기〉의 글도 이런 점에서 유사하다.

| 정답 | 26 ① 27 ④ 28 ② 29 ①

30

2009 수능

(가)~(마)의 중심 화제로 적절하지 않은 것은?

① (가): 창조 도시의 개념
② (나): 창조 도시의 동력을 창조 산업으로 보는 관점
③ (다): 창조 도시의 동력을 창조 계층으로 보는 관점
④ (라): 창조 환경의 필요성과 구성 요소
⑤ (마): 창조 도시의 문제점과 전망

31

2009 수능

위 글을 통해 알 수 있는 것은?

① 창조 산업은 미래 예측성과 성공 가능성이 크다.
② 창조 도시를 위해서는 기존 환경을 단시간에 개조해야 한다.
③ 창조 산업과 창조 계층이 갖추어져야 창조 환경이 마련된다.
④ 창조 도시에는 문화적 요소와 경제적 요소가 복합적으로 작용한다.
⑤ 창조 계층의 창의력을 이끌어 내기 위해서는 그 능력을 표준화해야 한다.

[32~33] 다음 글을 읽고 물음에 답하시오.

정부나 기업이 사업에 투자할 때에는 현재에 투입될 비용과 미래에 발생할 이익을 비교하여 사업의 타당성을 진단한다. 이 경우 물가 상승, 투자 기회, 불확실성을 포함하는 할인의 요인을 고려하여 미래의 가치를 현재의 가치로 환산한 후, 비용과 이익을 공정하게 비교해야 한다. 이러한 환산을 가능케 해 주는 개념이 할인율이다. 할인율은 이자율과 유사하지만 역으로 적용되는 개념이라고 생각하면 된다. 현재의 이자율이 연 10%라면 올해의 10억 원은 내년에는 (1+0.1)을 곱한 11억 원이 되듯이, 할인율이 연 10%라면 내년의 11억 원의 현재 가치는 (1+0.1)로 나눈 10억 원이 된다.

공공사업의 타당성을 진단할 때에는 대개 미래 세대까지 고려하는 공적 차원의 할인율을 적용하는데, 이를 사회적 할인율이라고 한다. 사회적 할인율은 사회 구성원이 느끼는 할인의 요인을 정확하게 파악하여 결정하는 것이 바람직하나, 이것은 현실적으로 매우 어렵다. 그래서 시장 이자율이나 민간 자본의 수익률을 사회적 할인율로 적용하자는 주장이 제기된다.

시장 이자율은 저축과 대출을 통한 자본의 공급과 수요에 의해 결정되는 값이다. 저축을 하는 사람들은 원금을 시장 이자율에 의해 미래에 더 큰 금액으로 불릴 수 있고, 대출을 받는 사람들은 시장 이자율만큼 대출금에 대한 비용을 지불한다. 이때의 시장 이자율은 미래의 금액을 현재 가치로 환산할 때의 할인율로도 적용할 수 있으므로, 이를 사회적 할인율로 간주하자는 주장이 제기되는 것이다. 한편 민간 자본의 수익률을 사회적 할인율로 적용하자는 주장은, 사회 전체적인 차원에서 공공사업에 투입될 자본이 민간 부문에서 이용될 수도 있으므로, 공공사업에 대해서도 민간 부문에서만큼 높은 수익률을 요구해야 한다는 것이다.

그러나 시장 이자율이나 민간 자본의 수익률을 사회적 할인율로 적용하자는 주장은 수용하기 어려운 점이 있다. 우선 ㉠ <u>공공 부문의 수익률이 민간 부문만큼 높다면, 민간 투자가 가능한 부문에 굳이 정부가 투자할 필요가 있는가 하는 문제가 제기될 수 있다</u>. 더욱 중요한 것은 시장 이자율이나 민간 자본의 수익률이, 비교적 단기적으로 실현되는 사적 이익을 추구하는 자본 시장에서 결정된다는 점이다. 반면에 사회적 할인율이 적용되는 공공사업은 일반적으로 그 이익이 장기간에 걸쳐 서서히 나타난다. 이러한 점에서 공공사업은 미래 세대를 배려하는 지속 가능한 발전의 이념을 반영한다. 만일 사회적 할인율이 시장 이자율이나 민간 자본의 수익률처럼 높게 적용된다면, 미래 세대의 이익이 저평가되는 셈이다. 그러므로 사회적 할인율은 미래 세대를 배려하는 공익적 차원에서 결정되는 것이 바람직하다.

32

2008 수능

위 글의 글쓴이가 상정하고 있는 핵심적인 질문으로 가장 적절한 것은?

① 시장 이자율과 사회적 할인율은 어떻게 관련되는가?
② 자본 시장에서 미래 세대의 몫을 어떻게 고려해야 하는가?
③ 사회적 할인율이 민간 자본의 수익률에 어떤 영향을 미치는가?
④ 공공사업에 적용되는 사회적 할인율은 어떤 수준에서 결정되어야 하는가?
⑤ 공공 부문이 수익률을 높이기 위해서는 민간 부문과 어떻게 경쟁해야 하는가?

33

2008 수능

㉠이 전제하고 있는 것은?

① 민간 투자도 공익성을 고려해서 이루어져야 한다.
② 정부는 공공 부문에서 민간 투자를 선도하는 역할을 해야 한다.
③ 공공 투자와 민간 투자는 동등한 투자 기회를 갖는 것이 바람직하다.
④ 정부는 공공 부문에서 민간 자본의 수익률을 제한하는 것이 바람직하다.
⑤ 정부는 민간 기업이 낮은 수익률로 인해 투자하기 어려운 공공 부문을 보완해야 한다.

정답&해설

30 ⑤

⑤ (마)의 중심 화제는 '창조 도시 건설의 기본 요건'이라고 볼 수 있다. (마)는 창조 도시를 건설하기 위해서는 도시의 고유한 특성을 고찰하여 창조 산업, 창조 계층, 창조 환경의 역동성을 최대화할 수 있는 조건이 무엇인지를 탐색하는 작업이 선행되어야 한다는 것을 강조하고 있다.

31 ④

④ (가)에서 창조 도시는 인재들을 위한 문화 및 유연한 경제 시스템을 구비하고 있는 도시를 의미한다고 설명하고 있다. 따라서 창조 도시는 문화적 요소와 경제적 요소가 복합적으로 작용하는 도시임을 알 수 있다.

32 ④

제시된 글에서는 사회적 할인율을 결정할 때 시장 이자율이나 민간 자본의 수익률과 같은 사적 부문에 적용되는 요소들을 고려하자는 주장에 대한 반대 의견과 그 근거를 제시하고 있다. 그리고 4문단 마지막 문장을 보면, 사회적 할인율은 공익적 차원에서 결정되어야 한다는 글쓴이 자신의 견해를 제시하고 있다. 따라서 글쓴이가 상정하고 있는 핵심 질문은 ④ '공공사업에 적용되는 사회적 할인율은 어떤 수준에서 결정되어야 하는가?'이다.

33 ⑤

⑤ ㉠에는 '실제로 공공 부문의 수익률이 민간 부문보다 높지 않다'라는 정보와 '정부는 공공 부문에 투자해야 한다'라는 정보가 포함되어 있다고 볼 수 있다. 두 정보를 연결하면 결국 '정부는 민간 기업이 낮은 수익률로 인해 꺼리는 공공사업을 해야 한다'라는 의미로 파악할 수 있다.

| 정답 | 30 ⑤ 31 ④ 32 ④ 33 ⑤

[34~37] 다음 글을 읽고 물음에 답하시오.

〈뉴욕 타임스〉와 〈워싱턴 포스트〉를 비롯한 미국의 많은 신문은 선거 과정에서 특정 후보에 대한 지지를 표명한다. 전통적으로 이 신문들은 후보의 정치적 신념, 소속 정당, 정책을 분석하여 자신의 입장과 같거나 그것에 근접한 후보를 선택하여 지지해 왔다. 그러나 근래 들어 이 전통은 적잖은 ㉠논란거리가 되고 있다. 신문이 특정 후보를 지지하는 것이 실제로 영향력이 있는지, 또는 공정한 보도를 사명으로 하는 신문이 특정 후보를 지지하는 행위가 과연 바람직한지 등과 관련하여 근본적인 의문이 제기되고 있는 것이다.

신문의 특정 후보 지지가 유권자의 표심(票心)에 미치는 영향은 생각보다 강하지 않다는 것이 학계의 일반적인 시각이다. 1958년 뉴욕 주지사 선거에서 〈뉴욕 포스트〉가 록펠러 후보를 지지해 그의 당선에 기여한 유명한 일화가 있긴 하지만, 지지 선언의 영향력은 해가 갈수록 줄어들고 있다. 이 현상은 '선별 효과 이론'과 '보강 효과 이론'으로 설명할 수 있다.

[A] 선별 효과 이론에 따르면, 개인은 미디어 메시지에 선택적으로 노출되고, 그것을 선택적으로 인지하며, 선택적으로 기억한다. 예를 들면, '가' 후보를 싫어하는 사람은 '가' 후보의 메시지에 노출되는 것을 꺼려할 뿐만 아니라, 그것을 부정적으로 인지하고, 그것의 부정적인 면만을 기억하는 경향이 있다. 한편 보강 효과 이론에 따르면, 미디어 메시지는 개인의 태도나 의견의 변화로 이어지지 못하고, 기존의 태도와 의견을 보강하는 차원에 머무른다. 가령 '가' 후보의 정치 메시지는 '가' 후보를 좋아하는 사람에게는 긍정적인 태도를 강화시키지만, 그를 싫어하는 사람에게는 부정적인 태도를 강화시킨다. 이 두 이론을 종합해 보면, 신문의 후보 지지 선언이 유권자의 후보 선택에 크게 영향을 미치지 못한다는 것을 알 수 있다.

신문의 후보 지지 선언이 과연 바람직한가에 대한 논쟁도 계속되고 있다. 후보 지지 선언이 언론의 공정성을 훼손할 수 있다는 것이 이 논쟁의 핵심 내용이다. 이런 논쟁이 일어나는 이유는 신문의 특정 후보 지지가 언론의 권력을 강화하는 도구로 이용될 뿐만 아니라, 수많은 쟁점들이 복잡하게 얽혀 있는 선거에서는 후보에 대한 독자의 판단을 선점하려는 비민주적인 행위가 될 수 있기 때문이다. 일부 정치 세력이 신문의 후보 지지 선언을 정치 선전에 이용하는 문제점 또한 이에 대한 비판의 근거로 제시되고 있다.

신문이 특정 후보를 공개적으로 지지하는 것은 사회적 가치에 대한 신문의 입장을 분명히 드러내는 행위이다. 하지만 그로 인해 보도의 공정성을 담보하는 데에 어려움이 따를 수도 있다. 따라서 신문은 지지 후보의 표명이 보도의 공정성을 해치지 않는지 신중하게 따져 보아야 하며, 독자 역시 지지 선언의 함의를 분별할 수 있는 혜안을 길러야 할 것이다.

34

2005 수능

위 글로부터 알 수 있는 사실이 아닌 것은?

① 보강 효과 이론은 개인의 태도와 관련이 있다.
② 선별 효과 이론은 개인의 인지 작용과 관련이 있다.
③ 신문의 특정 후보 지지 문제는 보도의 공정성 문제로 이어진다.
④ 신문의 후보 지지 선언이 선거 결과와 항상 관련 없는 것은 아니었다.
⑤ 신문은 후보의 정치적 성향과 유권자의 표심을 분석하여 지지 후보를 선택한다.

35

2005 수능

위 글의 논지 전개 방식을 바르게 묶은 것은?

보기

ㄱ. 사례를 든 후 문제 제기를 하고 있다.
ㄴ. 이론을 활용하여 주장을 뒷받침하고 있다.
ㄷ. 상반된 두 주장을 비판하고 대안을 모색하고 있다.
ㄹ. 통념의 문제점을 지적하고 새로운 이론을 주장하고 있다.

① ㄱ, ㄴ　② ㄱ, ㄷ
③ ㄴ, ㄷ　④ ㄴ, ㄹ
⑤ ㄷ, ㄹ

36

2005 수능

위 글에 따를 때, ㉠에 해당하지 않는 것은?

① 정치 세력의 신문 지배
② 후보에 대한 판단의 선점
③ 정치 선전의 도구화
④ 후보 지지 선언의 영향력
⑤ 언론 권력의 강화

37

2005 수능

[A]에서 제시한 이론들을 적용할 수 있는 예로 적절하지 않은 것은?

① 조카가 원래 좀 거친 편인데 폭력 영화를 보더니 더 거칠어졌어.

② 언론이 야간 범죄의 위험성을 보도하니까 아무도 문밖으로 나오지 않더라.

③ 내가 좋아하는 연예인은 드라마에서 악역을 맡아도 역시 멋있기만 하더라.

④ 나는 '가' 후보를 지지하는데, 텔레비전 토론을 보니 역시 '가' 후보가 설득력 있게 잘 하더라.

⑤ 아내가 나한테 금연 광고를 보여 주면서 담배를 끊으라고 하는데, 90세가 넘으신 우리 할머니는 하루에 두 갑을 피우면서도 아직 정정하셔.

정답&해설

34 ⑤

⑤ 1문단을 보면, 신문은 후보의 정치적 신념, 소속 정당, 정책을 분석하여 자신의 입장과 같거나 그것에 근접한 후보를 선택하여 지지해 왔다고 하였다. 후보의 정치적 성향과 유권자의 표심을 분석하여 지지 후보를 선택한 것이 아니다.

35 ①

① 『뉴욕 타임스』와 『워싱턴 포스트』의 예를 들어서 이야기를 시작하였고(ㄱ), '선별 효과 이론'이나 '보강 효과 이론'과 같은 이론을 들어서 주장을 뒷받침하고 있다(ㄴ).

36 ①

① 4문단에서 일부 정치 세력이 신문의 후보 지지 선언을 정치 선전에 이용하는 문제점을 지적하였지만, 정치 세력의 신문 지배에 관해서는 언급하지 않았다.

| 오답해설 | ②③⑤ 4문단에서 다루고 있다.

④ 2문단과 3문단에서 다루고 있다.

37 ②

'선별 효과 이론'이나 '보강 효과 이론'의 핵심적인 내용은 언론의 지지 선언이 유권자들의 행동을 바꾸지 못한다는 것이다. ②는 언론 보도로 인해 시청자의 행동이 바뀌었으므로 [A]에서 제시한 이론들의 예로 적합하지 않다.

| 정답 | 34 ⑤ 35 ① 36 ① 37 ②

[38~39] 다음 글을 읽고 물음에 답하시오.

과도적 혼합 문화는 적어도 세 가지의 새로운 위기에 봉착하게 된다. 세 가지의 위기란, 첫째는 적합성(適合性)의 위기, 둘째는 정체성(正體性)의 위기, 셋째는 통합성(統合性)의 위기이다.

과도적인 생활 양식은 전통 사회의 생활 양식의 일부와 외래적인 생활 양식의 일부가 계층 간, 세대 간, 지역 간의 격차를 보이면서 서로 융합되지 않은 채로 혼재하거나, 아니면 어느 정도 변질된 과거의 생활 양식이 외래적인 유형과 적당히 타협해서 일시적인 적응을 가능하게 하는 형태의 관행(慣行)이 된다. 이와 같은 과도적인 행위 양식들도 행위 변화가 계속 진행됨에 따라 끊임없이 그 적합성에 새로운 도전을 받게 된다. 뿐만 아니라, 과도적인 행위 양식 속에 혼재해 있는 외래적인 양식들은 한국 사회의 구조에 적합한지의 여부를 끊임없이 시험받게 마련이다. 그러므로 과도적인 혼합 문화는 잘 통합되어 있는 문화가 아니며, 충분히 제도화될 수 있을 정도로 영속적(永續的) 적합성을 지키기가 어려운 것이다.

과도적인 문화 속에는 한국 사회에 적합성을 가지지 못하는 차용된 외래문화가 많다. 그와 같은 차용 문화는 사회 구조의 변화에 따른 전통문화의 해체(解體)에 의해서 일어나는 문화적 공백을 메우기 위해 도입된 외래문화이기 때문에, 충분히 선택적으로, 비판적으로, 주체적으로 수용되었다기보다는 모방과 도입에만 급급하면서 받아들인 문화이다. 그러므로 어느 정도의 모방과 도입기를 거쳐 외래적인 행위 양식이 상당히 널리 확산되는 단계에 이르면 외래문화는 문화적 전통의 정체(正體)를 위협하게 된다.

이처럼 정체의 위기에 당면한 사회에서는 문화적 전통과 전통문화에 대한 관심이 고조된다. 그러나 문화적 정체의 회복이 전통 사회 문화로의 복귀나 외래문화의 배격과 같은 문화적 복고주의(復古主義)나 문화적 폐쇄주의로 성취될 수 없음은 물론이다. 문화적 복고주의나 문화적 폐쇄주의는 정체를 회복시키는 데에는 효과적일지 모르지만, 적합성의 위기를 더욱 고조시키게 될 것이기 때문이다. 그러므로 정체의 회복과 문화적 전통의 확립은 문화의 적합성을 희생시키지 않는 범위 내에서, 즉 현대 사회와 적합성을 유지할 수 있는 '문화적 전통'의 재발견과 그와 같은 문화적 전통과 잘 통합되는 외래문화의 선별적 수용을 통해서만 가능한 것이다.

앞에서 말한 바와 같이 과도적인 문화는 많은 혼란과 갈등을 내포하고 있다. 전통 사회의 유형과 외래적인 유형이 혼재(混在)하며, 세대 간, 계층 간, 지역 간의 문화적 격차가 일어나고, 명확한 규범의 부재에서 일어나는 아노미가 발생하는 등 과도적인 문화는 그 통합성의 위기에 봉착하게 된다.

그러한 위기에서 계층 간, 세대 간, 지역 간의 문화적 격차가 줄어들고, 현대적 사회 구조와 한국의 문화적 전통과 적합성을 지닌 명확한 가치와 규범이 확립됨으로써 문화의 통합이 추구되어야 하는 것이다.

38

2001 수능

위 글의 내용과 거리가 먼 것은?

① 과도적인 혼합 문화는 전통문화와 외래문화가 혼재해 있는 문화이다.
② 과도적인 차용 문화는 외래문화를 비판적·주체적으로 수용한 문화이다.
③ 정체성의 위기에 당면하면 전통문화에 대한 관심이 고조된다.
④ 문화적 복고주의는 적합성의 위기를 고조시킬 수 있다.
⑤ 문화의 통합을 위해서 명확한 가치와 규범이 확립되어야 한다.

39

2001 수능

글쓴이가 주장한 정체성 회복의 방법을 바르게 적용한 것은?

① 한글의 세계화를 위해 할 수 있는 일을 찾아본다.
② 일상생활에서 남용되는 외래어를 순화하여 사용한다.
③ 외래어의 유입을 막기 위해 고유어의 어휘 수를 늘린다.
④ '산(山)'과 같은 한자어 대신 '뫼'와 같은 옛말을 살려 쓴다.
⑤ 한국 문학 작품을 번역하기 위하여 국어 어휘의 특성을 조사한다.

[40~41] 다음 글을 읽고 물음에 답하시오.

사람들은 어떤 결과에는 항상 그에 상응하는 원인이 존재한다고 생각한다. 원인과 결과의 필연성은 개별적인 사례들을 통해 일반화될 수 있다. 가령, A라는 사람이 스트레스로 병에 걸렸고, B도 스트레스로 병에 걸렸다면 이런 개별적인 사례들로부터 '스트레스가 병의 원인이다.'라는 일반적인 인과가 도출된다. 이때 개별적인 사례에 해당하는 인과를 '개별자 수준의 인과'라 하고, 일반적인 인과를 '집단 수준의 인과'라 한다. 사람들은 오랫동안 이러한 집단 수준의 인과가 필연성을 지닌다고 믿어 왔다.

그런데 집단 수준의 인과를 필연적인 것이 아니라 개연적인 것으로 파악해야 한다고 주장하는 사람들이 있다. 가령 '스트레스가 병의 원인이다.'라는 진술에서 스트레스는 병의 필연적인 원인이 아니라 단지 병을 발생시킬 확률을 높이는 요인일 뿐이라고 말한다. A와 B가 특정한 병에 걸렸다 하더라도 집단 수준에서는 그 병의 원인을 스트레스로 단언할 수 없다는 것이다. 그렇게 본다면 스트레스와 병은 필연적인 관계가 아니라 개연적인 관계에 놓인 것으로 설명된다. 이에 따르면 '스트레스가 병의 원인이다.'라는 집단 수준의 인과는, 'A가 스트레스를 받았지만 병에 걸리지 않은 경우'나 'A가 스트레스를 받았고 병에 걸리기도 했지만 병의 실제 원인은 다른 것인 경우' 등의 개별자 수준의 인과와 동시에 성립될 수 있다. 이렇게 되면 개별자 수준의 인과와 집단 수준의 인과는 별개로 존재하게 되는 것이다.

이처럼 개별자 수준과 집단 수준의 인과가 독립적이라고 주장하는 철학자들은, 두 수준의 인과가 서로 다른 방식으로 해명되어야 한다고 본다. 왜냐하면 이들은 개별자 수준의 인과가 지닌 복잡성과 특이성은 집단 수준의 인과로 설명될 수 없다고 여기기 때문이다. 가령 A의 병은 유전적 요인, 환경적 요인, 개인의 생활 습관 등에서 비롯될 수도 있고 그 요인들이 우연적이며 복합적으로 작용하는 과정을 거치며 발생될 수도 있다.

이에 대해 개별자 수준과 집단 수준의 인과가 연관된다고 주장하는 사람들은, 병의 여러 요인들이 있다 하더라도 여전히 인과의 필연성이 성립된다고 본다. 개별적인 사례들에서 스트레스와 그 외의 모든 요인들을 함께 고려할 때 여전히 스트레스가 병의 필수적인 요인이라면 개별자 수준 인과의 필연성은 훼손되지 않으며, 이에 따라 집단 수준 인과의 필연성도 훼손되지 않는다는 것이다.

정답&해설

38 ②

② 3문단 둘째 문장을 보면, 과도적인 차용 문화는 문화적 공백을 메우기 위해 도입된 외래문화이므로, 선택적·비판적·주체적으로 수용되었다기보다는 모방과 도입에 급급하면서 받아들인 문화라는 내용이 제시되어 있다.

39 ②

4문단을 보면, '정체의 회복과 문화적 전통의 확립은 문화의 적합성을 희생시키지 않는 범위 내'에서 '문화적 전통과 잘 통합되는 외래문화의 선별적 수용을 통해서만 가능'하다고 하였다. 따라서 ② 일상생활에서 남용되는 외래어를 순화하여 사용하는 것이 정체성 회복을 위한 예가 될 수 있다.

| 정답 | 38 ② 39 ②

40

2009 수능

위 글의 서술 방식으로 가장 적절한 것은?

① 논의된 내용을 종합하면서 새로운 주장을 제기하고 있다.
② 상반된 견해에 대하여 절충적 대안을 제시하고 있다.
③ 이론의 장단점을 비교하여 독자의 이해를 돕고 있다.
④ 대비되는 두 관점을 예를 들어서 설명하고 있다.
⑤ 일반인의 상식을 논리적으로 비판하고 있다.

41

2009 수능

위 글을 통해 알 수 있는 것은?

① 하나의 결과에는 항상 하나의 원인이 존재한다.
② 집단 수준 인과의 필연성은 오랫동안 받아들여지지 않았다.
③ 개별자 수준의 인과는 집단 수준의 인과를 일반화한 것이다.
④ 집단 수준의 인과는 개별자 수준 인과의 개연성으로 충분히 설명된다.
⑤ 집단 수준 인과의 개연성을 주장하는 사람은 집단 수준과 개별자 수준의 인과를 독립적인 것으로 본다.

[42~44] 다음 글을 읽고 물음에 답하시오.

지식의 본성을 다루는 학문인 인식론은 흔히 지식의 유형을 나누는 데에서 이야기를 시작한다. 지식의 유형은 '안다'는 말의 다양한 용례들이 보여 주는 의미 차이를 통해서 드러나기도 한다. 예컨대 '그는 자전거를 탈 줄 안다'와 '그는 이 사과가 둥글다는 것을 안다'에서 '안다'가 바로 그런 경우이다. 전자의 '안다'는 능력의 소유를 의미하는 것으로 '절차적 지식'이라고 부르고, 후자의 '안다'는 정보의 소유를 의미하는 것으로 '표상적 지식'이라고 부른다.

어떤 사람이 자전거에 대해서 많은 정보를 갖고 있다고 해서 자전거를 탈 수 있게 되는 것은 아니며, 자전거를 탈 줄 알기 위해서 반드시 자전거에 대해서 많은 정보를 갖고 있어야 하는 것도 아니다. 아무 정보 없이 그저 넘어지거나 다치거나 하는 과정을 거쳐 자전거를 탈 줄 알게 될 수도 있다. '자전거가 왼쪽으로 기울면 핸들을 왼쪽으로 틀어라'와 같은 정보를 이용해서 자전거 타는 법을 배운 사람이라도 자전거를 익숙하게 타게 된 후에는 그러한 정보를 전혀 의식하지 않고서도 자전거를 잘 탈 수 있다. 자전거 타기 같은 절차적 지식을 갖기 위해서는 훈련을 통하여 몸과 마음을 특정한 방식으로 조직화해야 한다. 그러나 특정한 정보를 마음에 떠올릴 필요는 없다.

반면, '이 사과는 둥글다'는 것을 알기 위해서는 둥근 사과의 이미지가 되었건 '이 사과는 둥글다'는 명제가 되었건 어떤 정보를 마음속에 떠올려야 한다. '마음속에 떠올린 정보'를 표상이라고 할 수 있으므로, 이러한 지식을 표상적 지식이라고 부른다. 그런데 어떤 표상적 지식을 새로 얻게 됨으로써 이전에 할 수 없었던 어떤 것을 하게 될지는 분명하지 않다. 이런 점에서 표상적 지식은 절차적 지식과 달리 특정한 일을 수행하는 능력과 직접 연결되어 있지 않다.

표상적 지식은 다시 여러 가지 기준에 따라 나눌 수 있는데, 그중에서도 '경험적 지식'과 '선험적 지식'으로 나누는 방법이 대표적이다. 경험적 지식이란 감각 경험에서 얻은 증거에 의존하는 지식으로, '그는 이 사과가 둥글다는 것을 안다'가 그 예이다. 물리적 사물들의 특정한 상태, 즉 사과의 둥근 상태가 감각 경험을 통해서 우리에게 입력되고, 인지 과정을 거쳐 하나의 표상적 지식이 이루어진 것이다. ㉠<u>우리는 감각 경험을 통해 직접 만나는 개별적인 대상들로부터 귀납 추리를 통해 일반 법칙에 도달할 수 있다.</u> ㉡<u>따라서 자연 세계의 일반 법칙에 대한 지식도 경험적 지식이다.</u>

한편, 같은 표상적 지식이라 할지라도 '2 + 3 = 5'를 아는 것은 '이 사과가 둥글다'를 아는 것과는 다르다. '2 + 3 = 5'라는 명제는 감각 경험의 사례들에 의해서 반박될 수 없는 진리이다. 예컨대 물 2리터에 알코올 3리터를 합한 용액이 5리터가 안 되는 것을 발견했다고 해서 이 명제가 거짓이 되지는 않는다. 이렇게 감각 경험의 증거에 의존하지 않는 지식이 선험적 지식이다. 그래서 어떤 철학자들은 인간에게 경험 이외에 지식을 산출하는 다른 인식 능력이 있다고 생각하며, 수학적 지식이 그것을 보여 주는 좋은 예가 된다고 믿는다.

42

2007 수능

위 글의 내용과 일치하지 않는 것은?

① '앎[知]'이란 어떤 능력이나 정보의 소유를 의미한다.
② 절차적 지식은 다른 지식 유형의 기반이 된다.
③ 표상적 지식은 특정한 수행 능력으로 바로 이어지지는 않는다.
④ 경험적 지식은 표상적 지식의 일종이다.
⑤ 감각 경험의 사례를 근거로 선험적 지식을 무너뜨릴 수는 없다.

43

2007 수능

밑줄 친 말이 의미하는 바가 표상적 지식에 해당하지 않는 것은?

① 나는 그 노래를 부른 가수의 이름을 알아.
② 나는 세종대왕을 알아. 그분은 한글을 창제한 분이시지.
③ 우리 아저씨만큼 개를 잘 다룰 줄 아는 사람은 아직 못 봤어.
④ 내 동생이 2를 네 번 더하면 8인 줄은 아는데, '2×4=8'은 모른단다.
⑤ 퀴즈의 답이 '피아노'인 줄 알고 있었는데, 너무 긴장해서 아무 말도 못 했어.

44

2007 수능

㉠으로부터 ㉡을 도출하는 과정에서 생략된 전제로 가장 적절한 것은?

① 귀납 추리는 일반 법칙에 기초해 있다.
② 귀납 추리는 자연에 대한 지식을 확장해 준다.
③ 귀납 추리는 지식의 경험적 성격을 바꾸지 않는다.
④ 귀납 추리는 지식이 경험 세계를 넘어서도록 한다.
⑤ 귀납 추리의 결론은 전제로부터 필연적으로 도출되지 않는다.

정답&해설

40 ④

④ 제시된 글은 집단 수준의 인과와 개별자 수준의 인과가 별개라고 보는 관점과 서로 연관되어 있다고 보는 관점을 대비하고 있으며, 그 예로 스트레스와 병의 관계를 들고 있다.

41 ⑤

⑤ 2문단의 마지막 문장을 보면, 집단 수준의 인과를 개연적인 것으로 파악해야 한다고 주장하는 사람들은 '개별자 수준의 인과와 집단 수준의 인과는 별개로 존재하게 되는 것(독립적인 것)'이라고 설명하고 있다.

42 ②

② 절차적 지식은 '능력의 소유'를 의미한다. 하지만 다른 지식의 기반이 된다는 언급은 없다.

| 오답해설 | ① 1문단의 예시 부분에서 확인할 수 있다.
③ 3문단의 마지막 문장에서 확인할 수 있다.
④ 4문단의 첫 번째 문장에서 확인할 수 있다.
⑤ 5문단의 두 번째 문장에서 확인할 수 있다.

43 ③

③ 개를 잘 다룰 줄 아는 것은 능력의 소유를 의미하는 것이므로 여기서의 '안다'는 '절차적 지식'에 해당한다.

| 오답해설 | ①②④⑤ 모두 정보의 소유를 의미하는 '표상적 지식'에 해당한다.

44 ③

③ 내용을 정리하면, ㉠은 '감각 경험 → 귀납 추리 → 일반 법칙', ㉡은 '일반 법칙에 대한 지식 = 경험적 지식'이다. ㉠으로부터 ㉡을 도출하는 과정에서 '귀납 추리가 지식의 경험적 성격을 바꾸지 않는다'는 전제가 필요하다. 만약 귀납 추리가 지식의 경험적 성격을 바꾸게 된다면, 일반 법칙에 대한 지식은 감각적 경험과 무관한 지식이 될 수 있다.

| 정답 | 40 ④ 41 ⑤ 42 ② 43 ③ 44 ③

[45~47] 다음 글을 읽고 물음에 답하시오.

(가) 내 주변에는 나처럼 생기고 나와 비슷하게 행동하는 수많은 사람들이 있다. 나는 그들과 경험을 공유하며 살아간다. 그렇다면 그들도 나와 같은 느낌을 가지고 있을까? 가령, 나는 손가락을 베이면 아프다는 것을 다른 무엇으로부터도 추리하지 않고 직접 느낀다. 하지만 다른 사람의 경우에는 "아야!"라는 말과 움츠리는 행동을 통해 그가 아픔을 느꼈으리라고 추측할 수밖에 없다. 이때 그가 느낀 아픔은 내가 느낀 아픔과 같은 것일까?

(나) 물론 이 물음은 다른 사람이 실제로는 아프지 않은데 거짓으로 아픈 척했다거나, 그가 아픔을 느꼈을 것이라는 나의 추측이 잘못되었다는 것과는 관계가 없다. "아프냐? 나도 아프다."라는 말에서처럼, 나는 다른 사람이 아픔을 느낀다는 것을 그의 말이나 행동으로 알고, 그 아픔을 함께 나눌 수도 있다. 하지만 그의 아픔이 정말로 나의 아픔과 같은 것인지 묻는 것은 다른 문제다.

(다) 이 문제에 대한 고전적인 해결책은 유추의 방법을 사용하는 것이다. 나는 손가락을 베였을 때 느끼는 아픔을 "아야!"라는 말이나 움츠리는 행동을 통해 나타낸다. 그래서 다른 사람도 그러하리라 전제하고는, 다른 사람이 나와 같은 말이나 행동을 하면 '저 친구도 나와 같은 아픔을 느꼈겠군.' 하고 추론한다. 말이나 행동의 동일성이 느낌의 동일성을 보장한다는 것이다. 그러나 ㉠<u>이 논증의 결정적인 단점은 내가 아는 단 하나의 사례, 곧 나의 경험에만 의지하여 다른 사람도 나와 같은 아픔을 느낀다고 판단한다는 것이다</u>.

(라) 이런 문제는 우리가 다른 사람의 느낌을 직접 관찰할 수 없기 때문에 생긴다. 만일 다른 사람의 느낌 자체를 관찰할 방법이 있다면 이 문제는 해결될 수 있을 것이다. 기술이 놀랍게 발달하여 두뇌 속 뉴런의 발화(發火)*를 통해 인간의 모든 심리 변화를 관찰할 수 있다고 치자. 그러면 제삼자가 나와 다른 사람의 뉴런 발화를 비교하여 그것이 같은지 다른지 판단할 수 있다. 그러나 이때에도 나는 특정한 뉴런 발화가 나의 '이런' 느낌과 관련된다는 것은 분명히 알 수 있지만, 그 관련이 다른 사람의 경우에도 똑같이 적용되는가 하는 것까지는 알 수 없다.

(마) 일부 철학자와 심리학자는 아예 '느낌'을 '관찰할 수 있는 모습과 행동 바로 그것'이라고 정의하는 방식으로 해결책을 찾기도 한다. 그러나 이것은 분명히 행동 너머에 있는 것처럼 생각되는 느낌을 행동과 같다고 정의해 버렸다는 점에서 문제의 해결이라기보다는 단순한 해소인 것처럼 보인다. 그보다는 다양한 가설을 설정하고 그들 간의 경쟁을 통해 최선의 해결책으로 범위를 좁혀 가는 방법이 합리적일 것이다.

* 발화(發火): 뉴런이 신호를 전달하기 위해 화학 물질을 방출하는 것

45

2005 수능

(가)~(마)에 대한 설명으로 바르지 <u>않은</u> 것은?

① (가): 일상적인 경험으로부터 화제를 이끌어 내고 있다.
② (나): 화제에 대한 보충 설명을 통해 문제의식을 심화하고 있다.
③ (다): 제기된 이론에 대한 고전적인 해결책을 소개하고 그 문제점을 지적하고 있다.
④ (라): 제기된 의문이 과학적인 방법에 의해 해결될 수 있음을 보여 주고 있다.
⑤ (마): 제기된 의문에 대한 새로운 접근 방법의 필요성을 주장하고 있다.

46

2005 수능

위 글의 내용에 비추어 볼 때, 〈보기〉에 대해 바르게 설명한 것은?

보기
A: 이 영화 참 슬프지? 슬픈 영화는 언제나 날 울게 만들어. B: 슬프니? 나도 슬퍼. 하지만 나는 너의 슬픔이 나의 슬픔과 같은지 확신할 수가 없어.

① B는 자신이 정말로 슬픈지 확신하지 못하고 있다.
② B는 A가 B의 슬픔을 직접 관찰할 수 있다고 생각하고 있다.
③ B는 A가 슬플 때 하는 말이 행동과 항상 일치하지 않는다고 생각하고 있다.
④ B는 자신이 슬플 때 하는 행동과 A가 슬플 때 하는 행동이 다르다고 생각하고 있다.
⑤ B는 A의 울음을 관찰할 수는 있지만 그의 슬픔은 직접 관찰할 수 없다고 생각하고 있다.

47

2005 수능

㉠을 보충하여 설명하기에 적절한 것은?

① 이것은 똑같이 생긴 상자 더미에서 책이 든 상자 하나만을 열어 보고는 다른 상자에도 책이 있다고 추리하는 것과 다름없다.

② 이것은 우리 집 소가 이번에 수소를 낳았으니까 다음번에는 암소를 낳을 거라고 추측하는 것과 다름없다.

③ 이것은 신랑과 신부가 훌륭한 인재들이므로 화목한 가정을 꾸려 나갈 것이라고 믿는 것과 다름없다.

④ 이것은 그 사람이 우리 편이 아니니까 그의 말은 무조건 틀렸다고 주장하는 것과 다름없다.

⑤ 이것은 피고가 무죄임을 입증하지 못했으므로 곧 유죄라고 생각하는 것과 다름없다.

정답&해설

45 ④

④ (라)에서 필자는 과학적 방법을 사용하더라도 '그가 느낀 아픔은 내가 느낀 아픔과 같은 것일까'라는 문제의 해결이 쉽지는 않다고 언급하였다.

46 ⑤

제시된 글에서는 타인의 감정을 추측할 수 있을 뿐 직접 관찰하는 것은 불가능하다는 것을 말하고 있다. 〈보기〉에서도 B는 A와 동일하게 슬픈 감정을 느끼기는 하지만, 자신의 감정이 A의 감정과 같은 것인지는 확신할 수 없다고 말하고 있다. 따라서 답은 ⑤이다.

47 ①

㉠은 '성급한 일반화의 오류'이다. ①에서 하나의 상자만 열어 보고 다른 상자에도 책이 있다고 추리하는 것은 '성급한 일반화의 오류'에 해당한다.

| 정답 | 45 ④ 46 ⑤ 47 ①

[48~52] 다음 글을 읽고 물음에 답하시오.

[A] 언론 보도로 명예가 훼손되는 경우 피해를 구제받으려면 어떻게 해야 할까? 우리 민법은 명예 훼손으로 인한 피해를 구제받기 위해 손해 배상과 같은 금전적인 구제와 아울러 비금전적인 구제를 청구할 수 있다고 규정하고 있다. 이러한 비금전적인 구제 방식의 하나가 '반론권'이다. 반론권은 언론의 보도로 피해를 입었다고 주장하는 당사자가 문제가 된 언론 보도 내용 중 순수한 의견이 아닌 사실적 주장(사실에 관한 보도 내용)에 대해 해당 언론사를 상대로 지면이나 방송으로 반박할 수 있는 권리이다. 반론권은 일반적으로 반론 보도를 통해 실현되는데, 이는 정정 보도나 추후 보도와는 다르다. 정정 보도는 보도 내용이 사실과 달라 잘못된 사실을 바로잡는 것이며, 추후 보도는 형사상의 조치를 받은 것으로 보도된 당사자의 무혐의나 무죄 판결에 대한 내용을 보도해 주는 것이다.

반론권 제도는 세계적으로 약 30개 국가에서 시행되고 있는데, 우리나라의 반론권 제도는 의견에도 반론권을 적용하는 프랑스식 모델이 아닌 사실적 주장에 대해서만 반론권을 부여하는 독일식 모델을 따르고 있다. 우리나라 반론권 제도의 특징은 정부가 반론권 제도를 도입하면서 이를 언론중재위원회를 통하여 행사하도록 했다는 것이다. 반론권 도입 당시 우리 정부는 언론중재위원회를 통한 반론권 행사가 언론에는 신뢰도 하락과 같은 부담을 주지 않고, 개인에게는 신속히 피해를 구제받을 기회를 주기 때문에 효율적이라고 주장하였다. 이에 대해 언론사와 일부 학자들은 법정 기구인 언론중재위원회를 통해 반론권을 행사하도록 하는 것이 언론의 편집 및 편성권을 침해하여 궁극적으로 언론 자유의 본질을 훼손할 수 있다는 우려를 나타냈다.

그러나 헌법재판소는 반론권 존립 여부에 대해 판단하면서, 반론권은 잘못된 사실을 진실에 맞게 수정하는 권리가 아니라 피해를 입은 자가 문제가 되는 기사에 대해 자신의 주장을 게재하는 권리로서 합헌적인 구제 장치라고 보았다. 또한 대법원은 반론권 제도를 이른바 ㉠무기대등원칙(武器對等原則)에 부합하는 것으로 판단하였다. 즉 사회적 강자인 언론을 대상으로 일반인이 동등한 공격과 방어를 할 수 있도록 균형 유지 수단을 제공하는 것이므로 정당하다는 것이다.

반론권 청구는 언론중재위원회 또는 법원에 할 수 있으며, 두 기관에 동시에 신청할 수도 있다. 이때 반론권은 해당 언론사의 잘못이나 기사 내용의 진실성 여부에 상관없이 청구할 수 있다. 언론 전문가들은 일부 학자들의 비판적인 시각에도 불구하고 언론과 관련된 분쟁은 법정 밖에서 해결하는 것이 가장 바람직하다는 측면에서 언론중재위원회를 통한 반론권 제도의 중요성을 인정하고 있다. 그러나 그 효율성을 제고하기 위해서는 당사자가 모두 ㉡만족할 수 있도록 중재의 합의율과 질적 수준을 높여야 할 것이다.

48

2009 6월 고3 모의고사

위 글의 논지 전개 방식으로 적절한 것은?

① 외국의 사례를 열거하여 공통적인 논지를 도출한다.
② 일반인의 상식을 제시한 후 이를 논리적으로 비판한다.
③ 새로운 이론을 통해 기존의 주장을 반박하고 재해석한다.
④ 개념을 정의한 후 대립되는 주장을 소개하고 필자의 견해를 밝힌다.
⑤ 현상이나 사실을 설명한 뒤 필자의 생각과 반대되는 견해의 장단점을 분석한다.

49

2009 6월 고3 모의고사

위 글을 통해서 확인할 수 있는 것은?

① 반론권 제도는 프랑스에서 가장 먼저 도입하였다.
② 보도 내용이 진실한 경우에도 반론권을 청구할 수 있다.
③ 피해자는 반론 보도와 정정 보도를 동시에 청구할 수 있다.
④ 반론권은 개인은 물론이고 법인이나 단체, 조직도 행사할 수 있다.
⑤ 반론권은 문제가 된 보도와 같은 분량의 지면이나 방송으로 행사되어야 한다.

50

2009 6월 고3 모의고사

[A]에 근거하여 볼 때, 반론 보도문의 성격에 가장 잘 맞는 것은?

① 본지는 2008년 1월 1일자 3면에서 공무원 A 씨가 횡령 혐의로 체포되었다고 보도하였습니다. 그러나 A 씨는 2009년 4월 20일 대법원에서 무죄 판결이 났음을 알려 드립니다.

② ○○ 연구소의 B 소장은 '경제 회복 당분간 어렵다'는 취지의 본지 인터뷰 기사 내용에 대해, 이는 인터뷰 내용 중 일부 대목만을 인용하여 '경기 부양에 적절한 조치가 필요하다'라는 자신의 견해를 확대 해석한 결과라고 밝혀 왔습니다.

③ C 기업은 해당 기업에서 제작한 핵심적 기계 장치의 안전성이 우려된다는 본지의 보도로 인하여 많은 손해를 보았다고 전해 왔습니다. 사실 관계를 확인한 결과 기계 자체가 아닌 사용상의 문제인 것으로 드러나 관련 기업과 독자 여러분께 사과드립니다.

④ 본지는 D 병원장의 예를 들어 병원들이 보험료를 부풀려 신청한다는 보도를 한 바 있습니다. 이에 대해 D 병원장은 기사에서 지적된 사람은 자신이 아니라고 알려 왔으며, 확인 결과 기사의 D 병원장은 E 병원장의 오기(誤記)로 드러났음을 알려 드립니다.

⑤ 본지는 F 금융공사가 미국보다 비싼 학자금 대출 금리로 부당한 이익을 남긴다고 보도한 바 있습니다. 이에 대해 F 금융공사는 미국에서 가장 널리 이용되는 학자금 대출 상품의 금리보다 자사의 금리가 더 낮다고 주장하였습니다. 이는 사실로 확인되었으므로 해당 내용을 수정합니다.

정답&해설

48 ④

④ 필자는 먼저 1문단에서 반론권의 개념을 '정의'한 후, 2~3문단에서는 언론중재위원회를 통한 반론권 제도에 대해 효율적이라는 측면과 우려를 나타내는 측면을 소개하였다. 이를 바탕으로 마지막 문단에서는 반론권의 효율성을 제고하기 위한 방안으로 중재의 합의율과 질적 수준을 높여야 한다는 필자의 견해를 제시하고 있다.

49 ②

② 마지막 문단의 두 번째 문장에서 반론권은 언론사의 잘못이나 기사 내용의 진실성 여부에 상관없이 청구할 수 있다고 하였다.

| 오답해설 | ③ 반론 보도와 정정 보도를 동시에 청구할 수 있는지를 알 수 있는 내용은 제시되어 있지 않다.

④ 반론권에 대해서 개인이나 일반인이 청구할 수 있다는 내용은 제시되어 있으나 단체, 조직, 법인 등이 청구할 수 있는지 여부를 알 수 있는 내용은 제시되어 있지 않다.

50 ②

[A]에서 '반론 보도문'은 언론 보도 내용 중 순수한 의견이 아닌 사실적 주장에 대해서 해당 언론사를 상대로 지면이나 방송으로 반박할 수 있는 권리라고 하였다. 이런 관점에서 볼 때 ②는 자신이 인터뷰한 내용 중 잘못 전달된 내용이 있다는 취지의 글로서 사실적 내용에 대해서 반박하고 있는 것이므로 반박 보도문에 해당한다고 볼 수 있다.

| 오답해설 | ① 형사 조치 이후의 무죄 판결에 대한 전달 내용이므로 '추후 보도문'에 해당한다.

③④⑤ 잘못 전달한 내용을 정정하는 내용이므로 '정정 보도문'에 해당한다.

| 정답 | 48 ④ 49 ② 50 ②

51

2009 6월 고3 모의고사

㉠의 취지를 가장 잘 반영하는 것은?

① 피의자가 자신에게 불리한 진술을 거부할 수 있도록 허용한다.

② 모성 보호를 위해 산모에게 일정 기간 유급 휴가를 제공한다.

③ 저소득층 자녀들을 위해 구청에서 무료로 놀이방을 운영한다.

④ 만 65세 이상의 고령자에게 지하철을 무료로 이용할 수 있도록 한다.

⑤ 청소년 보호를 위해 정부에서 지상파 방송 광고에 대해 사전 심의를 실시한다.

52

2009 6월 고3 모의고사

밑줄 친 단어 중, ㉡의 의미를 포함하지 않는 것은?

① 선을 본 사람이 마음에 차지 않았다.

② 엊그제 비가 흡족히 와서 가뭄이 해소되었다.

③ 그는 자기 능력에 상당한 대우를 받고 기뻐했다.

④ 철수는 그 자리에 있는 것이 별로 달갑지 않았다.

⑤ 형의 말을 들은 삼촌의 얼굴이 그리 탐탁해 보이지 않는다.

[53~54] 다음 글을 읽고 물음에 답하시오.

정부는 조세를 부과해 재정 사업을 위한 재원을 마련한다. 그런데 조세 정책의 원칙 중 하나가 공평 과세, 즉 조세 부담의 공평한 분배이기 때문에 누구에게 얼마의 조세를 부과할 것인가는 매우 중요하다. 정부는 특정 조세에 대한 납부자를 결정하게 되면 조세법을 통해 납부 의무를 지운다. 그러나 실제로는 납부자의 조세 부담이 타인에게 전가되는 현상이 흔히 발생하는데, 이를 '조세전가(租稅轉嫁)'라고 한다.

정부가 볼펜에 자루당 100원의 물품세를 생산자에게 부과한다고 하자. 세금 부과 전에 자루당 1,500원에 100만 자루가 거래되고 있었다면 생산자는 총 1억 원의 세금을 납부해야 할 것이다. 이로 인해 손실을 입게 될 생산자는 1,500원이라는 가격에 불만을 갖게 되므로 가격을 100원 더 올리려고 한다. 생산자가 불만을 갖게 되면 가격이 상승하기 시작한다. 그러나 가격이 한없이 올라가는 것은 아니다. 가격 상승으로 생산자의 불만이 누그러지지만 반대로 소비자의 불만이 증가하기 때문이다. 결국 시장의 가격 조정 과정을 통해 양측의 상반된 힘이 균형을 이루는 지점에 이르게 되며, 1,500원~1,600원 사이에서 새로운 가격이 형성된다. 즉 생산자는 법적 납부자로서 모든 세금을 납부하겠지만 가격이 상승하기 때문에 자루당 실제 부담하는 세금을 그만큼 줄이게 되는 셈이다. 반면에 소비자는 더 높은 가격을 지불하게 되므로 가격이 상승한 만큼 세금을 부담하는 셈이 된다.

한편, 조세전가가 한 방향으로만 발생하는 것은 아니다. 동일한 세금을 소비자에게 부과한다고 하자. 소비자는 자루당 1,500원을 생산자에게 지불해야 하므로 실제로는 1,600원을 지출해야 한다. 이에 대해 소비자는 불만을 가질 수밖에 없다. 소비자의 불만이 시장에 반영되면 시장의 가격 조정 기능이 작동하여 가격이 하락하게 되며, 최종적으로 소비자는 가격 하락 폭만큼 세금 부담을 덜 수 있게 된다. 즉 정부가 소비자에게 세금을 부과한다 해도 생산자에게 조세가 전가된다.

그렇다면 양측의 실제 부담 비중은 어떻게 결정될까? 이는 소비자나 생산자가 제품 가격의 변화에 어떤 반응을 보이는가에 따라 달라진다. 예를 들어 가격 변화에도 불구하고 소비자가 구입량을 크게 바꾸지 못하는 경우, 어느 측에 세금을 부과하든 ㉠소비자가 더 많은 세금을 부담하게 된다. 생산자에게 세금을 부과할 때에는 가격 상승 요구가 더욱 강하게 반영되어 새로운 가격은 원래보다 훨씬 높은 수준에서 형성될 것이다. 즉 생산자의 세금이 소비자에게 많이 전가된다. 그러나 소비자에게 세금을 부과할 때에는 가격 하락 요구가 잘 반영되지 않아 가격이 크게 떨어지지 않는다. 그로 인해 소비자가 대부분의 세금을 부담하게 된다. 한편, 가격 변화에도 불구하고 생산자가 생산량을 크게 바꾸지 못하는 경우에는 누구에게 세금이 부과되든 ㉡생산자가 더 많은 세금을 부담하게 될 것이다. 이러한 조세전가 현상으로 인해 정부는 누가 진정한 조세 부담자인지를 파악하는 데 어려움을 겪을 수밖에 없다.

53

2008 6월 고3 모의고사

'조세전가'에 대해 이해한 내용으로 적절한 것은?

① 소비자나 생산자가 제품 가격의 변화에 어떤 반응을 보이는가에 따라 조세 부담 비중이 달라진다.
② 누구에게 세금이 부과되든 소비자와 생산자가 동시에 조세전가의 혜택을 누린다.
③ 조세전가가 발생하면 그에 따라 물품세의 단위당 조세액이 달라질 수밖에 없다.
④ 생산자에게 조세가 부과될 경우 결국 소비자가 세금을 전액 부담하게 된다.
⑤ 조세전가가 발생하면 시장의 가격 조정 기능이 상실된다.

54

2008 6월 고3 모의고사

㉠, ㉡에 해당하는 사례로 가장 적절한 것은?

① ㉠: 바나나 가격이 오르면 곧 오렌지를 구매하는 소비자
② ㉠: 커피 가격이 오르면 커피 구입을 쉽게 줄이는 소비자
③ ㉠: 상표와 상관없이 가장 저렴한 샴푸를 구매하는 소비자
④ ㉡: 사과를 오래 보관할 수 있는 시설을 소유한 농장주
⑤ ㉡: 유행이 바뀌어 재고를 처분해야 하는 액세서리 생산자

정답&해설

51 ①

제시된 글의 내용을 바탕으로 추론해 볼 때, '무기대등원칙'이란 강자를 상대로 약자가 동등한 공격과 방어를 할 수 있도록 돕는 것을 의미한다. 이런 관점에서 볼 때 ① 강자인 국가의 수사 기관에 대해서 상대적 약자인 피의자가 자신에게 불리한 진술을 거부할 수 있도록 하는 것은 '무기대등원칙'에 해당한다고 볼 수 있다.

52 ③

㉡은 '마음에 들다', '흡족하게 여기다'의 의미로 볼 수 있다. 그러나 ③의 '상당한'은 문맥상 '알맞은', '걸맞은'의 뜻을 지니므로 ㉡의 의미를 포함한다고 볼 수 없다.

53 ①

① 4문단에서 생산자와 소비자의 실제 조세 부담 비중은 '소비자나 생산자가 제품 가격의 변화에 어떤 반응을 보이는가에 따라 달라진다'고 밝히고 있다.

|오답해설| ② 조세전가의 혜택은 상황에 따라서 누가 혜택을 누릴지 달라진다.
③ 물품세의 단위당 조세액이 달라질 때 조세전가가 나타날 수 있다.
④ 생산자에게 조세가 부과되어도 생산자와 소비자의 반응에 따라 세금 부담 비중이 달라지므로 소비자가 세금을 전액 부담하게 되는 것은 아니다.
⑤ 조세전가가 발생하면 그에 따른 새로운 가격이 형성된다고 했으므로, 시장의 가격 조정 기능이 상실된다고 볼 수 없다.

54 ⑤

제시된 글에 따르면 가격 변화에도 불구하고 소비자가 구입량을 크게 바꾸지 못하면 소비자가 더 많은 세금을 부담하게 된다. 반대로, 가격 변화에도 불구하고 생산자가 생산량을 크게 바꾸지 못하는 경우에는 생산자가 더 많은 세금을 부담하게 된다. 이런 관점에서 보면 ⑤ 재고를 처분해야 하는 액세서리 생산자는 생산량을 조절할 수 없는 경우에 해당하므로, 생산자가 더 많은 세금을 부담하게 되는 ㉡에 해당한다고 볼 수 있다.

|정답| 51 ① 52 ③ 53 ① 54 ⑤

[55~57] 다음 글을 읽고 물음에 답하시오.

어느 관현악단의 연주회장에서 연주가 한창 진행되는 도중에 휴대 전화의 벨 소리가 울려 음악의 잔잔한 흐름과 고요한 긴장이 깨져 버렸다. 청중들은 객석 여기저기를 둘러보았다. 그런데 황급히 호주머니에서 휴대 전화를 꺼내 전원을 끄는 이는 다름 아닌 관현악단의 바이올린 연주자였다. 연주는 계속되었지만 연주회의 분위기는 엉망이 되었고, 음악을 감상하던 많은 사람에게 찬물을 끼얹었다. 이와 같은 사고는 극단적인 사례이지만 공공장소의 소음이 심각한 사회 문제가 될 수 있다는 사실을 보여 주고 있다.

소음 문제는 물질문명의 발달과 관련이 있다. 산업화가 진행됨에 따라 우리의 생활 속에는 '개인적 도구'가 증가하고 있다. 그러한 도구들 덕분에 우리의 생활은 점점 편리해지고 합리적이며 효율적으로 변해가고 있다. 그러나 그러한 이득은 개인과 그가 소유하고 있는 물건 사이의 관계에서 성립하는 것으로 그 관계를 넘어서면 전혀 다른 문제가 된다. 제한된 공간 속에서 개인적 도구가 넘쳐남에 따라, 개인과 개인, 도구와 도구, 그리고 자신의 도구와 타인과의 관계 등이 모순을 일으키는 것이다. 소음 문제도 마찬가지이다. ㉠개인의 차원에서는 편리와 효율을 제공하는 도구들이, 전체의 차원에서는 불편과 비효율을 빚어내는 것이다. 그래서 많은 사회에서 개인적 도구가 타인의 권리를 침해하는 것을 방지하기 위하여 공공장소의 소음을 규제하고 있다.

하지만, 소음을 규제하는 것만이 공공의 이익을 위한 방법이 될 수는 없다. 소리는 본질적으로 단순한 물리적 존재가 아니라 문화적 가치를 담은 존재이기 때문이다. 예컨대 기성세대의 추억 속에 담긴 다듬이 소리, 엿장수의 가위 소리, 뻥튀기 소리, 귀뚜라미 울음소리는 개인의 삶을 의미 있게 저장하는 자료가 될 수 있다. 또한, 이러한 소리에는 계절의 변화가 담겨 있고 지역의 삶과 역사가 반영되어 있다. 즉 시공간적 다양성을 담아내는 문화의 구성 요소인 것이다. 그러므로 소음을 규제하는 소극적인 조치를 넘어 소리를 통해 문화 공간을 창출하는 적극적인 전략이 필요하다. ㉡도시 계획에서는 이것을 '사운드스케이프'라는 개념으로 접근한다.

사운드스케이프란 사람들의 귀를 즐겁게 하는 소리를 통해 분위기를 조성하는 공간 연출 기법을 말한다. 예를 들어 도심에 작은 분수와 물길을 만들어 보행자가 자연스럽게 물소리를 들을 수 있는 거리를 만드는 것이다. 또한, 사운드스케이프는 소리를 통해서 지역 공동체의 특성과 문화적 정체성을 담은 공간을 연출하기도 한다. 예컨대 지방자치단체에서 '소리의 명소', '지키고 싶은 소리의 풍경' 등을 정해 지역 문화를 부각시키고, 주민들에게 소리 문제에 관심을 가지게 하며 나아가 관광 요소로도 활용하는 것이 그것이다.

개인적 도구가 공공의 공간을 훼손하는 부작용을 해결하는 방법은 규제만으로는 부족하다. 궁극적으로 소리의 문화적 가치와 공공성에 대한 인식을 바탕으로 새로운 공간을 창출하는 적극적인 자세가 필요하다.

55

2007 3월 고3 모의고사

위 글을 통해 알 수 없는 것은?

① 소음의 사례
② 소음의 규제 방법
③ 소리의 문화적 가치
④ 사운드스케이프의 개념
⑤ 소음 문제와 물질문명과의 관계

56

2007 3월 고3 모의고사

㉠의 일반적인 사례로 적절하지 않은 것은?

① 자전거가 인도를 질주하여 보행하는 사람의 안전이 위협받고 있다.
② 승용차를 이용하는 사람이 많아지면서 대기의 오염이 심해지고 있다.
③ 골목길에 주차한 차들로 인해 아이들이 놀 수 있는 공간이 사라지고 있다.
④ 도로 공사 때문에 차량을 우회 통과하게 하여 운전자의 불만이 높아가고 있다.
⑤ 휴대 전화의 전파 때문에 병원에서 사용되는 의료 기구가 제 성능을 발휘하지 못하고 있다.

57

2007 3월 고3 모의고사

㉡을 활용하여 '소리의 풍경이 살아 있는 도시'를 만들기로 하고 사전 조사를 하여 〈보기〉의 결과를 얻었다. 적절하지 않은 계획은?

보기

- 지리적 특징 – 해발 고도가 낮은 해안 도시이다.
- 생태적 특징 – 옛날부터 귀뚜라미가 많이 살았다.
- 특산물 – 바닷물을 이용하여 만든 두부가 유명하다.
- 풍속적 특징 – 이 고장의 수호신으로 '까치'를 숭배하고 있다.
- 문화유산 – 고깃배를 타는 사람이 많아서 뱃노래가 유명했다.

① 귀뚜라미 울음소리를 건널목의 보행 신호음으로 선정한다.

② 까치를 도시의 상징물로 정하고 '까치의 날'을 지정해 축제를 한다.

③ 노인들을 방문하여 사라진 뱃노래를 발굴하여, 그 노래를 선착장에서 들려준다.

④ 해안 도로에 제방을 쌓되, 도로에서 파도 소리를 들을 수 있도록 제방을 설계한다.

⑤ '두부 거리'라는 관광지를 만들고, 관광객이 두부 장수의 종소리를 들으며 관람하도록 한다.

정답&해설

55 ②

② 많은 사회에서 공공장소의 소음을 규제하고 있다는 내용은 제시되어 있으나, 구체적인 규제 방법들은 제시되어 있지 않다.

56 ④

㉠에서는 개인에게 편리와 효율을 제공하는 도구들이 전체 차원에서는 불편과 비효율을 빚어낸다고 언급하고 있다. 그러나 ④에 제시된 도로 공사 때문에 운전자가 불만을 갖는 것은 공공의 편리와 효율을 위해서 한시적으로 개인이 불편을 겪는 예에 해당하므로 ㉠의 사례로 볼 수 없다.

57 ②

㉡에 제시된 '사운드스케이프'란 소리를 문화의 구성 요소로 보고 소리를 통해 문화 공간을 창출하는 전략이다. 그러나 ②는 '까치'라는 대상을 단순히 도시의 상징물로 활용하고 있을 뿐, 소리의 하나로 활용하고 있지 않으므로 ㉡을 활용한 예라고 볼 수 없다.

| 정답 | 55 ② 56 ④ 57 ②

[58~61] 다음 글을 읽고 물음에 답하시오.

(가) 현대 사회에서 많은 국가들이 정치적으로는 민주주의를, 경제적으로는 시장 경제를 지향하고 있다. 이런 상황에서 경제 활동의 주된 내용인 자원의 배분과 소득의 분배는 기본적으로 두 가지 형태의 의사 결정에 의해서 이루어진다. 하나는 시장 기구를 통한 시장적 의사 결정이며, 다른 하나는 정치 기구를 통한 정치적 의사 결정이다. 이와 관련하여 많은 사람들이 민주주의와 시장 경제를 ㉠한가지인 것처럼 이해하고 있거나 이 둘은 저절로 조화되는 제도라고 인식하는 경우가 많다. 그러나 이 둘은 의사 결정 과정에서부터 분명한 차이를 보인다.

(나) 민주주의 사회에서 정치적 의사 결정은 투표에 의해서 이루어진다. 이 경우 구성원들은 자신의 경제력에 관계없이 똑같은 정도의 결정권을 가지고 참여한다. 즉 의사 결정 과정에서의 민주적 절차와 형평성을 중시하는 것이다. 그러나 시장적 의사 결정에서는 자신의 경제력에 비례하여 차별적인 결정권을 가지고 참여하며, 철저하게 수요-공급의 원칙에 따라 의사 결정이 이루어진다. 경제적인 효율성이 중시되는 것이다.

(다) 정치적 의사 결정은 다수결과 강제성을 전제로 하지만 시장적 의사 결정은 완전 합의와 자발성을 근간으로 한다. 투표를 통한 결정이든 선거에 의해 선출된 사람들의 합의에 의한 결정이든 민주주의 제도하에서 의사 결정은 다수결로 이루어지며, 이 과정에서 반대를 한 소수도 결정이 이루어진 뒤에는 그 결정에 따라야 한다. 그러나 시장적 의사 결정에서는, 시장 기구가 제대로 작동하는 한, 거래를 원하는 사람만이 자발적으로 의사 결정에 참여하며 항상 모든 당사자의 완전 합의에 의해서만 거래가 이루어진다.

(라) 물론 민주주의와 시장 경제가 전적으로 상치되는 것은 아니다. 이 둘은 공통적으로 개인의 자유, 책임, 경쟁, 참여, 법치 등의 가치를 존중하는 자유주의 사상에 바탕을 두고 있기 때문에 병행하여 발전하는 속성도 지니고 있다. 민주주의는 정치권력의 남용을 차단하고 자유로운 분위기를 조성함으로써 시장 경제의 성장과 발전에 기여한다. 또한 시장 경제는 각자의 능력과 노력에 따라 정당한 보상을 받게 함으로써 민주주의의 발전에 필요한 물적 기반을 제공하며 정치적 안정에도 기여한다.

(마) 우리나라의 경우도 민주주의와 시장 경제가 정치와 경제의 기본 골격이다. 따라서 민주주의와 시장 경제를 조화롭게 결합시키는 일이 매우 중요하다. 그러기 위해서는 둘 사이의 차이점과 공통점에 대한 올바른 인식이 선행되어야 한다. 민주주의의 근간인 자율과 타협과 참여의 정신에 대해 제대로 인식하고 이를 실천하려는 노력이 필요하며, 시장 경제의 기본 원리인 자유 경쟁, 수요와 공급에 따른 자원 분배 등의 중요성에 대해 바르게 이해해야 한다. 그런 바탕 위에 민주주의와 시장 경제를 뒷받침하는 각종 제도를 새로이 구축하는 것이 필요하다. 그래야만이 효율성과 형평성이라는 두 마리 토끼를 잡는 일이 가능해질 것이다.

58

2006 3월 고3 모의고사

위 글의 내용과 일치하지 않는 것은?

① 정치적 의사 결정은 다수결과 강제성을 전제로 한다.
② 민주주의와 시장 경제는 자유주의 사상을 토대로 한다.
③ 시장 경제에서는 개인의 능력과 노력의 결과를 존중한다.
④ 일반적으로 다수결에 의한 결정이 경제적인 효율성도 크다.
⑤ 좋은 경제 정책은 효율성과 형평성을 모두 만족시키는 것이다.

59

2006 3월 고3 모의고사

(가)~(마)에 대한 설명으로 적절하지 않은 것은?

① (가): 일반적 인식의 문제점을 들어 논의를 시작하고 있다.
② (나): 두 방식의 차이를 밝혀 논의의 기초를 마련하고 있다.
③ (다): 두 방식의 장단점을 분석하여 결론의 방향을 암시하고 있다.
④ (라): 논의를 전환하여, 결론을 이끌어 내기 위한 추가 정보를 제시하고 있다.
⑤ (마): 앞에서 논의한 내용을 우리의 경우에 적용하여 결론을 도출하고 있다.

60

2006 3월 고3 모의고사

(마)와 〈보기〉를 관련지어 내린 판단으로 적절하지 않은 것은?

| 보기 |

일반적으로 경제 정책은 선거에 의해 선출된 사람들에 의해서 결정된다. 이때 의사 결정과 관련된 정보에 접근할 수 있는 일부 특권 집단은 각종 로비나 압력 등을 행사하고 교묘하게 여론을 조성하여 자신들에게 유리한 방향으로 경제 정책을 유도한다. 이에 비하여 대다수의 국민들은 의사 결정 과정에 관심이 적으며, 이와 관련된 충분한 정보도 갖지 못하는 경우가 많다. 그래서 정책 결정자들은 국민 전체보다는 특정 이익 집단의 이익을 옹호하는 결정을 내리는 경우가 있다. 그것이 자신의 정치적 이득과도 관련되기 때문이다. 더구나 이 과정에서 경제 전문가들의 의견 수렴이나 시장의 원리에 따른 각종 경제적 비용과 효용 등에 대한 치밀한 분석도 생략하는 경우가 많기 때문에 결과적으로 자원의 효율적인 배분이 무너지게 된다.

① 올바른 정책 결정을 위해서는 국민들의 적극적인 참여가 필요하겠구나.
② 정보를 공개하고 이를 공유하는 것도 올바른 의사 결정을 위해 필요한 거야.
③ 올바른 의사 결정을 위해서는 정책 결정자들의 의식도 중요한 변수가 되겠네.
④ 경제 정책을 결정할 때에는 시장의 원리에 따른 치밀한 분석 작업도 전제되어야 해.
⑤ 보다 효율적인 경제 정책 결정을 위해서는 정부의 영향력이 좀 더 커져야 할 거야.

61

2006 3월 고3 모의고사

㉠의 '한'과 의미가 가장 가까운 것은?

① 방 한가운데에는 화로가 놓여 있었다.
② 한여름에는 시원한 수박 생각이 간절해진다.
③ 그들은 승리의 기쁨을 한가득 안고 돌아왔다.
④ 이번 일이 잘 풀리는 바람에 한시름을 놓았다.
⑤ 설을 맞아 모처럼 온 가족이 한자리에 모였다.

정답&해설

58 ④

④ (나), (다)의 내용을 종합하여 볼 때, 일반적으로 다수결에 의한 결정은 정치적 의사 결정의 과정이며, 이러한 정치적 의사 결정 과정은 경제적 효율성보다는 민주적 절차와 형평성을 중시한다는 점을 알 수 있다. 경제적 효율성이 큰 것은 시장적 의사 결정이다.

59 ③

③ (다)에서는 정치적 의사 결정과 시장적 의사 결정의 특성에 대해서 설명하고 있을 뿐, 두 방식의 장단점을 분석하고 있는 것이 아니며, 이를 통해서 결론의 방향을 암시하고 있지도 않다.

| 오답해설 | ① 민주주의와 시장 경제를 한가지로 생각하는 일반적 인식에 대해 문제를 제기하고 있다.
② 정치적 의사 결정과 시장적 의사 결정의 차이를 밝히고 있다.
④ 민주주의와 시장 경제가 모두 자유주의 사상에 바탕을 두고 있다는 내용을 제시하여 논의를 전환하고 있다.
⑤ 앞선 논의를 바탕으로 우리나라에서도 민주주의와 시장 경제의 조화가 요구된다는 결론을 제시하고 있다.

60 ⑤

〈보기〉에서는 시장적 의사 결정(경제 정책)을 정치적 의사 결정에 의해 선출된 사람들이 내리게 됨으로써 나타날 수 있는 문제점을 제시하고 있다. 이런 관점에서 볼 때 ⑤와 같이 경제 정책 결정을 위해서 정부의 영향력이 좀 더 커져야 한다는 입장은 시장적 의사 결정(경제 정책 의사 결정) 과정의 왜곡을 더욱 심화시킬 수 있으므로 적절하지 않다고 볼 수 있다.

61 ⑤

㉠에서 '한'은 '같은'을 의미하는 접두사로 사용되었다. 동일한 의미로 사용된 '한-'은 ⑤의 '한자리'이다.

| 오답해설 | ①② '정확한' 또는 '한창인'의 의미로 쓰였다.
③④ '큰'의 의미로 쓰였다.

| 정답 | 58 ④ 59 ③ 60 ⑤ 61 ⑤

[62~64] 다음 글을 읽고 물음에 답하시오.

일반적으로 영화는 구체적인 대상을 재현하는 데에는 그 어떤 예술보다 강하지만, 대사나 자막을 이용하지 않고서는 정신적인 의미를 표현하는 데 약하다. 그런데 영화의 출발이 시각 예술이라는 것을 감안하면, 언어적 요소에 의존하는 것은 영화 본연의 방식이라고 보기 어렵다. 따라서 영화가 독자적인 예술이 되기 위해서는 기본적으로 순수하게 시각적인 방식으로 추상적인 의미 표현에 이를 수 있어야 한다.

에이젠슈테인은 여기서 한자의 구성 원리에 주목한다. 한자의 육서(六書) 중 그가 주목한 것은 상형 문자와 회의 문자다. 상형 문자는 사물의 형태를 본뜬 문자다. 그러나 눈으로 볼 수 있는 것은 형태를 본떠서 재현할 수 있지만, 눈으로 볼 수 없는 것은 재현하기 어렵다. 예를 들어 '휴식'과 같이 추상적인 개념은 상형 문자로 표현할 수 없다. 이때 이를 표현할 수 있는 것이 회의 문자다. 회의 문자 '쉴 휴(休)'는 '사람 인(人)'과 '나무 목(木)'이 결합된 문자다. 이 두 문자를 결합하면 '휴식'이라는 추상적 의미가 만들어진다. 하지만 '휴식'이란 말의 의미는 '人'에도 '木'에도 들어 있지 않다. ㉠<u>두 개의 문자가 결합되면서 두 문자의 단순한 총합이 아닌 새로운 차원이 열리며</u>, 이를 통해 추상적인 의미를 표현할 수 있다는 것이 바로 에이젠슈테인이 회의 문자에서 주목한 지점이다.

이러한 원리가 영화의 시각적인 의미 표현에 어떻게 적용될 수 있을까? 여기서 중요한 것은 회의 문자를 이루는 요소들이 상형 문자라는 점이다. 묘사적이고 단일하며 가치 중립적인 상형 문자의 특성은 영화의 개별 장면(shot)들의 특성에 상응한다. 회의 문자를 이루는 각각의 문자는 따로 떼어 놓고 보면 사물이나 사실에 대응되지만, 그 조합은 개념에 대응된다. 이와 마찬가지로 영화의 개별 장면들은 사물이나 사실에 대응되지만, 이들을 특정하게 결합시키면 그 조합은 개념에 대응된다.

따라서 회의 문자의 구성 원리를 이용하면 눈에 보이지 않는 것, 묘사할 수 없는 것, 추상적인 것을 순수하게 시각적인 방식으로 표현할 수 있다는 결론이 나온다.

그러나 개별 장면들의 시간적 병치를 통해서 이루어 낸 추상적 의미는 영화를 보는 관객의 머릿속에서만 존재한다. 따라서 이런 방식으로 만들어진 영화를 보면서 거기에 담긴 의미를 구성해 내는 것은 관객의 몫으로 남게 된다.

62

2009 6월 고3 모의고사

위 글의 내용에 부합하는 것은?

① 영화는 구체적인 대상의 재현을 통해 독자적인 예술이 된다.
② 영화의 개별 장면과 회의 문자 사이에 구조적 유사성이 있다.
③ 영화의 정신적인 의미는 개별 장면들의 특성으로 환원될 수 있다.
④ 영화는 추상적인 의미를 표현하기 위해 언어적 요소를 풍부하게 이용해야 한다.
⑤ 영화 외의 영역에서도 영화가 독자적인 예술이 되기 위한 원리를 끌어낼 수 있다.

63

2009 6월 고3 모의고사

〈보기〉가 위 글의 필자가 택한 글쓰기 전략이라고 할 때, 글에 구현되지 <u>않은</u> 것은?

보기

- 목표 설정: 영화의 특성을 심층적으로 살필 수 있는 이론을 소개한다. ······ ①
- 예상 독자 설정: 영화에 관심이 많고, 일정 수준의 교양을 갖춘 독자를 대상으로 한다. ······ ②
- 내용 선정: 시각 예술로서 영화의 특질을 보여 줄 수 있는 핵심 내용을 선정한다. ······ ③
- 자료 수집: 소개하고자 하는 이론의 특성이 잘 드러나는 작품을 폭넓게 수집한다. ······ ④
- 논지 전개: 핵심 논제를 제기하고, 이론을 요약 소개하며 그에 대한 답을 제시한다. ······ ⑤

64

2009 6월 고3 모의고사

문맥상 ㉠과 같은 방법으로 만들어진 표현이 아닌 것은?

① 선생님은 얼굴을 익히려고 그 학생을 유심히 바라보았다.
② 나불거리는 아이들의 입방아 때문에 정신이 없었다.
③ 네 이야기는 모순이 있어 잘 이해할 수가 없다.
④ 그 이야기를 듣자 모두들 배꼽을 쥐었다.
⑤ 그는 개밥에 도토리 신세가 되었다.

정답&해설

62 ⑤

제시된 글에서는 영화가 독자적인 예술이 되기 위해서는 순수하게 시각적인 방식으로 추상적 의미를 표현할 수 있어야 된다고 하였으며, 이러한 가능성을 한자의 구성 원리 중 상형과 회의의 원리를 통해서 제시하였다. 그러므로 영화 외의 영역에서도 영화가 독자적인 예술이 되기 위한 원리를 끌어낼 수 있다는 ⑤의 진술은 적절한 진술이다.

63 ④

제시된 글은 영화가 독자적인 예술이 되기 위한 방안으로서 에이젠슈테인이 주목한 한자의 구성 원리를 제시하고 있으나, 이러한 이론의 특성이 드러나는 구체적 작품을 제시하고 있지는 않다. 그러므로 ④의 글쓰기 계획은 실제 글에 반영되지 않았다고 볼 수 있다.

64 ①

㉠에서는 두 문자의 결합이 새로운 추상적 의미를 만들어 내는 회의의 원리를 설명하고 있다. 이런 관점에서 볼 때 ① '얼굴을 익히다'에서 '익히다'는 '여러 번 겪어 설지 않게 하다'의 의미로, '얼굴'과 '익히다'가 결합하여 각각의 의미를 그대로 드러내고 있다. 즉, 새로운 의미를 만들어 내고 있는 것이 아니므로 ㉠의 예에 해당한다고 볼 수 없다.

| 오답해설 | ⑤ '개밥'과 '도토리'가 만나서 사람들 사이에서 어울리지 못하거나 여럿의 축에 끼지 못한다는 새로운 의미를 만들어 내고 있다.

| 정답 | 62 ⑤ 63 ④ 64 ①

[65~67] 다음 글을 읽고 물음에 답하시오.

(가) 조선 전기 조선군의 전술에서는 기병을 동원한 활쏘기와 돌격, 그리고 이를 뒷받침하는 보병의 다양한 화약 병기 및 활의 사격 지원을 중시했다. 이는 여진족이나 왜구와의 전투에 효과적이었는데, 상대가 아직 화약 병기를 갖추지 못한 데다 전투 규모도 작았기 때문이다. 하지만 이러한 전술적 우위는 일본군의 조총 공격에 의해 상쇄되었다.

(나) 16세기 중반 일본에 도입된 조총은 다루는 데 특별한 무예나 기술이 필요하지 않았다. 그 결과 신분이 낮은 계층인 조총 무장 보병이 주요한 전투원으로 등장할 수 있었다. 한편 중국의 절강병법은 이러한 일본군에 대응하기 위해 고안된 전술로, 조총과 함께 다양한 근접전 병기를 갖춘 보병을 편성한 전술이었다. 이 전술은 주력이 천민을 포함한 일반 농민층이었는데, 개인의 기량은 떨어지더라도 각각의 병사를 특성에 따라 편제하고 운용하여 전체의 전투력을 높일 수 있었다. 근접전용 무기도 주변에서 쉽게 구할 수 있는 것이 이용되었다.

(다) 조선군의 전술은 절강병법을 일부 수용하면서 기병 중심에서 보병 중심으로 급속히 전환되었다. 조총병인 포수와 각종 근접전 병기로 무장한 살수에 전통적 기예인 활을 담당하는 사수를 포함시켜 편제한 삼수병 체제에서 보병 중심 전술이 확립되었음을 볼 수 있다. 17세기 중반 이후 조총의 신뢰성과 위력이 높아지면서 삼수 내의 무기 체계의 분포에도 변화가 시작되었다. 상대적으로 사격 기술을 익히기 어렵고 주요 재료를 구하기 어려웠던 활 대신, 조총이 차지하는 비중이 점점 증가했다.

(라) 조선에서의 새로운 무기 수용과 전술의 변화는 단순한 군사적 변화에 그치지 않고 정치적, 경제적 변화를 수반하였다. 군의 규모는 관노와 사노 등 천민 계층까지 충원되면서 급격히 커졌고, 군사력을 유지하기 위해 백성에 대한 통제도 엄격해졌다. 성인 남성에게 이름과 군역 등이 새겨진 호패를 차게 하였으며, 거주지의 변동이 있을 때마다 관가에 보고하게 하였다. 대규모 군사력의 운용으로 국가 단위의 재정 수요도 크게 증대했는데, 대동법은 이러한 수요에 부응하는 제도이기도 했다. 선혜청에서 대동법의 운영을 전담하면서 재정권의 중앙 집중화가 시도되었으며, 이에 따라 지방에서 자율적으로 운영하던 재정의 상당 부분이 조정으로 귀속되었다. 한편 가호(家戶)를 단위로 부과하던 공물을 농지 면적에 따라 쌀이나 무명 등으로 납부하게 하여, 논밭이 없거나 적은 농민들의 부담은 줄어들었다.

65

2010 6월 고3 모의고사

위 글의 내용과 일치하지 않는 것은?

① 일본이 중국이나 조선보다 먼저 조총을 실전에 사용했다.
② 조선과 중국에서는 조총을 받아들이면서 전술이 변화되었다.
③ 조선이 조총을 도입한 뒤 구성한 보병의 무기 체계는 중국과 달랐다.
④ 조선에 조총이 보급된 뒤에도 원거리 무기인 활의 사용 비중은 여전했다.
⑤ 조선·중국·일본에서는 조총의 도입으로 하위 신분의 군사적 비중이 높아졌다.

66

2010 6월 고3 모의고사

위 글과 관련하여 〈보기〉를 참고 자료로 제시할 때, (가)~(다)에 적절한 자료를 바르게 제시한 것은?

보기

ㄱ. 화포가 적에 대응하는 데에는 그 이익이 크니, 왜구나 야인들이 두려워하는 이유도 여기에 있다.
ㄴ. 기병은 평지에서 이롭고 보병은 험지에서 이롭습니다. 우리나라는 구릉이나 논이 많아 진실로 보병을 쓰는 것이 합당합니다.
ㄷ. 지방의 군사 제도는 지극히 허술하다. 수령의 휘하에 한 명의 군졸도 없으니 만약 급박한 일이 생겼을 경우 실로 방어할 도리가 없다.
ㄹ. 낭선은 가지를 다 자르지 않은 대나무에 창날을 꽂아 만들고, 당파는 작살을 개량해 만든다. 나이가 장성하고 얼굴이 크고 힘이 센 사람이 낭선을 다루고, 살기와 담력이 있는 자가 당파를 다룬다.

	(가)	(나)	(다)
①	ㄱ	ㄹ	ㄴ
②	ㄱ	ㄹ	ㄷ
③	ㄴ	ㄷ	ㄱ
④	ㄴ	ㄷ	ㄹ
⑤	ㄷ	ㄹ	ㄴ

67

2010 6월 고3 모의고사

(라)를 통해 추론한 당시 사람들의 반응으로 적절하지 않은 것은?

① 관노: 양민들이 담당하던 군역을 이제는 우리도 맡게 되었군.

② 양반: 집안에서 부리는 종놈은 개인 재산인데, 군대에 끌고 가니 너무한걸.

③ 양민: 호패를 늘 차야 하는 데다 이사할 때마다 신고해야 하니 귀찮네그려.

④ 지주: 집집마다 내던 공물을 논밭의 면적에 따라 내도록 하니 우리만 불리해졌어.

⑤ 수령: 백성들을 단속하는 업무가 늘었지만 고을의 재정 형편은 훨씬 나아지게 되었군.

정답&해설

65 ④

④ (다)에서는 조선에 조총이 보급된 뒤에는 사격 기술을 익히기 어렵고 주요 재료를 구하기 어려웠던 활 대신, 조총이 차지하는 비중이 증가되었음을 제시하고 있다.

| 오답해설 | ⑤ 조총의 도입으로 인해서 일본에서는 신분이 낮은 계층이 주요한 전투원이 되었고, 중국에서는 천민을 포함한 일반 농민층, 조선에서도 천민 계층까지 전투원이 되었다는 사실이 제시되어 있다.

66 ①

(가)에서는 여진족이나 왜구를 상대함에 있어서 조선군이 활용한 다양한 화약 병기가 효과가 있었음을 제시하고 있다. 이러한 내용은 ㄱ에 의해서 뒷받침될 수 있다. 다음으로 (나)에서는 중국의 군대는 일본군에 대응하기 위해서 절강병법을 마련하였으며 근접전용 무기로 주위에서 쉽게 구할 수 있는 것을 이용했다는 내용을 제시하고 있다. 이러한 내용은 ㄹ에 의해서 뒷받침될 수 있다. 마지막으로 (다)에서는 조선군의 전술이 기병 중심에서 보병 중심으로 바뀌었다는 내용을 다루고 있다. 이러한 내용은 ㄴ에 의해서 뒷받침될 수 있다.

| 오답해설 | ㄷ은 지방의 군사 제도의 문제점을 지적하고 있다. 이와 관련 있는 내용은 (가)~(다)에서 찾아볼 수 없다.

67 ⑤

(라)에서는 새로운 무기의 수용과 전술의 변화가 불러온 조선의 사회·경제적 변화를 제시하고 있다. 특히 대규모 군사력을 유지하기 위한 국가 단위의 재정 수요를 감당하기 위해서 대동법이 시행되었으며, 이러한 대동법의 시행은 재정의 중앙 집권화를 불러왔다고 설명하고 있다. 이런 관점에서 볼 때, ⑤ 고을의 재정 형편이 나아졌다는 내용은 적절하지 않음을 알 수 있다.

| 정답 | 65 ④ 66 ① 67 ⑤

[68~70] 다음 글을 읽고 물음에 답하시오.

은행의 핵심 업무는 여유 자금이 있는 사람들로부터 예금을 유치해 자금이 필요한 사람들에게 대출하는 일이다. 은행은 이 과정에서 대출과 예금의 금리 차이를 통해 수익을 얻으며, 국민 경제 차원에서 자금을 효율적으로 배분하는 사회적 역할도 수행한다. 그러나 고객 관련 정보 부족으로 인해 이 역할이 크게 약화될 수 있다. 고객의 상환 능력에 대한 충분한 정보를 확보하지 못한 상태에서 대출금을 회수하지 못할 위험에 늘 노출되는 것이다. 이런 위험을 줄이기 위해 은행은 확실한 담보가 있거나 신용 등급이 높은 사람들만 상대하는 전략을 채택한다. 요즈음 많은 사람들이 매우 높은 금리에도 불구하고 사금융을 이용할 수밖에 없게 된 상황도 이와 무관하지 않다.

금융의 사회적 역할, 나아가 금융의 공공성을 강조하는 새로운 관점에서 보자면, 금융은 인간다운 생활을 위해 최소한의 이용이 보장되어야 하는 보편적 권리의 대상이자, 우리 사회가 바람직한 방향으로 나아가도록 영향력을 발휘하는 수단이기도 하다. 물론 그것의 실현 가능성에 대해 회의적인 시각도 적지 않다. 가난한 사람일수록 경제 관념이 희박하고 소득 창출 능력 또한 떨어지므로 대출금을 회수하기가 쉽지 않다는 것이다. 하지만 금융 배제층에게 소액의 창업 자금을 무담보로 대출해 주면서도 은행을 무색케 할 정도로 높은 성과를 거두는 사례도 있다. 빈곤층의 자활을 지향하는 '마이크로크레디트(Microcredit)'가 그것이다.

세계적인 마이크로크레디트 단체인 방글라데시의 '그라민은행'은 융자를 희망하는 최저 빈곤층 여성들을 대상으로 ㉠<u>공동 대출 프로그램</u>을 운영하고 있다. 이 프로그램은 다섯 명이 자발적으로 짝을 지어 대출을 신청하도록 해, 먼저 두 명에게 창업 자금을 제공한 후 이들이 매주 단위로 이루어지는 분할 상환 약속을 지키면 그 다음 두 사람에게 돈을 빌려 주고, 이들이 모두 상환에 성공하면 마지막 사람에게 대출을 해 주는 방식으로 운영된다. 이들이 소액의 대출금을 모두 갚으면 다음에는 더 많은 금액을 대출해 준다. 이런 방법으로 '그라민은행'은 99%의 높은 상환율을 달성할 수 있었고, 장기 융자 대상자 중 42%가 빈곤선에서 벗어난 것으로 알려졌다.

마이크로크레디트는 아무리 작은 사업이라도 자기 사업을 벌일 인적·물적 자본의 확보가 자활의 핵심 요건이라고 본다. 한국에서 이러한 활동을 펼치는 '사회연대은행'이 대출뿐 아니라 사업에 필요한 지식과 경영상의 조언을 제공하는 데 주력하는 것도 이와 관련이 깊다. 이들 단체의 실험은 금융 공공성이라는 가치가 충분히 현실화될 수 있으며, 이를 위해서는 사람들의 행동과 성과에 실질적인 영향을 미칠 유효한 수단을 확보하는 일이 관건임을 입증한 대표적인 사례라고 할 수 있다.

68

2008 9월 고3 모의고사

'마이크로크레디트' 운동의 정신을 나타내기에 적절한 말을 〈보기〉에서 고른 것은?

보기

ㄱ. 산 입에 거미줄 치랴.
ㄴ. 소도 언덕이 있어야 비빈다.
ㄷ. 궁핍은 매섭지만 좋은 교사이다.
ㄹ. 물고기를 잡아 주기보다는 물고기 잡는 법을 가르쳐야 한다.

① ㄱ, ㄴ　② ㄱ, ㄷ　③ ㄴ, ㄷ　④ ㄴ, ㄹ　⑤ ㄷ, ㄹ

69

2008 9월 고3 모의고사

㉠에 관한 추론으로 적절하지 <u>않은</u> 것은?

① 여성들을 대출 대상으로 삼은 것은 창업 교육의 효과가 남성에 비해 크기 때문이겠군.
② 매주 조금씩 분할 상환하게 한 것은 대출금 상환에 대한 부담감을 줄이기 위한 것이겠군.
③ 자발적으로 짝을 짓도록 한 것은 자활 의지가 있는 사람을 효과적으로 파악하기 위한 것이겠군.
④ 동료가 돈을 갚아야 대출을 받을 수 있도록 한 것은 구성원 간의 공동 책임을 강화하기 위한 것이겠군.
⑤ 대출금을 모두 갚을 경우 추가 융자를 제공하는 것은 돈을 빌려간 사람들의 상환 의지를 높이기 위한 것이겠군.

70

2008 9월 고3 모의고사

'마이크로크레디트' 운동과 관련하여 <보기>와 같은 주장을 내세운 사람이 제시할 만한 방안으로 가장 적절한 것은?

보기

높은 헌신성에 기반하여 묵묵히 훌륭한 성과를 내던 단체들이 사회로부터 보다 많은 관심과 지원을 받게 되면 초심을 잃고 외형상의 성장에만 주력할 가능성이 커진다. 따라서 양질의 창업 지원 서비스가 계속 제공되도록 하려면, 이들 단체의 도덕적 해이를 예방할 대책이 필요하다.

① 전문성이 떨어지는 민간 단체 대신 은행이 마이크로크레디트 업무를 담당하도록 유도한다.
② 전문 인력을 체계적으로 양성할 전담 기구를 설치하고 대출 및 창업 지원에 관한 절차를 표준화한다.
③ 창업 지원 담당자의 보수를 민간 기업 수준으로 현실화하여 본연의 업무에 충실할 수 있는 환경을 조성한다.
④ 창업 지원 프로그램의 성과를 객관적으로 평가할 수 있는 공신력 있는 지표들을 개발하고 평가 결과의 공개를 의무화한다.
⑤ 정부가 마이크로크레디트 사업에 사용될 기금을 조성하고, 단일한 중앙 조직이 전국의 각 지점을 통해 그 기금을 사용하도록 한다.

정답&해설

68 ④

'마이크로크레디트' 운동이란 금융 배제층에게 소액의 창업 자금을 무담보로 대출해 주어서 빈곤층의 자활을 돕는 운동이다. 이런 관점에서 볼 때, ④ 누구에게나 최소한의 도움은 필요하다는 뜻을 담은 ㄴ이나, 개인의 자발성과 적절한 조력의 의미를 담은 ㄹ은 '마이크로크레디트' 운동의 정신과 일맥상통한다고 볼 수 있다.

69 ①

㉠은 '마이크로크레디트' 운동의 일환으로 방글라데시에서 실시된 '그라민은행'의 대출 프로그램이다. ① 여성들을 대출 프로그램의 대출 대상으로 삼은 이유를 창업 교육의 효과가 남성보다 크기 때문이라고 볼 근거는 제시되어 있지 않다.

70 ④

<보기>의 내용은 마이크로크레디트 단체들이 많은 관심과 지원을 받게 되면 외형상의 성장에만 주력할 가능성이 커진다는 문제점을 제시하고 있다. 이러한 문제를 해결하거나 예방하기 위해서는 창업 지원 프로그램의 실질적 효과를 객관적으로 평가할 수 있어야 한다. 따라서 ④의 공신력 있는 지표들을 개발하고 평가 결과 공개를 의무화하는 것이 <보기>와 같은 주장을 내세운 사람이 제시할 방안으로 적절하다.

| 정답 | 68 ④ 69 ① 70 ④

[71~74] 다음 글을 읽고 물음에 답하시오.

(가) 자본주의 사회에 빈부 격차가 있듯이 디지털 정보 사회에도 가진 자와 가지지 못한 자 간의 격차가 있다. 디지털 매체의 도입 초기에는 ⓐ매체 보급이 확대됨에 따라 정보 격차가 곧 사라질 것으로 보는 낙관론이 우세하였다. 물론 정보 격차에 관한 비판적 관점도 있었지만 이 경우에도 매체 접근의 차이는 감소할 것이라는 전망이 지배적이었다. 정보 격차는 사회에서 부분적으로 일어나는 현상이며 접근 비용이 상대적으로 줄어들면서 자연적으로 해결된다는 것이다.

(나) 그러나 2000년대 초부터 등장하기 시작한 '후(後) 채택 이론(post-adoption theory)'에 따르면, 정보 격차는 다차원으로 존재하며 지속된다. 저렴한 디지털 매체의 보급과 함께, 가진 자와 가지지 못한 자의 차이로 정보 격차를 설명하는 이분법적 논리는 설득력이 떨어진다. 따라서 정보 격차 문제는 다각도로 접근해야 한다. ㉠디지털 장비와 서비스에 대한 단순한 물리적 접근의 격차는 감소하는 반면에 새로운 유형의 격차가 증가한다. 디지털 매체에 대한 접근 격차가 해소되면서 또 다른 정보화 불평등이 나타나는 것이다. 정보 격차에 대한 현재의 논의들은 크게 이용의 자주성과 사용 여건의 공평성에 초점을 맞추고 있다.

(다) 이용의 자주성은 상황에 알맞게 디지털 매체를 적절히 활용하는 능력을 말한다. 디지털 매체에 대한 접근 가능성은 높아졌지만 여전히 두려움과 거부감을 갖는 사람들이 있다. 이것은 이용 능력의 부족에서 오는 심리적 위축감에서 비롯될 수 있다. ㉡디지털 시스템의 운용 장애를 해결하지 못하면서 겪는 열등감도 문제이다. 나아가 디지털 매체에서 획득한 정보를 일상생활뿐만 아니라 ㉢문제 해결 상황에 능동적으로 적용하지 못하는 사람도 있다. 이와 같이 이용의 자주성이 해결되지 않으면, 디지털 매체에 대한 접근이 이루어지더라도 실제로 이를 풍부하게 활용하기가 힘들다.

(라) 사용 여건의 공평성은 사회적 관계망과 같은 이용 기회의 균등성을 의미한다. 매체 활용 능력이 향상되었더라도 주변 환경의 개선이 없다면 정보 격차는 지속된다. 개인이 처한 여건에 따라 ㉣활용법을 열심히 습득하였지만 자신의 희망과는 반대로 이용 기회가 적을 수 있다. 따라서 개인이 디지털 매체의 이용 방법을 알고 활용을 원할지라도 여건이 뒷받침되지 않으면 정보 격차는 발생한다.

(마) 오늘날 연구에 의하면, 정보 격차의 새로운 측면들은 소득, 교육, 연령, 성별, 지역, 신체적 장애 등과 같은 인구 사회적 변인과 결합된다. 이것은 보다 세부적인 불평등을 야기하고 정보 활용의 질적 차이를 낳아서, ㉤개인의 학업 성취도와 노동 생산성에 영향을 미칠 수 있다. 향후 개인이 처한 상황과 디지털 매체를 이용하는 사회적 맥락에 따라 정보 격차의 존재와 유형은 지금보다 훨씬 복합적일 수 있다.

71

2007 9월 고3 모의고사

(가)~(마)에 대한 설명으로 적절하지 않은 것은?

① (가): 논의 대상에 대한 기존의 관점을 소개하고 있다.
② (나): 논의 대상에 대한 새로운 관점을 제시하고 있다.
③ (다): 새로운 관점의 구체적 내용을 밝히고 있다.
④ (라): 새로운 관점과 기존의 관점을 절충하고 있다.
⑤ (마): 논의 대상의 향후 전개 양상을 전망하고 있다.

72

2007 9월 고3 모의고사

위 글로 보아, 정보 격차를 해소하기 위한 정책 방안으로 적절하지 않은 것은?

① 지역 단위의 인터넷 동호회를 지원하는 정책을 마련한다.
② 개인 정보의 유출을 방지하기 위해서 정보 보안 시스템을 강화한다.
③ 노인들에게 유용한 정보를 따로 묶어 노인을 위한 웹 사이트를 만든다.
④ 디지털 매체의 활용 교육을 강화하고 교육 기관에 대한 재정 지원을 확대한다.
⑤ 정보화 낙후 지역의 주민을 대상으로 인터넷 경진 대회를 정기적으로 개최한다.

73

2007 9월 고3 모의고사

문맥을 볼 때, 밑줄 친 ㉠~㉤에 대한 사례로 적절하지 않은 것은?

① ㉠: 동사무소나 우체국에서 무료로 컴퓨터를 사용하게 되었다.
② ㉡: 컴퓨터 사용 중에 발생한 프로그램 오류를 고치지 못하고 있다.
③ ㉢: 인터넷 사용 시간이 많아져서 가족과의 대화 시간이 줄어들었다.
④ ㉣: 컴퓨터 자격증이 여럿 있지만 직장에서 사용할 기회가 많지 않다.
⑤ ㉤: 인터넷 검색법을 배우고 나서 유용한 자료를 더 빨리 수집하게 되었다.

74

2007 9월 고3 모의고사

ⓐ의 관점을 수용해서 '공연 문화 활성화'에 관한 글을 쓴다고 할 때, 제시할 수 있는 주장으로 가장 적절한 것은?

① 공연 내용을 잘 알 수 있도록 홍보 활동을 강화하자.
② 공연에 대한 이해를 넓힐 수 있는 공연 문화 학교를 운영하자.
③ 우수 공연 작품이 해외에 소개될 수 있도록 정책적으로 지원하자.
④ 다양한 관객층의 의견을 폭넓게 수렴해서 공연 작품을 기획하자.
⑤ 누구나 쉽게 관람할 수 있도록 관람료가 저렴한 공연장을 많이 만들자.

정답&해설

71 ④

④ (라)는 (나)와 마찬가지로 정보 격차에 대한 새로운 관점에 대해서 설명하고 있다. 구체적으로는 정보 격차를 사용 여건의 공평성 관점에서 설명하고 있을 뿐이지, 기존의 정보 격차에 대한 관점과 절충을 시도하고 있지는 않다.

72 ②

② 개인 정보의 유출을 방지할 정보 보안 시스템을 강화해야 한다는 내용은 정보 격차 해소를 다루고 있는 글의 주제와 직접적인 관련이 없다.

73 ③

③ 인터넷 사용 시간이 많아져서 가족과의 대화 시간이 줄어든 사례는 정보화 사회에 따른 부작용으로 다룰 수 있는 내용이다. ㉢의 내용과는 직접적인 관련이 없다.

74 ⑤

ⓐ의 관점은 매체 보급을 확대함으로써 정보 격차를 해소할 수 있다는 내용이다. 이 내용을 '공연 문화 활성화'에 적용해 보면, 공연에 더욱 쉽게 접근할 수 있게 함으로써 공연 문화에 대한 격차를 줄일 수 있다는 내용이 제시되어야 한다. 이런 관점에서 볼 때, ⑤의 진술이 적절한 진술이라고 할 수 있다.

| 정답 | 71 ④ 72 ② 73 ③ 74 ⑤

[75~77] 다음 글을 읽고 물음에 답하시오.

노래방이 청소년들의 문화 공간으로 자리 잡은 지 오래이다. 지금 새삼스럽게 청소년의 노래방 문화에 대해 언급하는 것은 진부한 일인지도 모른다. 하지만 노래방을 통해 청소년 문화의 문제를 바라볼 수 있다는 점에서 청소년의 노래방 문화를 살펴보는 것은 의미 있는 일이다.

노래방에서 '방'은 두세 평 남짓한 밀폐된 공간이다. 이런 밀폐된 공간에 청소년들이 몰리는 이유는 무엇일까? 청소년이 밀폐된 방을 찾아가는 여러 이유 중의 하나는 그들만의 문화 공간이 없기 때문이다. 밀폐된 '방'을 나와 탁 트인 사회의 '광장'으로 나오면 청소년들이 발붙일 곳이 없다. '광장'에는 기성세대의 문화만이 존재할 뿐 청소년 문화가 뿌리를 내리고 있지 못하다. 그리고 불순하고 병든 문화로부터 청소년을 보호한다는 미명하에 각종 금기가 청소년을 억압한다. 청소년들이 그들만의 문화를 만들어 나갈 수 있는 공간을 광장에서 찾기는 어렵다. 그래서 청소년들은 노래방으로 향한다.

그런데 문제는 노래방 역시 청소년들만의 온전한 문화 공간이 되지 못한다는 점이다. 청소년들이 노래방에서 그들만의 독특한 문화를 만들어 가기란 매우 어렵다. 청소년들이 노래방에서 기성세대와는 다른 노래를 다른 방식으로 부르기에, 언뜻 보면 기성세대의 문화로부터 벗어나 자신들의 문화를 만들어 가는 것처럼 보인다. 그러나 그들이 부르는 노래는 상업주의에 물든 기성 문화로부터 자유롭지 못하다. 자본주의 사회에서는 문화도 상업 논리에 지배된다. 대중음악도 예외가 아니어서, 상업적으로 성공할 수 있는 노래가 대부분을 차지한다. 이러한 경향은 공중파 방송에서 유행하는 십대 취향의 노래에서 잘 나타난다. 청소년들은 상업 논리에 따라 만들어진 노래를 노래방에서 부르면서 그 문화에 침윤되어 가고 있다. 실험적인 문화를 창출하는 데 선도적 역할을 해야 할 ㉠ <u>청소년들이 상업화된 노래를 부르며 창의성을 상실해 가는 자리가 바로 노래방인 것이다</u>.

자신들만의 문화 공간이 없어 노래방을 찾아간 청소년들이, 기성세대의 상업적 문화에 물들어 가는 이 안타까운 현상이야말로 오늘날 우리 사회의 청소년 문화가 갖는 문제점을 압축적으로 보여 준다. 이런 현상은 청소년들이 어둡고 밀폐된 '방'에서 밝고 환한 '광장'으로 나와 자유롭게 그들만의 문화를 향유하면서 다양한 문화 체험을 통해 창의적인 자기 계발을 이루도록 하는 것이, 우리 사회의 중요한 의무라는 점 또한 보여 준다. 청소년은 기성 문화를 그대로 받아들여 그 빛깔에 물드는 스펀지와 같은 존재도 아니고 기성세대에 무조건적으로 대항하는 존재도 아니다. 청소년의 창의성이 한껏 발휘될 수 있는 열린 문화 공간이 마련된다면, 청소년 문화는 활성화되어 건강하게 꽃필 것이다. 이때 청소년은 기성세대의 보호와 감시의 대상이 아니라 밝고 건강한 문화를 창출하고 향유하는 주체가 되며, 청소년 문화는 우리 문화에 새로운 기운을 전하는 역할을 하게 될 것이다.

75

2005 6월 고3 모의고사

위 글에 대한 설명으로 가장 적절한 것은?

① 특정 사례를 통해 문제를 일반화하고 있다.
② 사물이나 현상에 대해 관찰한 내용을 소개하고 있다.
③ 시간과 공간을 대비하여 문제의 원인을 파악하고 있다.
④ 현상의 원인을 사회적, 역사적 관점에서 진단하고 있다.
⑤ 대조되는 관점을 소개하고 그중 한 입장을 취하고 있다.

76

2005 6월 고3 모의고사

<보기>는 ㉠과는 다른 관점을 제시한 것이다. [　　]에 들어갈 말로 가장 적절한 것은?

보기

청소년이 노래를 직접 만들어 내야 청소년의 삶을 대변하는 것은 아니다. 상업 예술은 상품을 구매하는 사람들에게 버림받으면 존재할 수 없다. 따라서 상업 예술의 생산자는 [　　　　　　　　] 이러한 이유로, 노래방에서 불리는 노래에도 청소년들의 삶이 어느 정도는 담길 수 있다. 청소년들은 돈을 내고 문화 상품을 사는 행위를 통해서도, 자신들의 문화적 주체성을 어느 정도 실현시킨다고 할 수 있다.

① 상품을 고르는 구매자에게 최대한 편의를 제공할 수밖에 없다.
② 구매자의 욕구와 욕망과 처지를 짐작하고 거기에 맞출 수밖에 없다.
③ 구매자가 상품을 용이하게 구입할 수 있도록 생산량을 늘릴 수밖에 없다.
④ 구매자가 더 많은 상품을 살 수 있도록 적극적인 판촉 활동을 할 수밖에 없다.
⑤ 상업적 목적을 드러내면 구매자들에게 거부감을 주기 때문에 공익사업을 할 수밖에 없다.

77

2005 6월 고3 모의고사

위 글의 논지에 따를 때, 가장 먼저 해야 할 일은?

① 청소년을 위한 문화 공간을 마련한다.
② 청소년에게 기성세대의 문화를 이해하도록 한다.
③ 청소년에게 대중문화에 대한 비판 의식을 길러 준다.
④ 청소년이 노래방 출입을 자율적으로 결정하도록 한다.
⑤ 학교 음악 교육에서 청소년들의 삶을 다룬 작품의 비중을 높인다.

정답&해설

75 ①

청소년의 노래방 문화를 통해서 청소년 문화 전체에 대해서 살펴보고 있으므로 특정 사례를 통해 문제를 일반화하고 있다는 ①의 진술이 적절하다.

76 ②

㉠에서는 청소년의 노래방 문화를 비판적 입장에서 접근하면서 청소년들이 상업화된 노래를 부르며 창의성을 상실해 간다는 점을 지적하고 있다. 그러나 〈보기〉에서는 청소년들의 문화적 주체성을 어느 정도 인정하는 입장을 보이고 있다. 이런 관점에서 볼 때, ② 상업 예술의 생산자 역시 구매자의 욕구를 반영한다는 내용이 들어가는 것이 적절하다.

77 ①

제시된 글에서는 청소년들이 노래방을 이용하는 이유가 광장에는 자신들의 문화공간이 마련되어 있지 않기 때문이라고 하였다. 그러므로 제시된 글의 논지에 따를 때, 가장 먼저 해야 할 일은 ① 청소년을 위한 문화 공간을 마련하는 것이라고 할 수 있다.

| 정답 | 75 ① 76 ② 77 ①

[78~80] 다음 글을 읽고 물음에 답하시오.

예술은 인간 감정의 구현체로 간주되곤 한다. 그런데 예술과 감정의 연관은 예술이 지닌 부정적 측면을 드러내는 데 쓰이기도 했다. 즉, 예술은 이성적으로 통제되지 않는 비합리적 활동, 심지어는 광기 어린 활동으로 여겨지곤 했다. 그렇지만 예술과 감정의 연관을 긍정적인 측면에서 해석하려는 입장도 유구한 전통을 형성하고 있다. 이러한 입장을 대표하는 사람으로 톨스토이와 콜링우드를 들 수 있다.

톨스토이의 견해에 따르면, 생각이 타인에게 전달될 필요가 있듯이 감정도 그러하다. 이때 감정을 타인에게 전달하는 주요 수단이 예술이다. 예술가는 자신이 표현하고픈 감정을 떠올린 후, 작품을 통해 타인도 공감할 수 있도록 전달한다. 그런데 이때 ㉠전달되는 감정은 질이 좋아야 하며, 한 사회를 좋은 방향으로 이끌어 나갈 수 있어야 한다. 연대감이나 형제애가 그러한 감정이다. 이런 맥락에서 톨스토이는 노동요나 민담 등을 높이 평가하였고, 교태 어린 리스트의 음악이나 허무적인 보들레르의 시는 부정적으로 평가하였다. 좋은 감정이 잘 표현된 한 편의 예술이 전 사회, 나아가 전 세계를 감동시키며 세상의 발전에 기여할 수 있다.

반면, 콜링우드는 톨스토이와 생각이 달랐다. 콜링우드는 연대감이나 형제애를 사회에 전달하는 예술이 부작용을 초래할 수 있다고 보았다. 전체주의적 대규모 집회에서 드러나듯 예술적 효과를 통한 연대감의 전달은 때론 비합리적 선동을 강화하는 결과를 낳는다. 톨스토이 식으로 예술과 감정을 연관시키는 것은 예술에 대한 앞서의 비판에서 벗어나기 힘들다. 따라서 콜링우드는 감정의 전달이라는 외적 측면보다는 감정의 정리라는 내적 측면에 관심을 둔다.

콜링우드에 따르면, 언어가 한 개인의 생각을 정리하는 수단이듯이 예술은 한 개인의 감정을 정리하는 수단이다. 우리의 생각을 정리하는 훈련이 필요하듯이 우리의 감정도 그러하다. 일상사에서 벌컥 화를 내거나 하염없이 눈물을 흘리다 보면 감정을 지나치게 드러낸 듯하여 쑥스러운 경우가 종종 있다. 그런데 분노나 슬픔은 공책을 펴 놓고 논리적으로 곰곰이 추론한다고 정리되는 것이 아니다. 생각은 염주 알처럼 진행되지만, 감정은 불쑥 솟구쳐 오르거나 안개처럼 스멀스멀 밀려오기 때문이다. 이러한 인간의 감정은 그와 생김새가 유사한 예술을 통해 정리되는 것이 바람직하다. 베토벤이 인생의 파란만장한 곡절을 「운명」 교향악을 통해 때론 용솟음치며 때론 진저리치며 굽이굽이 정리했듯이, 우리는 자기 나름의 적절한 예술적 방식을 통해 그렇게 할 수 있다. 그리고 예술을 통해 우리의 감정이 정리되었으면 굳이 타인에게 전달하지 않더라도 예술은 그 소임을 충분히 완성한 것이다.

톨스토이와 콜링우드 양자의 입장은 차이가 나지만, 양자 모두 예술과 감정의 긍정적 연관성에 주목하면서 예술의 가치를 옹호하였으며, 이들의 이론은 특히 질풍처럼 몰아치고 노도처럼 격동했던 낭만주의 예술을 이해하는 데 기여하였다.

78

2008 6월 고3 모의고사

영국의 시인 키츠가 〈보기〉와 같이 말한 이유를 콜링우드의 견해를 바탕으로 가장 잘 설명한 것은?

보기

불면의 밤을 보내며 완성한 시를 아침 해를 바라보며 불태워 버려도 좋다.

① 창작한 내용이 마음에 들지 않았기 때문이다.
② 창작 작업에 근본적인 회의를 느꼈기 때문이다.
③ 혼란한 감정을 시를 통해 정화했다고 생각했기 때문이다.
④ 아침 해를 바라보며 불같은 열정을 새롭게 느꼈기 때문이다.
⑤ 다른 사람에게 공감을 불러일으키지 못할 것을 염려했기 때문이다.

79

2008 6월 고3 모의고사

〈보기〉의 관점에서 위 글을 비판적으로 이해한 내용으로 가장 적절한 것은?

보기

음악의 아름다움이란 음악의 형식을 통해 드러나는 아름다움이다. 외부에서 주어진 어떤 내용도 필요치 않고, 오직 독립적인 음들 및 그것들의 형식적 연관으로만 존재하는 그러한 아름다움이 곧 음악적 아름다움이다. 매력 넘치는 소리들의 연관, 그 연관의 조화와 대립, 이탈과 도달, 상승과 소멸 등이야말로 우리 앞에 자유로운 형식으로 나타나 만족을 주는 것들이다.

① 예술의 본질은 감정보다는 형식이다. 우리에게 미적 즐거움을 주는 원천은 예술 고유의 조형적 아름다움이지 않은가.
② 예술이 감정을 전달하려면 감정의 전달 수단인 형식도 중요하다. 아름다운 형식을 갖추지 못하면 정치적 선동이 되는 것이 아닌가.
③ 예술은 감정이 아닌 절대적 이념의 표현이다. 예술과 감정의 연관을 너무 강조하는 것은 예술이 지닌 숭고한 정신적 이념을 간과한 것이 아닌가.
④ 용솟음치는 감정을 어떻게 정리할 수 있는가. 감정이 정형화된 형식을 넘어 예술을 통해 자유로이 분출됨으로써 우리는 만족을 얻게 되는 것이 아닌가.
⑤ 예술의 핵심은 감정이라기보다는 파란만장한 인간 삶의 형식을 묘사하는 일이다. 그러한 묘사를 통해 우리는 타인의 삶을 가슴 깊이 이해할 수 있지 않은가.

80

2008 6월 고3 모의고사

㉠의 관점이 가장 잘 드러난 작품은?

① 포수는 한 덩이 납으로 / 그 순수를 겨냥하지만, / 매양 쏘는 것은 / 피에 젖은 한 마리 상한 새에 지나지 않는다.

② 밤에 홀로 유리를 닦는 것은 / 외로운 황홀한 심사이어니, / 고운 폐혈관이 찢어진 채로 / 아아, 너는 산새처럼 날아갔구나!

③ 눈물 아롱아롱 / 피리 불고 가신 임의 밟으신 길은 / 진달래 꽃비 오는 서역 삼만 리. / 흰 옷깃 여며 여며 가옵신 임의 / 다시 오진 못하는 파촉 삼만 리.

④ 인생은 외롭지도 않고 / 그저 잡지의 표지처럼 통속하거늘 / 한탄할 그 무엇이 무서워서 우리는 떠나는 것일까 / 목마는 하늘에 있고 / 방울 소리는 귓전에 철렁거리는데

⑤ 보리밭에 내리던 봄눈들을 데리고 / 추워 떠는 사람들의 슬픔에게 다녀와서 / 눈 그친 눈길을 너와 함께 걷겠다. / 슬픔의 힘에 대한 이야길 하며 / 기다림의 슬픔까지 걸어가겠다.

정답&해설

78 ③

콜링우드는 예술이 감정을 정리할 수 있다는 데 초점을 두었으며, 예술을 통해서 감정이 정리되었으면 예술은 그 소임을 다한 것이라는 입장을 보였다. 이런 관점에서 볼 때, 콜링우드라면 〈보기〉와 같이 말한 이유에 대해서 ③ 시가 혼란한 감정을 정화했다는 입장을 보일 것이다.

79 ①

〈보기〉에서는 음악의 아름다움은 외부적 상황 등에 관계없이 음악이 지니는 형식적 아름다움이라는 견해를 보이고 있다. 이런 관점에서 보면 제시된 글은 예술을 감정의 측면에서만 다루고 있다. 따라서 ① 예술의 본질은 감정보다는 형식이라는 비판적 입장을 보일 수 있을 것이다.

| 오답해설 | ② 〈보기〉의 관점은 형식 그 자체가 음악의 아름다움이라는 견해를 보이고 있다. 감정의 전달 수단으로써 형식을 중요하게 생각하는 것이 아니다.

80 ⑤

톨스토이는 ㉠과 같이 전달되는 감정의 질이 중요하며, 사회를 좋은 방향으로 이끌어야 한다는 입장을 보였으며, 구체적인 예로 연대감과 형제애를 제시하였다. 이런 관점에서 보면, ⑤의 시는 타인과의 연대감을 드러내고 있으므로 ㉠의 관점이 잘 드러난 작품이라고 볼 수 있다.

| 정답 | 78 ③ 79 ① 80 ⑤

[81~83] 다음 글을 읽고 물음에 답하시오.

영웅이 어떻게 만들어지는가, 어떻게 신비화되고 통속화되는가, 영웅에 대한 기억이 시대에 따라 어떤 변천을 겪는가를 탐구하는 것은 '더 사실에 가까운 영웅'의 모습에 다가서려는 이들에게 필수적이다. 영웅을 둘러싼 신화가 만들어지고 전승되는 과정과 그 메커니즘을 이해하고 특히 국민 정체성 형성에 그들이 간여한 바를 추적함으로써, 우리는 영웅을 만들고 그들의 초상을 새롭게 덧칠해 온 각 시대의 서로 다른 욕망을 읽어 내어 그 시대로부터 객관적인 거리를 획득한다.

무릇 영웅이란 죽고 나서 한층 더 길고 파란만장한 삶을 살아가며, 그런 사후 인생이 펼쳐지는 무대는 바로 후대인들의 변화무쌍한 기억이다. 잔 다르크는 계몽주의 시대에는 '신비와 경건을 가장한 바보 처녀'로 치부되었지만, 프랑스 혁명기와 나폴레옹 집권기에 와서는 애국의 화신으로 추앙받기 시작했다. 민족주의의 성장과 더불어 그 숭배의 열기가 더 달아올라, 19세기 공화주의적 민족주의자들은 잔을 '프랑스의 수호자'이자 '민중의 딸'로 재창조했다. 국경을 넘어 20세기 여성 참정권자들에게 잔은 '전투적 페미니즘'의 상징이었고 한국에서는 '프랑스의 유관순 열사'로 기억되었다.

영웅에 대한 후대인들의 기억이 어떻게 만들어지는가를 추구하는 문제의식의 배경에는 ㉠'기억의 관리'가 부와 권력의 분배 못지않게 중요한 사회적 과제라는 전제가 깔려 있다. 인간의 기억은 기본적으로 사회적 틀 내에서 형성되며, 시간적, 공간적으로 제한된 특정한 사회 집단에 의해서 선택적으로 전해진다. 그래서 기억의 문제는 개인적이라기보다는 집단적이며 사회적인 권력의 문제이다. 동시에 이는 기억과 표리 관계인 망각의 문제이기도 하다.

근대 역사에서 기억이 구성되고 가공되는 데 가장 중요한 단위는 '민족'이었다. 근대 역사학 자체의 탄생과도 밀접하게 관련되는 '민족의 과거'에 대한 기억에서 영웅은 중요한 기억의 터전을 차지해 왔다. 이때 영웅은 그저 비범한 능력의 소유자에 그치지 않고 민족의 영광과 상처를 상징하는 육화된 기호로서 구성원에게 동일시할 대상으로 나타난다.

이때 영웅은 종종 '애국'의 덕목과 결부되었다. 한국에서도 봉건 시대에 충군의 이념에 충실했던 인물이 계몽 운동기에 들어서 구국의 영웅으로 재탄생하는 것을 종종 볼 수 있다. 박은식, 신채호 등 개화기 지식인들이 '민족정신'에 눈뜨면서 재발견한 이순신이나 을지문덕과 같은 영웅은 이제 '충군'이 아닌 '애국'을 지상 과제로 삼는다. 이 같은 근대의 영웅은 서로 모르는 사람들을 하나의 '국민'으로 묶어 주는 상상의 원천이 되었다. 이렇게 영웅은 구성원 모두를 상하, 수평 관계 속에서 매개하고 연결한다는 의미에서 하나의 미디어였다.

81

2009 9월 고3 모의고사

위 글로 미루어 알 수 있는 것은?

① 역사는 익명의 대중이 이끄는 것이다.
② 역사는 현재의 세계를 목적으로 하여 진보해 온 과정이다.
③ 역사는 객관성을 추구한다는 점에서 과학으로서의 지위를 주장할 수 있다.
④ 역사는 우연의 지배를 받으므로 필연적인 인과 관계로 파악되지 않는다.
⑤ 역사는 과거의 사실 그 자체가 아니라 후대에 체계화된 지적 구성물이다.

82

2009 9월 고3 모의고사

㉠의 사례로 보기 어려운 것은?

① 마을에 있는 효자비를 재정비하여 효행을 선양한다.
② 국민에게 존경받는 역사적 인물을 지폐 도안에 활용한다.
③ 역사 소설을 읽고 실재한 사실과 문학적 허구를 가려 본다.
④ 중요 무형 문화재 보유자를 지정하여 고유의 문화를 보존한다.
⑤ 전쟁 박물관의 전시를 통해 국난 극복의 역사를 널리 알린다.

83

2009 9월 고3 모의고사

<보기>는 역사 동아리 학생들이 위 글을 읽은 후 토론한 내용이다. <보기>에서 위 글의 논지에 부합하는 것만을 있는 대로 고른 것은?

보기

ㄱ. 영웅에 대한 각 시대의 평가는 곧 그 시대를 비추는 거울이야.
ㄴ. 영웅을 만들어 유포하는 체제는 결코 좋은 체제가 아닌 것 같아.
ㄷ. 근대 국가의 집단 정체성 형성에 애국적 영웅이 중요한 역할을 했군.
ㄹ. 영웅의 고난과 승리는 대중에게 강력한 정서적 영향을 끼치는 것 같아.

① ㄱ, ㄴ
② ㄴ, ㄷ
③ ㄱ, ㄴ, ㄹ
④ ㄱ, ㄷ, ㄹ
⑤ ㄴ, ㄷ, ㄹ

정답&해설

81 ⑤

제시된 글은 영웅의 탄생과 전승 과정을 이해하는 것이 그 시대로부터 객관적인 거리를 확보하는 것이며, 영웅들에 대한 후대의 기억들은 관리되어 온 것이라는 관점을 보이고 있으므로, 역사는 과거의 사실 자체가 아니라 후대에 선택되고 체계화된 것이라는 입장을 전제하고 있다고 볼 수 있다. 그러므로 ⑤가 가장 적절한 진술이다.

82 ③

㉠ '기억의 관리'란 영웅에 대한 후대인의 기억이 사회 집단에 의해서 선택된 것이라는 입장을 보여 주는 말이다. 이런 관점에서 볼 때 ③과 같이 역사 소설을 읽고 실재한 사실과 문학적 허구를 가려 보는 것은 기억의 선택과는 직접 관련이 없다고 볼 수 있다.

83 ④

제시된 글에서 영웅의 탄생은 각 시대의 서로 다른 욕망을 읽을 수 있게 해 준다고 하였고, 영웅은 민족의 영광과 상처를 상징하는 육화된 기호라는 내용도 제시되어 있으며, 영웅은 민족정신을 형성하는 데 있어서도 영향을 미쳤다는 내용이 제시되어 있다. 따라서 ④의 'ㄱ, ㄷ, ㄹ'이 적절한 내용이라고 볼 수 있다.

| 정답 | 81 ⑤ 82 ③ 83 ④

[84~86] 다음 글을 읽고 물음에 답하시오.

쇼윈도는 소비 사회의 대표적인 문화적 표상 중의 하나이다. 책을 읽기 전에 표지나 목차를 먼저 읽듯이 우리는 쇼윈도를 통해 소비 사회의 공간 텍스트에 입문할 수 있다. '텍스트'는 특정한 의도를 가지고 소통할 목적으로 생산한 모든 인공물을 이르는 용어이다. 쇼윈도는 '소비 행위'를 목적으로 하는 일종의 공간 텍스트이다. 기호학 이론에 따르면 '소비 행위'는 이런 ㉠공간 텍스트를 매개로 하여 생산자와 소비자가 의사소통하는 과정으로 이해할 수 있다.

옷 가게의 쇼윈도에는 마네킹이 멋진 목걸이를 한 채 붉은색 스커트를 날씬한 허리에 감고 있다. 환한 조명 때문에 마네킹은 더욱 선명해 보인다. 길을 걷다가 환한 불빛에 이끌려 마네킹을 하나씩 살펴본다. 마네킹의 예쁜 모습을 보면서 나도 모르게 이야기를 시작한다. '참 날씬하고 예쁘기도 하네. 저 비싸 보이는 목걸이는 어디서 났을까. 짧은 스커트가 눈부시네……. 나도 저 마네킹처럼 되고 싶다.'라는 생각에 곧 옷 가게로 들어간다.

이와 같은 일련의 과정은 소비자가 쇼윈도라는 공간 텍스트를 읽는 행위로 이해할 수 있다. 공간 텍스트는 세 개의 층위(표층, 심층, 서사)로 존재한다. 표층 층위는 쇼윈도의 장식, 조명, 마네킹의 모습 등과 같은 감각적인 층위이다. 심층 층위는 쇼윈도의 가치와 의미가 내재되어 있는 층위이다. 서사 층위는 표층 층위와 심층 층위를 연결하는 층위로서 이야기 형태로 존재한다.

서사 층위에서 생산자와 소비자는 상호 작용을 한다. 생산자는 텍스트에 의미와 가치를 부여하고 이를 이야기 형태로 소비자에게 전달한다. 소비자는 이야기를 통해 텍스트의 의미와 가치를 해독한다. 이런 소비의 의사소통 과정은 소비자의 '서사 행로'로 설명될 수 있다. 이 서사 행로는 다음과 같은 네 가지 과정을 거쳐 진행된다.

첫 번째는 소비자가 제품에 관심을 갖기 시작하는 과정이다. 이때 소비자는 쇼윈도 앞에 멈추어 공간 텍스트를 읽을 준비를 한다. 두 번째는 소비자가 상품을 꼼꼼히 관찰하는 과정이다. 이 과정에서 소비자는 쇼윈도와 쇼윈도의 구성물들을 감상한다. 세 번째는 소비자가 상품에 부여된 가치를 해독하는 과정이다. 이 과정에서 소비자는 쇼윈도 텍스트에 내재된 가치들을 읽어 내게 된다. 네 번째는 소비자가 상품에 대한 최종적인 평가를 내리는 과정이다.

이 네 과정을 거치면서 소비자는 구매 여부를 결정하게 된다. 서사 행로는 소비자의 측면에서 보면 이 상품이 꼭 필요한지, 자기가 그 상품을 살 능력을 갖고 있는지 등을 면밀히 검토하는 과정이라고 할 수 있다.

84

2007 6월 고3 모의고사

위 글의 내용과 일치하지 않는 것은?

① 쇼윈도는 소비자를 소비 공간으로 유인한다.
② 소비자는 서사 행로를 통해 구매 여부를 결정한다.
③ 책을 읽는 능력은 공간 텍스트 해독에 도움을 준다.
④ 마네킹을 통해서 소비자는 생산자와 의사소통을 한다.
⑤ 공간 텍스트에는 생산자가 부여한 의미가 담기게 된다.

85

2007 6월 고3 모의고사

위 글에 쓰인 설명 방법으로 볼 수 없는 것은?

① 대상을 단계별로 나누어 설명한다.
② 핵심적인 용어의 개념을 정의한다.
③ 현상들 사이의 인과 관계를 밝힌다.
④ 구체적인 사례를 들어 이해를 돕는다.
⑤ 특정한 이론에 따라 현상을 분석한다.

86

2007 6월 고3 모의고사

위 글의 내용으로 보아 ㉠에 대한 진술로 적절하지 않은 것은?

① 메시지를 담고 있다.
② 판매를 촉진할 수 있다.
③ 소비자와 생산자를 연결한다.
④ 특정한 장소를 점유하고 있다.
⑤ 공연 예술의 특성을 가지고 있다.

[87~90] 다음 글을 읽고 물음에 답하시오.

가격의 변화가 인간의 주관성에 좌우되지 않고 객관적인 근거를 갖는다는 가설이 정통 경제 이론의 핵심이다. 이러한 정통 경제 이론의 입장에서 증권 시장을 설명하는 기본 모델은 주가가 기업의 내재적 가치를 반영한다는 가설로부터 출발한다. 기본 모델에서는 기업이 존재하는 동안 이익을 창출할 수 있는 역량, 즉 기업의 내재적 가치를 자본의 가격으로 본다. 기업가는 이 내재적 가치를 보고 투자를 결정한다. 그런데 투자를 통해 거두어들일 수 있는 총이익, 즉 기본 가치를 측정하는 일은 매우 어렵다. 따라서 이익의 크기를 예측할 때 신뢰할 만한 계산과 정확한 판단이 중요하다.

증권 시장은 바로 이 기본 가치에 대한 믿을 만한 예측을 제시할 수 있기 때문에 사회적 유용성을 갖는다. 증권 시장은 주가를 통해 경제계에 필요한 정보를 제공하며 자본의 효율적인 배분을 가능하게 한다. 즉, 투자를 유익한 방향으로 유도해 자본이라는 소중한 자원을 낭비하지 않도록 하기 때문에 경제 전체의 효율성까지 높여 준다. 이런 측면에서 볼 때 증권 시장은 실물 경제의 충실한 반영일 뿐 어떤 자율성도 갖지 않는다.

이러한 기본 모델의 관점은 대단히 논리적이지만 증권 시장을 효율적으로 운영하는 방법에 대한 적절한 분석까지 제공하지는 못한다. 실제로 증권 시장에서는 주식의 가격과 그 기업의 기본 가치가 현격하게 차이가 나는 '투기적 거품 현상'이 발생하는 것을 볼 수 있는데, 이러한 현상은 기본 모델로는 설명할 수 없다. 실제로 증권 시장에 종사하는 관계자들은 기본 모델이 이러한 가격 변화를 설명해 주지 못하기 때문에 무엇보다 증권 시장 자체에 관심을 기울이고 증권 시장을 절대적인 기준으로 삼는다는 것이다.

여기에서 우리는 자기 참조 모델을 생각해 볼 수 있다. 자기 참조 모델의 중심 내용은, 사람들이 기업의 미래 가치를 읽을 목적으로 실물 경제보다 증권 시장에 주목하며 증권 시장의 여론 변화를 예측하는 데 초점을 맞춘다는 것이다. 기본 모델에서 가격은 증권 시장 밖의 객관적인 기준, 즉 기본 가치를 근거로 하여 결정되는 반면에 자기 참조 모델에서 가격은 증권 시장에 참여한 사람들의 여론에 의해 결정된다. 따라서 투자자들은 증권 시장 밖의 객관적인 기준을 분석하기보다는 다른 사람들의 생각을 꿰뚫어 보려고 안간힘을 다할 뿐이다. 기본 가치를 분석했을 때는 주가가 상승할 객관적인 근거가 없어도 투자자들은 증권 시장의 여론에 따라 주식을 사는 것이 합리적이라고 생각한다. 이러한 이상한 합리성을 '모방'이라고 한다. 이런 모방 때문에 주가가 변덕스러운 등락을 보이기 쉽다.

그런데 하나의 의견이 투자자 전체의 관심을 꾸준히 끌 수 있는 기준적 해석으로 부각되면 이 '모방'도 안정을 유지할 수 있다. 모방을 통해서 합리적이라 인정되는 다수의 비전,

정답&해설

84 ③

쇼윈도가 소비 행위를 목적으로 하는 일종의 공간 텍스트라는 내용은 제시되어 있으나, ③ 책을 읽는 능력이 공간 텍스트 해독에 도움을 주는지 여부를 알 수 있는 내용은 제시되어 있지 않다.

|오답해설| ① 1문단에 소비자는 쇼윈도를 통해 소비 공간으로 입문한다는 내용이 언급되어 있다.

② 마지막 문단에서 소비자는 관심, 관찰, 해독, 평가 등의 네 과정을 거치면서 상품의 구매 여부를 결정한다고 하였다.

④ 마네킹은 공간 텍스트를 구성하는 요소 중의 하나로, 소비자는 마네킹이 걸치고 있는 옷, 장신구 등을 보며 이것을 생산한 사람과 의사소통을 한다.

⑤ 공간 텍스트에는 생산자가 의미를 부여한 상품들이 전시되어 있다.

85 ③

제시된 글은 쇼윈도가 가지는 공간 텍스트의 의미를 정의, 분류, 분석, 예시 등의 방법을 사용하여 설명하고 있다. 그러나 ③ 현상들 사이의 관계를 인과 관계로 파악하는 인과의 방법은 사용되고 있지 않다.

86 ⑤

제시된 글에서 쇼윈도를 일종의 공간 텍스트로 설명하고 있으나, ⑤ 공간 텍스트 자체가 공연 예술의 특성을 가지고 있다는 내용은 제시되어 있지 않다.

|정답| 84 ③ 85 ③ 86 ⑤

즉 '묵계'가 제시되어, 객관적 기준의 결여라는 단점을 극복한다. 따라서 사람들은 묵계를 통해 미래를 예측하며, 증권 시장은 이러한 묵계를 조성하고 유지해 가면서, 단순히 실물 경제를 반영하는 것이 아니라 경제를 자율적으로 평가할 수 있는 힘을 가질 수 있다.

87

2005 3월 고3 모의고사

위 글의 논지 전개상 특징으로 가장 적절한 것은?

① 기업과 증권 시장의 관계를 분석하고 있다.
② 증권 시장의 개념을 단계적으로 규명하고 있다.
③ 사례 분석을 통해 정통 경제 이론의 한계를 지적하고 있다.
④ 주가 변화의 원리를 중심으로 상이한 관점을 대비하고 있다.
⑤ 증권 시장의 기능을 설명한 후 구체적 사례에 적용하고 있다.

88

2005 3월 고3 모의고사

위 글의 내용과 일치하지 않는 것은?

① 증권 시장은 객관적인 기준이 인간의 주관성보다 합리적임을 입증한다.
② 정통 경제 이론에서는 가격의 변화가 객관적인 근거를 갖는다고 본다.
③ 기본 모델의 관점은 주가가 자본의 효율적인 배분을 가능하게 한다고 본다.
④ 증권 시장의 여론을 모방하려는 경향으로 인해 주가가 변덕스러운 등락을 보이기도 한다.
⑤ 기본 모델은 주가를 예측하기 위해 기업의 내재적 가치에 주목하지만 자기 참조 모델은 증권 시장의 여론에 주목한다.

89

2005 3월 고3 모의고사

위 글을 읽고 〈보기〉를 해석한 내용으로 적절하지 않은 것은?

보기
1999년 말 A라는 건실한 완구 업체의 총매출은 적자에 허덕이던 B라는 온라인 판매 경쟁 업체의 400배가 넘었지만, 증권 시장에서의 자본 평가는 B사의 1/4에 불과했다. 이처럼 기묘한 상황을 설명하기 위해 증권 시장은, "앞으로 전자상거래가 폭발적으로 성장할 것이며, 인터넷 관련 기업이 경쟁에서 승리할 것이라는 가정에 따라 사람들이 주식을 거래했다."라는 분석을 내놓았다.

① A가 B보다 기본 가치가 큰 업체라고 볼 수 있다.
② 증권 시장이 '자율성'을 갖는 것처럼 보이는 예이다.
③ '증권 시장이 내놓은 분석'은 기본 모델의 입장을 대변하고 있다.
④ 증권 시장 참여자들은 기본 가치보다는 증권 시장의 여론을 따랐을 것이다.
⑤ '이처럼 기묘한 상황'은 주가가 기업의 내재적 가치를 충실히 반영하지 못한 것을 보여 준다.

90

2005 3월 고3 모의고사

위 글을 바탕으로 할 때, 〈보기〉의 빈칸에 들어갈 내용으로 가장 적절한 것은?

보기
자기 참조 모델에 따르면 증권 시장은 (   )

① 합리성과 효율성이라는 경제의 원리가 구현되는 공간이다.
② 기본 가치에 대해 객관적인 평가를 제공하는 금융 시장이다.
③ 객관적인 미래 예측 정보를 적극적으로 활용하는 금융 시장이다.
④ 기업의 주가와 기업의 내재적 가치를 일치시켜 나가는 공간이다.
⑤ 투자자들이 묵계를 통해 자본의 가격을 산출해 내는 제도적 장치이다.

[91~95] 다음 글을 읽고 물음에 답하시오.

일반적으로 국가의 힘은 한 국가의 경제적·군사적·정치적 힘의 크기로 표현될 수 있다. 이러한 국가의 힘이 국가 간의 협상에 미치는 영향에 관해서는 두 가지 의견이 대립되고 있다. 하나는 현실주의적 입장이고, 다른 하나는 자유주의적 입장이다.

현실주의적 입장에서는 국가 간의 협상에 있어서 협상력은 기본적으로 국가의 힘에 의하여 좌우된다고 본다. 이들의 견해에 따르면 소위 강대국과 개도국의 협상에서는 강대국이 항상 유리한 위치에 있을 수밖에 없다. 강대국은 자신들이 가지고 있는 압도적인 힘으로 개도국의 협상에 대한 기대를 자신들에게 유리한 방향으로 바꿀 수 있기 때문이라는 것이다.

그러나 자유주의적 입장은 이와 다르다. 자유주의적 입장은 협상의 결과를 설명하기 위해서는 먼저 협상의 구조적인 면과 절차적인 면을 동시에 고려해야 한다고 본다. 구조적인 면에 대해서는 다음과 같이 설명한다. 강대국과 개도국이라는 일반적인 힘이 중요한 것이 아니라 특정 협상의 주제와 관련된 힘이 중요하다는 것이다. 특정 주제와 관련된 힘이란 협상 테이블에 오른 아주 구체적인 협상의 대상과 관련된 힘을 의미한다. 대부분의 경우 이 힘은 협상 대상과 관련된 자원(resources), 즉 해당 산업의 규모·고용·국가 경제상의 위치·상대국에 대한 시장 접근도 등에서 나온다. 다시 말해 강대국은 국가 전체의 경제력이 개도국보다 월등할지 모르나 특정 산업에 있어서는 그렇지 않을 수 있다는 것이다. 예컨대, 미국은 쿠바보다 힘센 나라이지만 궐련의 생산에 있어서는 쿠바보다는 ㉠떨어지고, 마찬가지로 고무의 생산에 있어서는 말레이시아에 떨어진다.

협상의 절차적인 면이란 협상의 전술을 의미한다. 협상의 전술이란 협상 과정에서 자신의 자원을 효과적으로 사용하기 위하여 동원하는, ㉡협상을 고의로 기피하거나 연기하기, 다른 협상 의제와 연결시켜 처리할 것을 주장하기, 자국 내부의 사정을 내세워 호소하기 등과 같은 방법을 의미한다.

구조와 절차의 두 측면을 고려하여 자유주의적 입장은 "협상력을 결정하는 주요 변수는 구조적 요소로서의 '특정 주제와 관련된 힘'과 절차적 요소로서의 '협상 전술'이다."라고 결론을 짓는다. 이에 따라 약소국도 강대국과의 협상에서 유리한 고지를 차지하거나 협상에서 이길 수 있다는 것이다. 메리스 로버트라는 학자는 사례 분석을 통하여 이러한 결론을 적절하게 뒷받침한 바 있다. 그는 자원과 전술을 적절히 조화시킬 경우 약소국이 강대국과의 협상에서 이길 수 있지만, 이 두 가지 요소 중 하나라도 빠질 경우 협상에서 이기기는 매우 어렵다고 밝혔다.

자유주의적 입장대로 약소국이 강대국과의 협상에서 이기지 말라는 법은 없을 것이다. 그런 점에서 자유주의적 입장은 수긍할 만하다. 다만 자유주의적 입장을 따른다 하더라도

정답&해설

87 ④

④ 제시된 글은 주가의 변화에 대해서 기본 모델과 자기 참조 모델이라는 상이한 이론의 관점을 대비하여 설명하고 있다.

88 ①

제시된 글은 주식의 가격과 그 기업의 기본 가치가 현격하게 차이가 나는 '투기적 거품 현상'이 발생한다는 점을 제시하고 있으며, 그러므로 객관적인 기준을 중시하는 기본 모델만으로는 주식 시장을 설명하기 어렵다는 점을 제시하고 있다. ①의 진술은 글에 제시되어 있지 않다.

89 ③

〈보기〉에서는 A업체가 B업체보다 기본 가치가 높지만 주식 시장에서 B업체보다 낮은 평가를 받은 원인이 주식 시장 참여자들의 공통된 예측 때문이라는 견해를 보여 주고 있다. 여기에서 ③의 진술은 적절하지 않다. 왜냐하면 기본 모델은 주식 투자자들의 예측이 아닌 기업의 내재적 가치에 따라서 주식의 가격이 결정된다는 입장을 보이는 이론이기 때문이다.

90 ⑤

제시된 글에서는 기본 모델이 지니는 한계점을 지적하면서 주식 가격 결정에 대한 '자기 참조 모델'을 제시하고 있으며, 이러한 자기 참조 모델은 주식 투자자들의 여론이 묵계를 형성함으로써 주가를 형성한다고 보고 있다. 이런 관점에서 볼 때 〈보기〉의 빈칸에 들어갈 내용은 ⑤ 투자자들이 묵계를 통해 자본의 가격을 산출해 내는 제도적 장치라는 진술이 가장 적절하다.

| 정답 | 87 ④ 88 ① 89 ③ 90 ⑤

특정 주제와 관련된 힘과 강력한 전술은 단지 실제 협상에 임하는 협상가의 개인적 능력에 좌우되는 것은 아니다. 협상 주제와 관계된 힘과 협상의 전술은 협상에 임하는 국가가 자신의 내부에서 어떠한 국민적 합의 혹은 성과를 만들어 내느냐에 달려 있다. 다시 말해 이 두 요인은 고정된 것이 아니라 국내의 협의 과정을 통해 향상시킬 수 있는 것이다. 그러한 의미에서 약소국은 강대국과의 협상을 시작하기 전에 내부의 협의 과정을 통해 자신의 협상력을 제고할 필요가 있다.

91

2004 6월 고3 모의고사

위 글에 대한 설명으로 알맞은 것은?

① 기존의 이론으로부터 새로운 이론을 도출하고 있다.
② 상반된 주장을 소개하고 필자의 의견을 덧붙이고 있다.
③ 가설을 설정하고 사례를 통해 타당성을 검증하고 있다.
④ 다양한 이론을 대비해 가며 객관적으로 설명하고 있다.
⑤ 필자의 생각과 반대되는 견해를 일관되게 비판하고 있다.

92

2004 6월 고3 모의고사

㉠의 쓰임과 가장 가까운 것은?

① 그는 발을 헛디뎌서 구덩이로 떨어졌다.
② 이미 그 일에 정이 떨어진 지 꽤 되었다.
③ 감기가 떨어지지 않아 큰 고생을 하였다.
④ 그의 실력은 평균에 비해 떨어지는 편이다.
⑤ 그 성이 적의 손에 떨어졌다는 전갈이 왔다.

93

2004 6월 고3 모의고사

자유주의적 입장에서, 〈보기〉와 같은 협상 상황에 대해 논리적으로 판단한 것은?

보기

약소국인 B국은 강대국인 A국에서 생산하지 못하는 농산물을 수출하여 A국과의 무역 수지에서 흑자를 내고 있다. A국에서는 이 품목에 대한 관세를 현행보다 높임으로써 자국 내에서 이 농산물의 시장 점유율을 낮추어 B국과의 무역 수지를 개선하려 한다. 이 문제를 놓고 두 나라가 통상 협상에 임하였다.

① B국은 약소국이므로 불리한 협상 결과를 감수할 수밖에 없을 것이다.
② B국은 협상 전술을 잘 구사한다면 유리한 협상 결과를 얻을 수 있을 것이다.
③ B국은 협상 주제와 관련된 힘을 키우면 자국의 뜻대로 협상의 결과를 얻을 것이다.
④ B국은 협상 주제와 관련된 힘이 상대적으로 열세에 있으므로 절충안을 들고 나올 것이다.
⑤ B국은 협상 주제와 전술이 모두 우위에 있으므로 유리한 협상 결과를 차지하게 될 것이다.

94

2004 6월 고3 모의고사

㉡과 같은 전술을 구사하는 협상 대표의 말로 보기 어려운 것은?

① "어제 회의에서 당신들이 제시한 협상안을 면밀히 검토해 보았습니다. 이제 협상을 속개하도록 합시다."
② "이제 더 이상 협상이 진전될 것 같지 않군요. 이 문제에 대해서는 1년 후에 다시 협상을 시작해 보는 것이 어떻겠습니까?"
③ "우리가 논의하고 있는 이 의제는 단독으로 처리할 성질의 것이 아닙니다. 조만간 있을 다른 협상과 관련지어 다루어야 한다고 봅니다."
④ "당신들의 요구를 그대로 수용한다면 우리 국내 여론이 매우 악화될 것이 뻔합니다. 그렇게 되면 자칫 현 정권의 존립마저 위태로워질 수 있습니다."
⑤ "우리의 산업 구조에서 이 분야는 매우 큰 비중을 차지합니다. 따라서 이 분야의 산업에 피해가 가는 결과가 초래되면 우리 경제가 큰 타격을 입게 됩니다."

95

2004 6월 고3 모의고사

위 글을 읽고 보인 반응으로 적절하지 않은 것은?

① 협상 주제와 관련된 힘에 비해 협상 전술이 훨씬 더 중요하겠군.
② 약소국에서는 강대국에 비해 우위에 있는 산업을 잘 육성해야 하겠군.
③ 협상의 성공을 위해서는 내부의 협의 과정을 통해 협상력을 키워야겠군.
④ 협상에 실패했다고 해서 협상 대표에게 무조건 책임을 추궁할 일은 아니군.
⑤ 강대국이라고 해서 협상에서 항상 유리한 결과만 얻는 것으로 보기는 어렵군.

정답&해설

91 ②

제시된 글에서는 국가의 힘이 국가 간의 협상에 미치는 영향에 대해서 현실주의적 입장과 자유주의적 입장이라는 상반된 주장을 소개한 후, 특정 주제에 대한 힘과 강력한 전술은 국가 내부의 협의 과정을 통해서 달라질 수 있으므로 약소국은 강대국과의 협상 전에 내부의 협의 과정을 통해서 협상력을 제고해야 한다는 의견을 제시하고 있다. 따라서 적절한 진술은 ②이다.

92 ④

㉠은 '다른 것보다 수준이 처지거나 못하다'의 의미로 사용되었다. 이와 같은 의미로 사용된 것은 ④이다.

| 오답해설 | ① '위에서 아래로 내려지다'의 의미로 쓰였다.
② '정이 없어지거나 멀어지다'의 의미로 쓰였다.
③ '병이나 습관 따위가 없어지다'의 의미로 쓰였다.
⑤ '진지나 성 따위가 적에게 넘어가게 되다'의 의미로 쓰였다.

93 ②

〈보기〉는 약소국인 B가 강대국인 A와 상대적으로 우위에 있는 품목에 대해서 협상해야 하는 상황을 제시하고 있다. 자유주의적 입장은 약소국이라고 할지라도 특정 협상 주제가 무엇이고 협상 전술은 어떠한지에 따라서 강대국과의 협상에서 이길 수 있다는 입장을 보이고 있다. 그러므로 B국은 이미 주제에 있어서 A국보다 우위에 있으므로 협상 전술을 잘 구사한다면 유리한 협상이 가능할 것이다. 그러므로 적절한 진술은 ②이다.

94 ①

㉡에 제시된 협상 전술은 '협상을 고의로 기피하거나 연기하기, 다른 의제와 연결하기, 자국 내부의 사정을 내세워 호소하기'이다. ①의 진술은 상대의 협상안에 대한 분석을 바탕으로 협상의 속개를 요구하고 있으므로 ㉡에서 제시한 협상 전술에는 해당하지 않는다.

95 ①

제시된 글에서는 약소국이라 할지라도 강대국과의 협상에서 이길 수 있다는 점을 설명하고 있다. 다만 이것이 가능하기 위해서는 특정 주제에 있어서 우위에 있어야 하며 협상 전술이 잘 마련되어야 한다. 그러나 이 두 가지 요건 중 하나라도 만족시키지 못할 경우 약소국이 협상에서 이기기는 매우 힘들다는 것을 밝히고 있다. 따라서 ①의 협상 주제와 관련된 힘에 비해 협상 전술이 훨씬 중요하다는 진술은 적절하지 않다.

| 정답 | 91 ② 92 ④ 93 ② 94 ① 95 ①

[96~99] 다음 글을 읽고 물음에 답하시오.

많은 성인들은 청소년 문화가 하위문화의 특성을 띠고 있으며, 성인문화에 비해 미숙하다고 생각하는 경향이 있다. 성인문화가 생산적 노동 관습에 순응하고 책임감을 갖는 데 비해, 청소년 문화는 소비에 열중하고 쾌락 추구적이며 기존 가치를 거부하려는 무책임한 양상을 보인다는 것이다. 그들은 청소년을 경계에 놓인 존재이자 '정상적인' 문화로 계도해 가야 할 대상이라고 여긴다. 반면 이러한 생각에 반대하는 사람들은, 청소년이 그 나름의 원칙과 질서에 따라 사는 독립적인 존재이므로 그들의 문화도 가능성을 지닌 것으로 보아야 한다고 주장한다.

청소년 문화를 ㉠둘러싸고 벌어지는 이러한 견해 차이는 청소년이 과연 고유한 문화를 가질 수 있는지 그리고 그 속에서 사회가 받아들일 만한 가치 있는 집단적 정체성을 형성할 수 있는지에 대한 서로 다른 전망에서 비롯된다. 현상적으로는 청소년 문화의 독자성을 말하기는 아직 이른 것처럼 보인다. 하지만 ㉡청소년의 행동 양식 속에는 그들 자신의 문화를 만들어 내려는 의미 있는 시도들이 있다. 그중의 하나가 '길거리 문화'이다.

청소년의 길거리 문화는 청소년이 길거리에서 누리는 생활을 근간으로 한다. 대부분의 청소년은 많은 시간을 가정과 학교에서 보내지만 여가 시간은 길거리라는 공간 속에서 걷고, 만나고, 놀고, 소비하며 보낸다. 이때 '길거리'는 사람이 다니는 길이나 차량이 다니는 거리만이 아니라 광장이나 공원, 음식을 먹을 수 있는 곳, 함께 노래를 부르거나 게임을 할 수 있는 곳, 각종 공연이나 문화 예술 행위가 이루어지는 곳을 포함하는 공간 개념으로 사용된다.

학업 부담 때문에 여가 시간이 많지는 않지만, 청소년들은 방과 후나 주말, 시험이 끝난 날 등 여유 있는 시간을 잡아 친구들과 함께 길거리로 나선다. 하지만 어떤 단일한 목적이 그들의 행위를 결정짓는 것처럼 보이지는 않는다. 패스트푸드점, PC방, 노래방, 공연장 같은 곳을 전전하는 경우에도 그들의 행위는 특별한 목적이 없어 보인다. 만나서 빈둥거리다가 물건을 구경하고, 웃고 떠들다가 편의점이나 패스트푸드점에서 음식을 사 먹고, 다시 길거리로 나선다.

청소년들은 왜 이렇게 특별한 목적 없이 길거리를 배회하는 것일까? 좀 더 적극적으로 해석하자면, 그들이 길거리로 나서는 것은 학교나 가정의 틀에서 벗어나기 위한 행위가 아닐까? 그들은 무엇인가를 찾고 있는 것이다. 청소년들이 많이 모이는 길거리에서 비슷한 나이, 비슷한 차림새의 또래들이 모이고 흩어지는 가운데, 그들은 일시적인 해방감을 느끼고 나아가 자신들만의 연대 의식과 소속감을 느끼게 된다.

문제는 이러한 경험이 바람직한 문화적 정체성을 형성하는 데 기여할 수 있느냐 하는 점이다. 길거리 문화에서 만들어지고 있는 그들의 유대 관계가 아직까지는 일시적이라는 것이 아쉬운 점이다. 여전히 그들의 문화는 '길거리'라는 상황과 결합되어 있다. 이 상황이 지속되면 지속될수록 청소년들은 길거리 문화를 소비문화로만 받아들이게 된다. 청소년의 길거리 문화에 대해서 우리가 계도나 관리가 아닌 지지와 여건 조성의 차원에서 접근해야 하는 까닭이 여기에 있다.

96

2006 6월 고3 모의고사

청소년과 관련된 현재의 상황에 대한 글쓴이의 생각과 거리가 먼 것은?

① 청소년은 학업에 부담을 느끼고 있다.
② 청소년 문화는 또래 집단을 중심으로 형성된다.
③ 청소년을 위한 문화 공연장이 부족한 실정이다.
④ '길거리'는 소비 공간을 중심으로 이루어져 있다.
⑤ 청소년 문화를 계도 대상으로 보는 성인이 많다.

97

2006 6월 고3 모의고사

밑줄 친 단어의 문맥적 의미가 ㉠과 유사한 것은?

① 잠시 일을 놓고 쉬는 중이다.
② 중매쟁이를 놓아 혼인을 주선했다.
③ 건강을 위해 밥에 콩을 놓아 먹는다.
④ 정신을 놓고 창밖을 멍하니 바라보았다.
⑤ 됨됨이만 놓고 보면 나무랄 데 없는 사람이다.

98

2006 6월 고3 모의고사

㉡에서 이끌어 낼 수 있는 진술은?

① 문화는 새롭게 만들어질 수 있다.
② 문화는 지역적 특성을 반영한다.
③ 문화는 세대를 이어 계승된다.
④ 문화는 사회 정책의 산물이다.
⑤ 문화는 지속적으로 축적된다.

99

2006 6월 고3 모의고사

길거리 문화에 대한 반응 중, 위 글의 논지와 가장 잘 어울리는 것은?

① 길거리 문화는 어른들도 겪을 수 있는 욕망의 표출이라 할 수 있겠죠. 그러므로 성인들도 향유할 수 있는 길거리 문화를 조성해야 합니다.
② 길거리 문화는 어른들의 문화를 모방하는 측면을 띠고 있습니다. 그러므로 이 과정에서 어른들의 퇴폐 향락 문화에 물들지 않을까 우려되는 점이 있습니다.
③ 청소년 문화는 잠재력과 창의성을 지닌 문화입니다. 미래의 문화를 위해서도 무엇이 그들을 길거리로 이끌어 내고, 그들이 길거리에서 무엇을 느끼는지 잘 살펴보아야 합니다.
④ 길거리 문화라는 불분명한 현상을 인정하는 것은 청소년들의 문화라는 불완전한 문화를 인정하는 셈이 됩니다. 따라서 청소년 길거리 문화는 전체 사회의 소비문화라는 맥락에서 검토되어야 합니다.
⑤ 우리 청소년들은 여가 시간에도 텔레비전 시청, 인터넷 이용 외에는 마땅히 할 일을 찾지 못하고 있습니다. 따라서 이에 대한 대책으로 길거리 문화를 강력하게 규제하는 방안이 마련되어야 합니다.

정답&해설

96 ③

③ 제시된 글에서는 청소년의 문화 특성에 대해서 다루고 있으나, 청소년을 위한 문화 공연장이 부족하다는 내용은 언급되어 있지 않다.

| 오답해설 | ④ 6문단에서 청소년의 길거리 문화에서 만들어지는 유대감은 일시적이며, 이러한 상황이 계속되면 청소년들은 길거리 문화를 소비문화로만 받아들이게 된다는 진술을 통해서 알 수 있다.

97 ⑤

㉠의 '둘러싸다'는 '어떤 것을 행동이나 관심의 중심으로 삼다'라는 의미로 쓰였다. 그러므로 제시된 단어들 중에서 '화제나 논의의 대상으로 삼음'을 나타내는 ⑤의 '놓다'가 이와 유사한 의미를 지닌다고 볼 수 있다.

98 ①

㉡의 진술은 청소년들이 자신의 문화를 만들어 내려는 가능성을 보여 준다는 내용이다. 그러므로 ㉡을 바탕으로 할 때 이끌어 낼 수 있는 적절한 진술은 ① 문화는 새롭게 만들어질 수 있다는 것이다.

99 ③

제시된 글에서 필자는 청소년 문화를 인정하는 입장에서 길거리 문화의 특성을 논하고 있으며, 이러한 길거리 문화가 청소년 문화로서 문화적 정체성을 형성할 수 있도록 적절히 조력해야 한다는 입장을 보이고 있다. 이런 관점에서 볼 때, 제시된 글의 논지와 가장 잘 어울리는 것은 청소년 문화의 잠재력과 창의성을 인정하면서 길거리 문화를 연구해야 한다는 입장을 보이고 있는 ③의 진술이다.

| 정답 | 96 ③ 97 ⑤ 98 ① 99 ③

[100~103] 다음 글을 읽고 물음에 답하시오.

인간은 세계를 자기중심적으로 인식한다. 이러한 심리 구조는 언어 표현에도 반영된다. 예컨대 시간이나 공간에 관한 한 쌍의 단어를 열거할 때 화자에게 더 가까운 것을 먼저 들고 더 먼 것을 나중에 든다. '내일오늘'이 아니라 '오늘내일'이라 하고 '저기여기'가 아니라 '여기저기'라 하는 것은 '나'에게 가까운 '오늘'과 '여기'를 먼저 말하기 때문이다. '아빠 엄마'가 아니라 '엄마 아빠'라고 하는 것도 어린아이가 자기 마음에서 더 가까이 느껴지는 엄마를 먼저 표현하기 때문이다.

이른바 사은유(死隱喩)의 대부분이 신체 일부의 이름을 빌려 쓰는 현상도 화자의 심리를 반영하는 언어 표현이다. 바늘에서 실을 꿰는 부분을 '바늘귀'라 하는 것은 신체의 일부인 '귀'를 빌려 바늘의 특정 부분을 표현하고자 하는 데서 나왔다. 영어에도 'eye of a needle'이라는 표현이 있다는 사실은, 신체 부분이 화자와 가장 가깝고 친숙한 것이므로 이를 빌려서 사물을 표현하는 현상이 범언어적임을 말해 준다.

[A] 사물에 대한 인간의 인식과 그 언어 표현에는 상응 관계가 있다. 그리하여 단순한 개념은 그 표현도 단순하고, 복잡한 개념은 그 표현도 복잡하게 나타난다. 예를 들면 '사람'에 '들'을 붙여 복수 개념인 '사람들'을 표현하지, 어떤 복수 개념을 나타내는 말에 일정한 형태소를 첨가하여 단수 개념을 표현하지 않는다. 또한, '하다'에 '안'을 더해 '안 하다'라는 표현을 형성하거나 'do'에 'not'을 더하여 'not do'라는 표현을 만들지만, 그 반대의 표현 현상은 나타나지 않는다.

언어 표현은 인간의 심리 구조에서 영향을 받기도 하지만, 인간의 심리 작용에 영향을 미치기도 한다. 하나의 단위를 이루는 구성 요소는 어떤 외부적인 요소가 그 단위를 분리시키거나 중단시키는 것을 거부하려는 경향이 있다. 보통 여러 사람이 대화를 하는 중에 끼어들고 싶을 때, 사람들은 화자가 말하는 중간에 아무데서나 끼어들지 않고, 적어도 한 문장이 끝났을 때를 기다려 자기 말을 한다. 사람들이 말을 할 때에도 문장 중간이 아닌 주어와 술어의 경계에서 휴지(休止)를 갖고, 단어의 중간이 아닌 단어와 단어의 경계에서 "어-, 어-" 하는 말을 삽입하는 경향이 있다. 이것도 한 단위를 분리 혹은 중단시키지 않으려는 심리 작용이 일어난 것이라 볼 수 있다.

그러나 언어가 심리 작용에 영향을 미친다고 하여, ㉠ <u>언어가 인간의 사고를 완전히 지배한다고 생각해서는 안 된다. 왜냐하면 인간의 사고가 언어에 의해 영향을 받지 않는 사례도 종종 발견되기 때문이다.</u> 우리말에서 청색과 녹색을 '푸르다'라는 단어로 표현한다고 해서 우리가 두 색을 구별하여 인식하지 못한다고 할 수 없다. 그리고 색채어가 그다지 많지 않은 언어를 사용하는 사람들도 색채어가 풍부한 언어를 사용하는 사람들과 색에 대해 같은 감각을 가지고 있다고 한다. 이러한 사실은 인간의 심리 작용이 언어의 구조와 관계없이 어떤 보편성을 띠고 있음을 말해 준다.

100

2006 9월 고3 모의고사

위 글은 전체적으로 어떤 질문에 대한 답변으로 볼 수 있는가?

① 언어가 인간의 심리를 결정하는가?
② 언어와 인간의 심리는 어떤 관계가 있는가?
③ 언어 표현이 사고력 향상과 어떤 관련이 있는가?
④ 인간의 의식이 언어 표현에 어떤 영향을 미치는가?
⑤ 언어 구조가 문화권에 따라 어떻게 달리 나타나는가?

101

2006 9월 고3 모의고사

[A]의 논지로 볼 때, '바늘귀'와 같은 예로 볼 수 <u>없는</u> 것은?

① 입방아를 찧다.
② 말허리를 자르다.
③ 상다리가 부러지다.
④ 병목 현상이 생기다.
⑤ 치마가 버선코를 가리다.

102

2006 9월 고3 모의고사

[A]의 논지를 보강할 수 있는 사례로 보기 어려운 것은?

① 대명사 '너, 저'에 '-희'가 붙어 '너희, 저희'가 만들어진다.
② 양수사 '셋, 넷'에 '-째'가 붙어 서수사 '셋째, 넷째'가 만들어진다.
③ 예사말 '사장, 과장'에 '-님'이 붙어 높임말 '사장님, 과장님'이 만들어진다.
④ 동사 어간 '오-, 가-'에 '-라, -자'가 붙어 활용형 '오라, 가자'가 만들어진다.
⑤ 능동사 '보다, 막다'에 '-이-, -히-'가 붙어 피동사 '보이다, 막히다'가 만들어진다.

103

2006 9월 고3 모의고사

두 문장의 논리적 관계가 ㉠과 가장 유사한 것은?

① 몸은 거짓말을 하지 않는다. 왜냐하면 거짓말을 하게 되면 탄로날 것을 우려한 나머지 긴장과 두려움으로 자율 신경계에 혼란이 오기 때문이다.
② 운동이 언제나 건강에 이로운 것은 아니다. 왜냐하면 운동을 할 때 어떤 경우에는 체내에 활성 산소가 축적되어 노화를 촉진할 수도 있기 때문이다.
③ 범죄자라고 해서 인권을 함부로 침해해서는 안 된다. 왜냐하면 사람은 기본적인 인권을 가지고 태어나며, 인권은 어떤 사람도 예외가 있어서는 안 되기 때문이다.
④ 언어가 갖는 현실의 창조와 사람됨의 창조, 이 두 기능은 서로 불가분의 필연적인 보충 관계에 있다. 왜냐하면 우리는 외부 세계와 내부 세계로 이루어지고, 이 두 세계는 서로 대응적인 구조를 갖고 있기 때문이다.
⑤ 속담은 화용론적 부차 기능이 생생한 역할을 할 때에 비로소 속담으로 쓰인 효과를 완성시킨다. 왜냐하면 속담의 일차적 기능이 비유에 있다 하여 특정한 사실에 대한 비유적 서술만으로 속담이 수행해야 할 모든 기능을 끝마치는 것은 아니기 때문이다.

정답&해설

100 ②

제시된 글에서는 언어 표현이 인간의 심리 구조에서 영향을 받는 양상과, 반대로 언어 표현이 인간의 심리 작용에 영향을 미치기도 하는 것을 다루고 있다. 그러므로 제시된 글은 ② '언어와 인간의 심리는 어떤 관계가 있는가?'라는 질문에 대한 답변으로 볼 수 있다.

| 오답해설 | ⑤ 제시된 글에서 문화권에 따른 언어 구조의 차이를 설명하고 있지는 않다.

101 ①

'바늘귀'는 사은유의 하나로서, 신체 일부의 이름을 빌려 대상을 표현하는 경우를 보여 주는 예이다. 그러나 ① '입방아'는 신체의 일부와 관련된 의미를 '방아'라는 사물을 빌려서 사용한 경우이므로 '사은유'의 예로 볼 수 없다.

102 ④

[A]에서는 인간의 인식과 언어 표현에는 상응 관계가 있기 때문에 단순한 개념은 단순하게 표현하고 복잡한 개념은 그 표현도 복잡하게 나타난다고 하였다. 이런 관점에서 볼 때, ④의 용언 어간에 어미가 붙어서 활용하는 예는 활용 이전보다 개념이나 의미가 복잡해졌다고 볼 수 없다. 기본적 개념이나 의미는 동일하기 때문이다.

| 오답해설 | ② 양수사에 '-째'가 결합하여 서수사가 되는 것은 접미사가 결합하여 단순한 수의 의미에서 순서라는 의미가 추가되는 것으로 볼 수 있으므로 의미가 복잡해진 것으로 볼 수 있다.

103 ②

㉠에서는 앞 문장이 주장이고 뒤의 문장이 근거를 나타내고 있다. 또한 앞 문장의 주장에 대해서 뒷받침한 근거는 실제 사례를 찾아보면 예외들이 존재한다는 점을 제시하고 있다. 이런 관점에서 보면, '운동이 언제나 건강에 이로운 것은 아니다'라는 주장에 대해서 어떤 경우에는 운동이 노화를 촉진하는 경우도 있다는 예외 사례를 제시하고 있는 ②가 가장 ㉠과 유사하다고 할 수 있다.

| 정답 | 100 ② 101 ① 102 ④ 103 ②

[104~107] 다음 글을 읽고 물음에 답하시오.

우리는 흔히 예술 작품을 감상한다는 말 대신에 예술 작품을 향유(enjoyment)한다고 하기도 하며, 예술 작품을 평가(appreciation)한다고 하기도 한다. 향유한다거나 평가한다는 것은 곧 예술 작품에서 쾌감을 얻거나 예술 작품의 가치를 따지는 것을 의미하는데, 이러한 의미 속에는 예술 작품은 감상의 주체인 감상자의 수용을 기다리는 존재이며, 고정된 채 가치를 측정당하는 대상이라는 인식이 내포되어 있다. 하지만 예술 작품은 그 가치가 확정되어 있거나 감상자의 수용을 기다리기만 하는 존재가 아니다.

예술 작품은 창작자와 창작된 시간, 문화적 환경과의 관계 속에서 창작되는데, 예술 작품의 창작과 관계되는 이 요소들에는 사회 규범과 예술 전통, 작가의 개성 등이 포함되어 있다. 하지만 그런 것들로 예술 작품의 의미를 확정할 수는 없다. 그런 것들은 창작자에 의해 텍스트로 조직되면서 변형되어 단지 참조 체계로서의 배경으로만 존재할 따름이다.

[A] 예술 작품의 의미는 역사의 특정한 순간에 만나게 되는 감상자에 의해 해석된다. 그런데 의미를 해석하기 위해서는 반드시 일정한 준거틀이 있어야 한다. 준거틀이 없다면 해석은 감상자의 주관적 이해를 벗어나기 어렵기 때문이다. 해석의 준거틀 역할을 하는 것이 바로 참조 체계이다. 감상자가 예술 작품과 만나는 역사적 순간의 참조 체계는 과거와는 다른 새로운 관계를 만들어 내며, 이러한 새로운 관계에 의거해 감상자는 예술 작품으로부터 새로운 의미를 생산해 낸다.

따라서 예술 작품이 계속 전해지기만 한다면, 그것은 끊임없이 새로운 참조 체계를 통해 변화하며 새로운 의미를 부여받게 된다. 근본적으로 예술 작품의 의미는 무궁하다. 이것은 ⓐ "셰익스피어는 모두 다 말하지 않았다."라는 말과도 같다. 이때 '다 말하지 않았다'는 것은 의미가 예술 작품 그 자체에서 기인한다는 뜻이 아니다. 작품의 의미는 예술 작품 밖에 존재하는 참조 체계의 무궁함에서 기인하는 것이다. 텍스트는 끊임없이 새로운 (㉠)를 찾으며 그로부터 새로운 (㉡)를 획득하고, 끊임없이 새로운 (㉢)를 형성하며 새로운 (㉣)를 생산한다.

감상의 **과정**은 주체와 주체의 대화이다. 감상 과정에서 예술 작품과 감상자는 서로 다른 관점과 개성을 지닌 두 명의 개인과 마찬가지로 묻고 대답하면서 서로의 관점을 교정해 가는 개방적 태도를 갖는다. 자신의 ⓑ 시계(視界) 속으로 상대방을 끌어들이는 것이 아니라 대화를 통해 진리로 나아간다. 감상자는 예술 작품 속에 존재하는 진리를 얻는 것이 아니라 대화 방식의 감상을 통해 예술 작품과 소통함으로써 새로운 진리를 만들어 낸다. 예술 작품을 자신이 갖고 있는 **전이해(前理解)**의 예증(例證)으로 삼는 것이 아니라 **외재(外在)**하는 예술 작품을 통해 이를 초월·확대·변화시킴으로써 새로운 **시야(視野)**를 획득한다. 그렇게 함으로써 예술 작품도 자신과는 다른 감상자를 통해 자신의 의미를 초월하게 된다.

감상은 감상자와 예술 작품이 양방향으로 **초월**하는 미적 체험의 과정이다. 예술 작품은 감상자를 향하여, 감상자는 예술 작품을 향하여 서로 열려 있는 것이다.

104

2005 9월 고3 모의고사

위 글의 주제로 가장 적절한 것은?

① 예술 작품 감상의 의의
② 예술 작품 감상의 배경
③ 예술 작품의 창작과 감상
④ 향유로서의 예술 작품 감상
⑤ 소통으로서의 예술 작품 감상

105

2005 9월 고3 모의고사

[A]의 내용으로 볼 때 ㉠~㉣에 들어갈 말로 알맞은 것은?

	㉠	㉡	㉢	㉣
①	참조 체계	감상자	의미	관계
②	감상자	참조 체계	관계	의미
③	참조 체계	감상자	관계	의미
④	감상자	참조 체계	의미	관계
⑤	참조 체계	관계	감상자	의미

106

2005 9월 고3 모의고사

ⓐ "셰익스피어는 모두 다 말하지 않았다."의 문맥적 의미를 바르게 설명한 것은?

① 셰익스피어 작품의 의미는 준거틀이 달라짐에 따라 변화한다.
② 셰익스피어는 모든 것을 말해 버려서 더 이상 할 말이 남아 있지 않았다.
③ 셰익스피어의 작품은 새로운 감상자들에게 언제나 한결같은 의미로 다가간다.
④ 셰익스피어는 그의 작품에서 그가 전달하고자 하는 의미를 모두 다 말하지 않았다.
⑤ 셰익스피어 작품에서 감상자들은 셰익스피어가 말하고자 하는 의미를 모두 읽어 내지 못했다.

107

2005 9월 고3 모의고사

위 글의 문맥으로 보아 ⓑ 시계(視界)를 대신할 수 있는 것은?

① 과정　② 전이해
③ 외재　④ 시야
⑤ 초월

정답&해설

104 ⑤

제시된 글에서는 예술 작품의 감상이 확정된 의미를 읽어 내는 것이 아니라 시대에 따라 다른 참조 체계를 활용하여 새로운 의미를 만들어 간다고 하였으며, 감상자와 예술 작품 사이의 대화임을 제시하고 있다. 따라서 글의 주제로 가장 적절한 것은 ⑤ '소통으로서의 예술 작품 감상'이라고 할 수 있다.

105 ②

[A]의 마지막 문장에서 '감상자가 예술 작품과 만나는 역사적 순간의 참조 체계는 과거와는 다른 새로운 관계를 만들어 내며, 이러한 새로운 관계에 의거해 감상자는 예술 작품으로부터 새로운 의미를 생산해 낸다.'라고 하였다. 이를 참조하면 ㉠~㉣에 들어갈 말은 순서대로 ② '감상자 - 참조 체계 - 관계 - 의미'임을 알 수 있다.

106 ①

제시된 글의 내용을 참조하면 "셰익스피어는 모두 다 말하지 않았다."라는 말은 예술 작품은 새로운 참조 체계를 통해서 새로운 의미를 부여받게 된다는 의미로 볼 수 있다. 따라서 ①이 가장 적절한 진술이라고 할 수 있다.

107 ②

앞뒤의 문맥을 보았을 때 '시계'의 의미는 '자신의 관점이나 이해, 개성' 정도로 추론해 볼 수 있다. 이런 관점에서 보면 글에 사용된 ② '전이해'라는 말 역시 감상자가 가지고 있는 관점이나 개성 정도의 의미를 지니고 있으므로, '시계(視界)'를 대신할 수 있는 가장 적절한 말이라고 볼 수 있다.

| 정답 | 104 ⑤　105 ②　106 ①　107 ②

ENERGY

내가 꿈을 이루면
나는 누군가의 꿈이 된다.

– 이도준

여러분의 작은 소리
에듀윌은 크게 듣겠습니다.

본 교재에 대한 여러분의 목소리를 들려주세요.
공부하시면서 어려웠던 점, 궁금한 점,
칭찬하고 싶은 점, 개선할 점, 어떤 것이라도 좋습니다.

에듀윌은 여러분께서 나누어 주신 의견을
통해 끊임없이 발전하고 있습니다.

에듀윌 도서몰 book.eduwill.net

- 부가학습자료 및 정오표: 에듀윌 도서몰 → 도서자료실
- 교재 문의: 에듀윌 도서몰 → 문의하기 → 교재(내용, 출간) / 주문 및 배송

2023 에듀윌 7·9급공무원 기본서 국어: 비문학

발 행 일	2022년 6월 23일 초판 | 2023년 1월 19일 2쇄
편 저 자	배영표
펴 낸 이	김재환
펴 낸 곳	(주)에듀윌
등록번호	제25100-2002-000052호
주 소	08378 서울특별시 구로구 디지털로34길 55 코오롱싸이언스밸리 2차 3층

www.eduwill.net

대표전화 1600-6700